Matthias Hartje

HELLERSDORF

Gesichtszüge

www. poesieundaquarelle.com

DRITTER TEIL

Impressum
© Matthias Hartje, 1. Auflage 2020
Covergestaltung: Matthias Hartje
Autorenfoto: Matthias Hartje
Lektorat: Rainer Stecher
ISBN: 9783751983907
Herstellung & Verlag
BoD – Books on Demand, Norderstedt

Im Park ging ich wartend am Geländer
entlang und zählte die Regentropfen darauf,
sah den unbeschwerten Flug der Schwalben
und Sonnenstrahlen auf das Kleid der Bäume fallen.
Ich habe für Stunden die Ruhe gesucht,
wollte das Grün berühren, es riechen
und den Wind begrüßen,
der die Thermik in Empfang genommen.
Habe die Pedale mit beiden Beinen wild gedreht,
bin mit Mut über den Rost gesprungen,
habe das Herbstlaub treiben lassen
und im Gepäck die Sorgen losgelassen,
um nicht zu stolpern.
Den Mantel zugeknöpft, ganz nah am Hals.
Andächtig im Licht sich spiegelnd, verspielt,
blind und trotzdem inspiriert sind die Gedanken
in mir, die an Zweigen ohne Knospen
darauf warten, dass sie endlich blühen
und dann nie vergehen.

Für
Renate Hartje

Meine Erinnerungen verbinden sich mit deinen.

Ein Wort im Voraus

Soll ich schreiben, dass Hellersdorf ein ungewöhnlicher Ort ist, den man nur schwer bewohnen kann? Oder sollte ich besser erwähnen, dass dieser Stadtteil im Nordosten Berlins an der Landesgrenze zu Brandenburg liegt? Ich weiß es nicht. Ich weiß nur, dass in Hellersdorf Menschen in grauen Betonhochhäusern leben und ihr Umfeld von Wiesenflächen geschmückt wird.

Ich könnte die Grenze überschreiten und schreiben, dass Hellersdorf eine Wüste ohne Zukunft ist, dass dort die Wasserhähne verrosten, Schwefelsäure die Parkanlage bewässert und giftige Düngemittel den Stockenten den Rest geben. Der Himmel ist und bleibt trotzdem verhangen. Die Sonne wird auch in Zukunft „Helle Mitte" nicht erhellen, da purer Alkohol in den Rinnsalen der Bürgersteige fließt.

In Anbetracht dessen erheben Ratten einen berechtigten Anspruch auf die vielen Müllplätze, da Wut und Hass der Denkerfamilien die Abfalltonnen überquellen lassen. Sie werden sich nicht von selbst entleeren. So geben die arbeitslosen Halunken ein wütendes Zeichen, dass sie vom Arbeitspensum des Arbeitsmarktes überfordert sind und weiterhin krank bleiben wollen.

Ich könnte hier einen Punkt setzen, auf eine Fahne einen Teufel malen und öffentlich betonen, dass hier die braunen Denker das Sagen haben. Doch was für ein Märchen soll daraus entstehen, wenn ich fett unterstreichen würde, dass die Hakenkreuzfahnen vor dem Rathaus hochgezogen sind und uns Gefahr droht? Der Blick nach Osten wäre dann erneut unser Ziel, sodass jeder Denker bewaffnet einen Supermarkt besuchen könnte, um sich ein Stück Butter oder ein Brötchen zu holen. Die Gleise der U-Bahnen und Straßenbahnen wären wieder zum Abbau freigegeben, damit die Verfluchten sie für neue Waffen in einem Tiegel schmelzen.

Ich wäre imstande einen Strich zu machen, um mir eine Mohnblume in mein Zimmer zu holen und anzufangen, Hellersdorf als das zu betrachten, was es ist: „Es ist ein schönes Hellersdorf, mein Dorf."

Ein Wort im Nachhinein
Oder habe ich es anders gemeint?

Keinen Schritt würde ich zurückweichen, wenn das Eis in meinem Glas auf meine dünne Haut fallen würde. Aber ich achte darauf, dass das nicht passiert. Dafür starre ich eine Betonwand an, denn ich überlege, warum ich ausgerechnet Hellersdorf für meine Bilder und Bücher ausgewählt habe. Vielleicht deshalb, weil ich weiß, dass es die Vergangenheit ist, die man zum Leben braucht. Weil es schön ist, den scheuen Eisvogel an der Wuhle anzuschauen, wie er auf einem Ast sitzt und darauf wartet, dass die kräuselnde Wasseroberfläche die Sicht für ihn freigibt, damit er sich einen Fisch greifen kann.

Erst jetzt wurde mir richtig bewusst, dass ich nie ein belangloses Leben in Hellersdorf haben wollte. Ich gab immer darauf acht, dass der Himmel meine traurigen Gedanken nicht neben meinem Lachen erdulden musste. Ich übersah die gottlosen Denker, die in ihrer Ewigkeit die süßen Trompetenblüten als Talisman ansahen und mit eisernem Willen die Kirschbäume in den Gärten der Welt ein weiteres Mal zerstörten. Ich gab darauf acht, den erfolglosen Tyrannen auf die Finger zu schauen, weil sie dachten, dass ein trockenes Gnadenbrot in den Kinderhäusern ausreiche, um den König mit der Weisung zu mimen, die Dominanz hochleben zu lassen. Ich ließ den Nordpol links liegen, der meinen normalen Lebensstandard mit Kälte übergoss. Es war Angst einflößend zu erfahren, dass die in den Himmel eingekehrten Denker die Offenbarung bekamen, mich zu retten. Mich braucht niemand zu retten, denn ich sitze gern auf einem Sandhügel und beobachte das Meer der Fröhlichkeit und der Angst streuenden schleichenden Armut in meinem Wohnumfeld. Mit vollem Gebläse weht der Ostwind seine Wut orkanartig zu mir rüber. Ich halte dagegen und will die leeren Floskeln von Ordnung und Disziplin verstehen, die mich begleiten.

„Selber schuld!", riefen mir die Fremden zu, die Illusionisten, die Tagträumer. „Selber schuld, dass hier der Punkt auf Erden ist, der dich wütend macht, statt Wildblumen und Rosenkohl zu pflanzen, Zwiebeln und Schnittlauch, Rosmarin und Knoblauch!" Ich weiß die Rettung naht, auch wenn die Erde karg und leblos aussieht.

Ich ahnte dieses Schicksal und legte die Bibel beiseite, die meine klaren Gedanken trübte. Wieder gab ich darauf acht, dass die verdorrten Bäume im Wuhletal blühten. Denn sie riefen die Bienen, die ihren Honig vor meiner Gehässigkeit verstecken mussten, seit gestern zu sich. Sie duldeten mich nicht mehr und übergaben dem Richter ihr Urteil. Er prüfte und holte tief Luft. Es schien ihm wichtig zu sein, dass ein Urteil nur gerecht sein kann, wenn ich begreife, dass Hellersdorf auch mein Hellersdorf ist und ich gern in diesem Stadtteil lebe. Er akzeptierte den Unfug von

Langeweile, da ich es nicht für angebracht hielt, Gott zu spielen. Er wollte dem Spießrutenlauf entkommen, dem Wahnsinn meine Stirn anbieten. Die Straßenzüge vergewissern sich, dass die Gaslaternen mein ängstliches Gesicht in der Dunkelheit erhellen, da ich oft, und das stimmt mich froh, an die Zukunft glaube.

Die poetische Farce müsste es gewesen sein, die mein Selbstbewusstsein stärkte, damit ich die Zusammenhänge in Hellersdorf verstehe. Bald wird der Morgen kommen und die Sonne scheinen, die mir auch im Winter ein Gefühl der Wärme gibt. Sie wird mich auffordern, mich endlich zu verändern, damit sich auch andere Denker verändern können. Grundlegend. Ohne Kompromisse. Ohne Trost. Weit weg vom hektischen Treibsand, der meine Fußsohlen rissig macht. Selbst auf die Gefahr hin, dass ich die Bosheit mit ins Bett nehme, wird die Nacht weichen, da der morgige Tag die Sonne begrüßt und ihr Licht über Hellersdorf erstrahlt.

Ich weiß, dass die schöne Seele von Hellersdorf mich schon lange begleitet hat, ohne dass ich es ahnte. So konnte ich die Welt belassen wie sie ist, ohne sie aus Furcht neu interpretieren zu müssen. Ich nehme mir nicht das Recht heraus, über die Grenzen hinweg von Unfug zu sprechen, nur um zu beweisen, dass hier in Hellersdorf alles schön ist. Manche Denker sprechen davon, es wäre das misslaunige Gefühl in uns allen, welches unser Leben nicht erträglich macht. Ich werde es so stehen lassen und dem Richter zu verstehen geben, dass sein offizielles Zeugnis keine Gnade findet und keinen Verzicht braucht. Kein Betteln wird geduldet.

Ich sehe die Galgenbäume am Wegrand stehen, die darauf warten, dass der Richterspruch zu Gunsten der Reichen ausfällt. Mir wird schon etwas mulmig, zuzuschauen wie sie wachsen und darauf warten, dass die Angst ihre Stämme befällt. Was bleibt mir daher anderes übrig als den dritten Teil über Hellersdorf zu schreiben. Natürlich mit der Maßgabe, dass die Gerechtigkeit in Hellersdorf einen Sinn ergibt und dass ich es realistisch einschätzen kann, dass die Denker gern in Hellersdorf leben wollen. Selbst mein Wunsch, dass die Angst nicht in den Straßenzügen umherwandert, ist ohne Belang. Im Fernsehen geht es nicht um die Wahrheit, sondern darum, das schlechte Image der Plattenbauten aufzufrischen. Und weil das nicht genügt, gibt die bezirksnahe Presse auch noch ihren „gefährlichen" Senf dazu. Konrad und ich konnten gut verstehen, warum diese Zeitungen gratis in den Briefkästen landeten.

Ich verlasse das Thema mit der Presse und der Berichterstattung im Fernsehen und begebe mich auf den Wolkenhain. Denn ich bin überzeugt, dass hier der Ort ist, wo sich die Widersprüche über Hellersdorf mit der Wahrheit verbinden. Und das ist auch gut so, denn die Ehrlichkeit bahnt sich ihren Weg allein und schiebt meine Zweifel beiseite, um für eine Minute den Sonnenstrahl zu finden, der alle dunklen Ecken von Hellersdorf beleuchtet, um die Seelen der Denker offen zu legen.

Hellersdorf

Die Küche lag im Dunkeln, weil die Jalousien im Wintergarten heruntergezogen waren. Ich sah auf das benutzte Stullenbrett auf dem Küchentisch und versuchte die Kürbiskerne zu zählen. Die leere Käsedose löste in mir ein unbehagliches Gefühl in der Magengrube aus – Schimmel hatte sich darin breitgemacht.

Konrad hatte den Raum verlassen, um die Berliner Zeitung zu holen. Am Rand seiner benutzten Kaffeetasse sah ich die Abdrücke seiner Lippen. Eine Tür vom Küchenschrank stand offen, so konnte ich die verschiedenfarbigen Kaffeetassen erkennen, die er zu jeder Mahlzeit neu auswählte: Die ockerbraunen Tassen benutzte er zum Frühstück. Die weinrote Kaffeetasse nahm er nach dem Mittag und die mit blauen Blumendekor nutzte er zu Kaffee und Kuchen oder wenn Gäste anwesend waren. Wenn er seinen Tisch damit deckte, spiegelten sie eine urgemütliche Atmosphäre wider.

Die Luft in der Küche war erdrückend stickig. Seit Wochen war das Fenster geschlossen. Der Mülleimer roch nach verschimmeltem Brot. Ich zog die Jalousie hoch, um mehr Licht in den Raum zu bringen, und öffnete das Küchenfenster, wobei ein Blumentopf herunterfiel und die vertrocknete Blumenerde sich wie Puderzucker über den ganzen Fußboden verteilte.

Ich wurde traurig. Es war nicht mal drei Monate her, da habe ich noch mit Konrad im Wohnzimmer gesessen und mit ihm alte Fotos aus seiner Kindheit angesehen. Der Jasmin-Tee, den wir immer gern vormittags in seiner Küche tranken, zeugte von einer Art inniger Verbundenheit. Das war wichtig für ein gemeinsames Vertrauen. Für diese Teestunde nahm er immer die flachen Teetassen aus Japan. Auf die war er besonders stolz.

Es ist schon komisch, dass Konrad ausgerechnet in einer Zeit verstarb, als ich ihn dringend gebraucht hätte. „Herzversagen", sagte der Arzt. Und so steht es auf dem Totenschein. Ich dankte Hertha, dass sie ihn mir gezeigt hat. Schade nur, dass bald der Frühling beginnt und er nicht sehen kann, wie meine Tulpenzwiebeln im Vorgarten zu blühen beginnen. Meine Mutter konnte den Frühling noch genießen, bevor sie im Sommer ihre Augen schloss.

Ja, Hertha. Du ähnelst deinem Stiefbruder sehr. Der weiche Ton in deiner Stimme und die Art, wie du die Kaffeetasse hältst, da sehe ich Konrad vor mir. Du bist Linkshänder wie er und hebst die Kuchengabel an wie er, das hat mich schon stutzig gemacht. Ich dachte, das kann doch wohl nicht wahr sein. Die Ähnlichkeiten in den Charakterzügen, in der Mimik und Gestik erinnern mich immer an Konrad. Auch dein Lachen gehört dazu. Ich war anfangs skeptisch, dass ihr zwei Väter habt. Umso bedeutsamer war es, dass ihr eure Mutter geliebt und geachtet habt. Ich glaube schon, dass eine Mutter die Melancholie in der Familie zum Schwingen bringen kann.

Ich wünschte mir, dass Konrad zu seinen Lebenszeiten mehr von dir erzählt hätte. Jetzt ist es schwierig für mich, den neuen Umgang mit dir zu erfahren. Verstehe mich bitte richtig. Es freut mich riesig, dich kennengelernt zu haben und dass du sein Erbe angetreten hast. Mehr noch. Ich schätze es als einen glücklichen Umstand, dass du hier in Deutschland bist. Doch warum hat Konrad dich nie erwähnt? Über viele Themen haben wir gesprochen, doch nie über dich. Aber vielleicht war sein Vertrauen zu mir noch nicht ausgereift. Oft spürte ich seine Zurückhaltung, wenn es darum ging, tiefer in seine Vergangenheit vorzudringen. Besonders in Bezug auf seine Familie und seinen Beruf. Was er tatsächlich gelernt und gearbeitet hat, weiß ich gar nicht. Er wirkte auf mich sehr scheu, bescheiden und wollte immer einen gewissen Abstand zu mir wahren. Dabei ist er mir als Denker sehr nahegekommen. Wir sprachen über viele Dinge des Lebens. Und wenn es um den Holocaust ging, war er stets in sich gekehrt, traurig, vermischt mit Hass. Ich ahnte, dass ein Geheimnis in ihm schlummerte. Vielleicht warst du es, Hertha? Du, seine Schwester.

An manchen Tagen im Hochsommer fröstelte er so sehr, dass ich dachte, er leide an Schüttelfrost. Nie hat er von dir gesprochen. Im Gegenteil, in Bezug auf seine Familie musste ich immer nachfragen. Und selbst dann gab er mir nur sporadisch Auskunft. Über seine damaligen Kriegserlebnisse und die Nazis, die seine Familie getötet haben, sprach er oft in tiefer Verbitterung. Oft glaubte ich, es sei mit Konrad alles okay, aber in Wirklichkeit brodelte in ihm der Hass. Als wären ihm die Ereignisse gerade eingefallen, so spontan überkam es ihn. Selbst beim schönsten Ausflug erwischte es ihn. Er wurde dann zu einem ganz anderen Denker.

Hertha, es macht mich glücklich, dich neben mir zu haben, den Beginn einer neuen Freundschaft zu erleben und über deinen Stiefbruder zu erzählen. Dein inniger Wunsch, mehr über Konrad zu erfahren, war für mich ganz normal und eine besondere Freude. Ich brauchte jedenfalls nicht lange zu überlegen.

Ich habe dir den ersten Band der Trilogie über „Hellersdorf" gezeigt. Du hast während des Lesens gestrahlt. Du warst sehr stolz auf deinen Bruder, als ich dir von dieser gemeinsamen Idee erzählte. Ich bin dir deshalb sehr dankbar, dass du den dritten Teil mitgestaltet hast. Es hat Sinn gemacht, das fortzuführen, was Konrad bereits begonnen hatte. Du hast das Buch nicht mehr loslassen wollen. Mir war klar, dass ich es dir schenken würde, damit du deiner Familie in Amerika zeigen kannst, wer Konrad gewesen war. Völlig überrascht hast du im Buch immer wieder geblättert und nachlesen wollen, was Konrad über sich geäußert hat. Dein Gesicht erschien mir manchmal fassungslos.

Als feststand, dass du am dritten Teil von Hellersdorf mitwirken würdest, gingen mir Tausende Gedanken durch den Kopf. Ich fand kaum noch Schlaf. Für mich war das eine überwältigende Geste, denn so konnte das aufleben, was ich mit Konrad erlebt habe, und zwar an den gleichen Orten. Ich wollte dir die Ereignisse so wiedergeben, als würde er noch unter uns sein.

Hellersdorf ist deshalb auch in diesem Teil der Mittelpunkt des Geschehens, denn Konrad lebte hier und ich werde auch in Zukunft in diesem Teil Berlins leben. Es hätte auch das wasserreiche Spandau oder das grüne Pankow sein können. Aber dem war nicht so. Wir beide konnten uns entscheiden, in Marzahn oder in Hellersdorf Fuß zu fassen. Und das Paradoxe daran ist die Bedeutungslosigkeit des Ortsnamens, was viele Denker nicht verstehen. Für uns war klar, dass jeder Stadtteil in Berlin seine Reize hat. Die Eigenarten eines jeden Bezirks sind seiner Geschichte geschuldet, und die Geschichte von Hellersdorf ist relativ jung. Die Bestimmung in uns lässt vermuten, dass wir eben Hellersdorf zu unserem Lebensmittelpunkt wählten. Du in Amerika. Konrad in Schlesien. Und ich in der Großstadt Berlin. Aufenthaltsort und Geburtsort sollten eine geschichtliche Linie bilden, keinen Widerstand produzieren. Ruhe auf der eine Seite und impulsgebende Neugierde und Freude auf der anderen Seite, um die innere Balance zu finden. Ich glaube, das war das eigentliche Motiv, den Flecken

Erde aufzuspüren. Die Natur als Zentrum für ein Leben, das die Ideen und Visionen für Liebe immer wieder auffordert, weiter zu leben.

Die Sehnsucht nach Geborgenheit, die dadurch unwillkürlich entsteht, könnte das Geheimnis sein, dass die Ebenen zwischen dem Geist und der Welt freiwillig dem Ort – in diesem Fall Hellersdorf – als Wohnstätte zustimmt. Wir wussten, dass die Bewertung dieses Stadtbezirks für uns nicht relevant und unsere Begegnung eher spontan war. Passte das Hemd mit dem extravaganten Muster und dem persönlichen Schnitt, dann hatte höchstwahrscheinlich das innere Kind in uns darüber entschieden. Wehe dem, es fühlte sich nicht gut an oder es roch muffig nach alter Zeit. Eine positive Entscheidung wäre nie gefallen.

Ich erinnere mich gut daran, dass wir darüber sprachen, warum Konrad Hellersdorf für seinen Lebensabend ausgesucht hat. Eindeutig war seine Antwort nicht. Selbst ich konnte nicht sagen, warum ich gerade Hellersdorf als meinen Wohnort gewählt habe. Konrad meinte: „Es war so. Die Bedingungen waren günstig und Hellersdorf gefiel mir." Es machte uns wütend, wenn wir lasen, dass die Zustände in Hellersdorf und Marzahn erbärmlich seien und dort keiner wohnen will. Die beiden Stadtbezirke wären verdreckt und verarmt. Die Hochhäuser aus der Zeit der DDR seien farblos und kalt. Dort würde ein hohes kriminelles Niveau herrschen, was wiederum der Ausdruck dafür sei, dass man um sein Leben fürchten müsse – so in etwa beschrieb es eine Axel-Springer-Lektüre.

Im Fernsehen wird detailliert gezeigt, wie Alkoholiker in ihrer Einzimmerwohnung im Müll leben und wie viele Bierflaschen und -büchsen in den Wohnungen liegen, ohne dass sie sich daran stören. Diverse Aldi-Einkaufstüten im Flur sollen den Beweis erbringen, dass die Bewohner von Hellersdorf dem Alkohol frönen. In Sondersendungen, gleich nach den Nachrichten, wird in Farbe Reklame gemacht, dass in den Plattenbauten von Marzahn selten eine Wohnung gereinigt wird. Dreck wohin das Auge blickt. Selbst die ungepflegten Außenanlagen der Wohnhäuser wurden gefilmt. Abgeschnittene und ungepflegte Sträucher sollen das Gesamtbild von Marzahn widerspiegeln.

Warum erwähne ich das gerade an dieser Stelle, liebe Hertha? Konrad hat ein Buch im Internet entdeckt, angeblich das Sensationsbuch einer Denkerin, die aus Bochum stammt und über Hellersdorf und Marzahn eine Reportage geschrieben hat. Diese war sehr einseitig, negativ. Bewusst war ihr Blick darauf gerichtet, wie die vielen Hartz-IV-Empfänger leben. Im Buch wird gut beschrieben wie die Angst in den Straßen überlebt. Drei christliche Schwestern aus einer Marzahner Kirche spielen die Gerechten und zeigen mit wie viel Mühe sie sich ins Zeug legen, um andere Denker zu retten. Kapitel für Kapitel wird beschrieben wie die Jugendlichen auf sich gestellt ums Überleben kämpfen.

Wenn der Abend beginnt, droht in den Straßen tiefe Dunkelheit, werden Senioren und Kinder überfallen, ausgeraubt und genötigt. Ältere Denker vor der Kamera meinten sogar, sie würden sich abends nicht mehr auf die Straße trauen. Sie würden angeblich beschimpft und herablassend behandelt, indem man ihnen den Rollator in die Wuhle wirft. Einsame Denker, die von Hartz-IV leben, würden angeblich keinen Sinn mehr im Leben sehen. Überall seien beschmierte Decken und Wände in den Hausfluren zu sehen. Postboten kämen nicht, da es keine Briefkästen mehr gäbe. Was in diesem Buch steht, einem Bestseller, ist einfach Lüge. Die Politik hat geschlafen und doktert herum, um ein wenig Linderung zu schaffen.

Um an der Sache dranzubleiben, werden andere Kamerateams den Weg nach Hellersdorf finden. Vielleicht in drei Wochen oder in vier Monaten. Wer weiß? Guter Ausgangspunkt für eine neue Reportage, in der man schnell etwas Negatives finden wird, finden muss, um das Klischee aufrecht zu erhalten. Eine Eckkneipe findet sich überall. Ein paar jugendliche Denker haben die Kneipe für sich entdeckt und gehen jeden Tag hinein, um gleichgesinnte Denker zu treffen. Am Tresen brüllen sie schon laut herum. Sie wollen auffallen. Der Scheinwerfer der Kamera erhellt ihre Gesichter und sucht den Rädelsführer. Er ist schnell gefunden, und schon berichtet er von den chaotischen Zuständen hier in Hellersdorf. Es sind Denker, die über keinen

19

Abschluss verfügen und auf Gelegenheitsjobs angewiesen sind, um sich Alkohol und Zigaretten kaufen zu können. Tabak wird stets beim „Vietnamesen" vor dem Supermarkt gekauft. Der Haarschnitt ist ungepflegt, die Freizeithemden sind zerrissen und dreckig. Unrasiert und mit mehreren Narben im Gesicht geben sie im gebrochenen Deutsch Auskunft darüber, dass alle Ausländer schuld daran sind, dass sie keinen Job haben und hier herumlungern müssen.

„Hartz-IV ist heute eine bequeme Art, um an Geld zu kommen", meinte ein älterer Denker, der sich dazugesellte, um auch ins Rampenlicht zu kommen. Seine Arme waren mit Hakenkreuz und Adler tätowiert. Er hob sogar die Hand zum Gruß in Richtung Kamera. Ein noch besseres Bild kann man mit einer Kamera nicht einfangen, Hertha.

Mich hat das wütend gemacht, als ich diesen Schwachsinn sah. Solche Szenen werden dann zur besten Sendezeit im Fernsehen gezeigt, beim Abendbrot. Genau dann, wenn Kinder mit am Tisch sitzen oder einfach nur zusehen. Der Sender glaubt wirklich daran, dass nur das braune Gesocks in Hellersdorf lebt und dort das Sagen hat. Wenn man gut hinschaut, liebe Hertha, sind das die gleichen braunen hilflosen Denker, die vor dem Rathaus von Marzahn die NPD-Fahnen hochreißen und ohne es wirklich zu ahnen auf ihre Freiheit verzichten. Was daraus folgt, sehen wir jeden Tag in den Nachrichten: die Unterkünfte der Flüchtlinge werden angezündet. Sie leiden schon unter einem Trauma und werden dazu noch von den braunen Denkern auf den Straßen gejagt und bedroht – vermummt natürlich. Nur ihre Augen sind zu sehen.

„Das ist Hellersdorf", meinte ein naiver Denker, der ebenso unerkannt vor der Kamera bleiben wollte. Ist das wirklich das Hellersdorf, wo ich wohne? Nein, ist es nicht!

Konrad bekam Angst, als er mit ansehen musste, wie neun braune Denker ihren Frust in der Öffentlichkeit abließen, indem sie andersdenkende Denker brutal verprügelten. Missbilligend und brandmarkend war deren Auftreten in der Öffentlichkeit. Sie schüren wieder Angst und würden am liebsten erneut den „totalen Krieg" ausrufen. Sie wollen das Thema mit den Juden neu auf dem Tisch haben und ihnen zeigen, dass sie minderwertig sind und kein Recht haben in Deutschland zu leben. Konrad und ich waren erschrocken, mussten aber hinnehmen, was vor unseren Augen geschah. Diese Leute haben vor den Flüchtlingen aus Syrien und Afrika gewarnt. Die braunen Denker interessiert es nicht, warum diese Menschen ihre Heimat verlassen mussten. Ich griff mir einen dieser braunen Hetzer, zerrte ihn aus dem Pulk der Masse und fragte ihn, ob er wisse, was er da brüllt. Unsicher schüttelte er den Kopf. Er war völlig überfordert mit der Situation, denn er hatte nicht damit gerechnet, dass ihn jemand aus der Gruppe zerrt und zur Rede stellt. Im Hintergrund hörten wir sie rufen, dass die Flüchtlinge für Deutschland eine Gefahr bedeuten würden.

21

„Was ist daran so verwerflich, dass Flüchtlinge ihr Leben schützen wollen?", fragte ich den jungen braunen Denker. Ist das unser Hellersdorf – mit seinen Denkern, den schönen Vorgärten, den gepflegten Balkons – oder sind es die braunen Halunken, die es bis heute nicht verstanden haben, dass der Zweite Weltkrieg schon lange vorbei ist? Konrad sagte: „Nein!" Das ist nicht sein Hellersdorf. Sein Hellersdorf ist anders. Dort würden auch Denker leben, die ihrer Arbeit nachgehen und den Anspruch verinnerlichen, die persönliche Lebenssituationen anzugleichen, um mit der Gesellschaft mitzuhalten. Jeder hat das Recht auf Veränderung. Jeder hat die Wahl zu entscheiden, wo er leben möchte. Überall gibt es ernsthafte Probleme, die auf politischer Ebene nicht richtig wahrgenommen werden, leider. Die Gerechtigkeit steht schon immer auf wackligen Füßen, und manche Denker mit Hartz-IV wissen nicht, was Hilfe bedeutet. Für sie ist es selbstverständlich geworden, dass Sozialleistungen abrufbar sind. Ich glaube, wenn jeder gesunde Denker sich die Mühe machen würde, aus dem Hartz-IV-Zyklus auszubrechen, würde er es auch schaffen. Der Wille, für sich selbst einzustehen und zu kämpfen, um was zu erreichen, ist oft nicht mehr anzutreffen. Ich glaube, es fehlt ihnen an Motivation, an Zielen. Deshalb stehen die Denker vor einer Wand und hoffen stattdessen auf einen großen Lottogewinn, der aber nie kommen wird. Konrad und ich wissen, dass es heutzutage schwer ist, einen gut bezahlten Job zu bekommen. Die Wirtschaft hat sich dramatisch verändert. Die Arbeitnehmer ziehen den Kürzeren. Sie schuften einen ganzen Monat und können dann nicht mal die Miete ihrer Wohnung davon bezahlen. Ich meine, woher nimmt der braune Denker seine Wut auf die Gesellschaft, wenn nicht von den täglichen negativen Botschaften der Presse und des Fernsehens? Die Öffentlichkeit hat Angst und lässt Depressionen zu, die zu einer gewissen Unzufriedenheit führen. Keine Perspektive zu haben, erzeugt Wut und Wut führt zu innerem Chaos. Daher wächst die Unzufriedenheit. Die Angst wird stärker und der Druck von außen steigt stetig an. Der braun angehauchte Denker sieht keinen Sinn für Verantwortung. Kein Entkommen ist möglich. All die angstvollen unsicheren Denker, die aus den Müllcontainern das Leergut fischen, um ihren Alkoholpegel zu halten, suchen gleichgesinnte Denker, die den gleichen Unsinn für sich entdecken und behaupten, dass die Juden an allem schuld sind. So einfach geht die Rechnung aber nicht auf. Diese Sorte von Denkern lebt nicht nur in Hellersdorf und Marzahn, sondern in allen Stadtbezirken Berlins. Sie wollen dem Glück begegnen. Aber das Glück wird nicht erscheinen. Solange sie mit der Sucht einen Pakt schließen, wird das Glück nicht auf sie zukommen. Aber diese „Sprache" kommt bei ihnen nicht an.

Ich habe diesem braun angehauchten jungen Denker gesagt, dass er den falschen Weg geht, aber er wiegelte ab und blaffte mich zornig an, dass ich ein Arschloch sei. Diese Denker tragen in allen Altersgruppen die Verantwortung für sich selbst, und ihnen muss klar sein, dass ein Weg mit Alkohol und Drogen keine Zukunft hat. Wir können ihnen die Verantwortung nicht abnehmen und für sie entscheiden. Dazu sind wir nicht befugt. Konrad versuchte, mich zu verstehen. Es hat nichts mit Kaltblütigkeit zu tun, denn Hilfsangebote gibt es genügend, und wer eine Therapie anstrebt, wird sie auch bekommen. Wer das nicht verstehen will, muss die Folgen tragen. Wie sich das weiterentwickelt, das wird die Zeit bringen.

Ich glaube, das hat Konrad damals sehr aufgewühlt, sodass er auf die Idee kam, die Verantwortung selbst in die Hand zu nehmen. Das klang nicht schlecht, denn irgendwie wollte ich das auch.

„Was können wir tun?", fragte ich Konrad, der gerade dabei war, durch die Demonstranten am Straßenrand und den Zug der braunen Denker zu laufen.

„Etwas darstellen, was heute nicht alltäglich ist. Etwas Außergewöhnliches erfinden. Es müsste etwas sein, was jeder Denker mit sich führen kann und in jede Tasche passt. Wie wäre es mit einem Buch?" Das Wort „Buch" und der Gedanke es zu schreiben, sprudelte fast zeitgleich aus unseren Mündern. Wir waren so erschrocken, dass wir uns umarmten. Manche vorbeilaufenden Passanten schmunzelten etwas. Den Moment möchte ich nicht so schnell vergessen, denn danach kamen uns viele Ideen und Gedanken, liebe Hertha. Wir wollten mit dem Buch zum Ausdruck bringen, dass Hellersdorf ein Fleckchen Erde ist, wo man gern hinziehen möchte.

Hertha, deine Augen glänzten als ich vom Buch „Hellersdorf" sprach. Auf jeden Fall war es ein genialer Einfall von Konrad und mir. Wir waren felsenfest überzeugt, dass es sich lohnen würde, über diesen Stadtteil zu schreiben, denn er hatte viele Seiten aufzuweisen. Eine grüne Seite zum Beispiel oder eine rote Seite. Eine christliche Seite. Eine demokratische Seite, die zeigt, dass hier politische Denker leben, die ihren Stadtteil sozial prägen, um ein Wohlbefinden für die Bevölkerung zu schaffen, die ihn pflegen, respektieren und achten. Ihn sogar bereichern, sodass Beständigkeit Einzug hält, weil die vielen sozialen Projekte in ehrenamtlicher Arbeit einen Sinn ergeben. Dabei geht es nicht immer ums Geld, sondern darum, die ernsthaften Probleme und Sorgen der dort lebenden Denker zu benennen und nicht wie zu DDR-Zeiten unter den Teppich zu kehren. Eine Verzerrung oder gar ein Verwischen der Probleme wäre nicht angebracht, da die Ostberliner die Wahrheit ohnehin kennen. Das Lügen würde auch keinen Sinn machen. Wir alle wollen was verändern, um die Demokratie und Gerechtigkeit in Deutschland zu erhalten. Es kann nämlich nicht sein, dass man Denkern, die in Armut leben, die Wohnung kündigt, nur weil sich ihre Miete plötzlich um 100 % erhöht. Wo wollen wir hin? Die Wohnungen ist ein Allgemeingut und sollte als solches respektiert werden. Stattdessen wird sie zum Spekulationsobjekt gemacht. Konrad hatte damals recht, gerade über die Denker zu schreiben, die in die Hartz-IV-Falle geraten sind. Oh Hertha, ich kenne sehr viele Denker, die voller Stolz in Hellersdorf und Marzahn leben und nur einmal im Jahr in einen für sie billigen Urlaub fahren können. Ich brauche nur aus meinem Arbeitsfenster zu sehen. Vier Studenten, die im Nachbarhaus in einer Vier-Raum-Wohngemeinschaft leben, kamen auf die Idee, mit einem gemieteten Wohnmobil nach Norwegen zu fahren. Drei Wochen pure Erholung in der Kleinstadt Rutelli, um zu angeln und Boot zu fahren. Alle Unkosten wurden durch vier geteilt, die Freuden und Sorgen natürlich auch.

Es bleibt stets das Schöne übrig, wenn man das Geschehen rückblickend betrachtet und nachhaltig auf sich wirken lässt. Wehmut erscheint zaghaft und gibt Kraft, die Gedanken zu ordnen, die keine Veränderung der Vergangenheit wollen. In der Veränderung aber ist das Gefühl oft außer Kontrolle und sucht einen Weg, von dem viele sagen, es sei ihnen Sicherheit wichtiger als Emotionen. Denn unter den wackligen Füßen ist das Fundament brüchig und zeigt nicht, wann die rote Warnleuchte aufleuchtet. Der Föhn darf kommen und die Bedürfnisse ebenso, um zu erfahren, dass die Gefühle leben wollen.

Ein Bitten zur Offenheit wird dem Folgeleisten, was das Gebot der Liebe zeigt. Es rangt wie eine Wildpflanze nach oben und deckt eines Tages das Dach der Liebe zu. Trocken wird es bleiben. Warm ist das Gefühl. Vertrautheit ist dagegen ein seltenes Kleinod, das zu keiner Zeit von der Wahrheit abrückt. Beides passt zusammen und gibt dem Leben eine gewisse Gelassenheit. Um sie zu finden, muss man nicht lange suchen. Der Körper ist an der Quelle und der Geist wird diese später als die Erfahrung schätzen lernen, um zu überleben.

Konrad hatte es im Gefühl, genau zu wissen, wie eine braune Partei die „Marzahner Denker" ansprechen muss, wie gut sie manipuliert werden können, damit sie dieser Horde folgen. Hitler konnte das deutsche Volk früher auch gut um den Finger wickeln und ihnen weismachen, dass eine arische Welt die Zukunft sei.

Diese braune Partei hat das gesamte politische Leben verfälscht und die Demokratie infrage stellt. Heute wie damals schürt sie Angst, denn die Angst springt auf die einfachen Denker über. Sie tragen Masken und öffnen in Gedanken die neuen Gaskammern. Hitler hat den Denkern damals Wohlstand und Arbeit versprochen. Doch zu welchem Preis? Der Preis war zu hoch, sodass wir noch heute dafür bezahlen, was wir der Welt angetan haben. Konrad wusste, was er sagte und wie er es tun musste, denn seine Religion hatte die meisten Toten zu beklagen: Tod, Vertreibung, Deportation, Vergasung, Verschleppung, Elend und

Hass. Übrig geblieben ist eine vernarbte Welt, die bis heute nicht geheilt scheint.

Hertha, wie die US-Regierung bei dir zu Hause politisch gestrickt ist, das weiß ich nicht. Ich weiß nur, seit über dreißig Jahren lebst du in Tampa. Key West ist dein Garten. Immer blauer Himmel. Die Sonne scheint ewig. Warmes Wasser und weiße Strände. Euer amtierender Präsident hat mit Hitler auf alle Fälle eines gemeinsam, er braucht, wenn er vor dem Kongress eine Rede hält, kein Blatt Papier zum Ablesen. Dennoch habe ich vor ihm Angst. Ein Narzisst birgt immer eine Gefahr in sich. Man weiß nie, was er morgen plant oder denkt. Im Augenblick habe ich den Eindruck, dass er mit uns allen „fang den Ball" spielt.

Es war gar nicht so lange her, als ich mit Konrad über euren Präsidenten sprach. Mir wäre es lieber, wir würden uns von den Amerikanern abgrenzen und nur noch Wirtschaftsabkommen schließen, statt irgendeinen Panzer zu bauen und mit den USA Schulter an Schulter Kriegsmanöver abzuhalten. Konrad öffnete erstaunt seine Augen und berührte mit seiner Hand die meine. Wir sollten als reichstes Land Europas den Schritt wagen, aus der Europäische Union auszutreten. Was die Engländer heute veranstalten, ist reines Affentheater. Die wollen sich die besten Rosinen aus der Torte picken und den Rest der Staatengemeinschaft untergehen lassen. So stelle ich mir keinen geordneten Austritt von England vor. Was für ein absurder Brexit?! Widerlich ist das Gezerre um Machtansprüche, die es eigentlich nicht mehr gibt. Wir Deutschen sind daher gut beraten, wenn wir uns mit den skandinavischen Ländern zusammentun und einen Wirtschaftsmarkt bilden, ohne Zölle zu erheben. Ich würde es sogar begrüßen, den Machtkampf mit Russland aufzugeben. Das Land strebt nach Ruhe, weil es eigene Probleme lösen muss. Ich denke nur an die Straßen im Land, die man ausbauen müsste. Was für eine Mammutaufgabe? So bekäme alles wieder einen Sinn, wenn die deutsch-russischen Beziehungen auf gegenseitigen Vorteil ausgerichtet werden könnten. Wir kannten das von früher, als der Sozialismus noch „Siegen" lernte. Was ist daraus geworden? Nichts! Die alten Truppenübungsplätze der Russen sind mit Munition verseucht und vermitteln mir eine Art von Dankbarkeit, dass sie fast vierzig Jahre die DDR militärisch gesichert haben. Also, welche Gefahr soll da noch von den Russen kommen?

Konrad war vor fünf Jahren nach Estland gereist. Er war dort im Urlaub. Der Ort heißt Növa, das liegt im Kreis Lääne, fast am „Finnischen Meerbusen". Er schwärmte von diesem Land und lobte die Denker, die auf ihre Heimat stolz waren. Alles wurde sauber gehalten und ihre Gastfreundschaft war ehrlich und offen. Hertha, frag' mal einen deutschen Denker, ob er auf sein Land stolz ist. Würde die Fußball-WM nicht alle vier Jahre sein, würde der Nationalstolz in unserem Land total den Bach runtergehen. Ich meinte, den ausgesprochenen Satz sehr ernst. Konrad zweifelte ein wenig, als ich ihm sagte, sich im eigenen Land umzuschauen: „Schau dir die großen Reklameflächen auf den Plätzen im öffentlichen Raum an. Selbst großen Verwaltungshäuser der Gemeinden und Städte und auch die Kirchen dekorieren sich mit bunten Werbeplakaten, wo man sich fragend an den Kopf fasst."

Ich lese immer wieder das moderne Englisch. In England ist das ja praktikabel, aber in Deutschland möchte ich meine Sprache lesen. Überall, in der Werbung, Technik, Chemie, Biologie und Computersoftware, wird fast jeder Titel in Englisch geschrieben. Alles ist in Englisch verfasst. Jeder Popsong ist Englisch, weil Englisch modern ist.

„The Student Hotel", das lese ich in großen Lettern auf einem Hotel am Alexanderplatz. Die Telekom macht dieses Spiel mit: „Thrilling You Softly" heißt „Dich sanft zu begeistern". Wenn ich mir das Grundgesetz anschaue, ist die deutsche Sprache nicht im Grundgesetz verankert, somit kann man jede Sprache anwenden, um zum Beispiel sein Recht zu kommen. Gott sei Dank, dass die Gerichte die Urteile in deutscher Sprache verfassen. Eines Tages wird wohl ein englischer Richter in Tiergarten sitzen und für mich ein Urteil fällen, das ich nicht verstehen werde. Wovor haben wir Angst? Ist es noch der Zweite Weltkrieg, der für die heutige Jugend immer wieder zur Last wird? Konrad konnte das Hitlerdeutschland von dem heutigen Deutschland sehr gut unterscheiden, und darüber war ich sehr glücklich. Er hat meinen Vater nicht zum Mittäter gemacht, obwohl er Funker bei der Wehrmacht gewesen war. Konrad sah die wahren Schuldigen der damaligen Zeit und prangerte die Denker an, die den Nazis beim Töten halfen. Nur dass das Konrad nicht geholfen hat, seiner Vergangenheit zu entfliehen.

„Und was hat das nun mit Hellersdorf zu tun?", fragte ich ihn damals. Er schmunzelte, rieb sich die Hände und sagte: „Egal wo man wohnt, es ist die Heimat." Deshalb die Frage an dich, Hertha. Du konntest Konrad schon damals nicht raten, seinen inneren Frieden zu finden. Das meine ich nicht böse. Du bist eben rechtzeitig aus Nazideutschland in die USA gereist. Du hast dort dein Glück gefunden, eine Familie gegründet mit einem liebevollen Denker, der eine große Fabrik besaß. Er hat Kühlschränke hergestellt. Dir ist es scheinbar gelungen, den Mantel von Leid und Tod abzuwerfen. Sei froh darüber. Konrad hatte es dagegen schwer. Er konnte die Vergangenheit nicht loslassen. Traumatisiert hat er seinen Alltag in Hellersdorf gemeistert.

Hertha, meine Gedanken verschwinden in andere Welten; ich versuche Verständnis für andere Denker zu wecken. Aber die Vergangenheit der anderen zu verstehen, das gelingt mir nicht, da sie mir nicht gehört. Jede Vergangenheit ist aus meiner Sicht nichts mehr wert. Sie ist etwas, das die Zeit verinnerlicht und mit Sinn erfüllt hat. Die Illusionen heben das auf und machen es realistisch und bunt. Glaube mir, Hertha! Ein fairer Prozess der Aufarbeitung fand in Konrad selten statt. Er war noch nicht bereit, zu verstehen, dass seine erlebte Geschichte heute der Vergangenheit angehört. Sie ist nicht mehr vorhanden. Die Erinnerungen wühlen auf, um daraus erneut ein Drama entstehen zu lassen und immer wieder neue Schuld zu suchen. Konrad hat ständig neue Frage gestellt. Sie kamen spontan, und ich begriff erst spät, was die Fragen mit ihm machten. Auch meine Fragen zu meiner Vergangenheit konnte ich zwar auf den Prüfstand stellen, aber das hat mir wenig Erfolg gebracht. Mir erging es letztlich wie Konrad. Erst jetzt lerne ich zum Beispiel, was ich mag und was nicht. Und doch musste ich auf der Hut sein, um die Dinge, die ich heute wirklich nicht mehr mag, auch tatsächlich abzulehnen, abzulegen, nicht mehr wahrzunehmen, zu ignorieren und letztendlich das jetzt zu akzeptieren.

Mir wird erst jetzt bewusst, in welchem Land ich geboren wurde. Aber was kann ich dafür, dass ich als Deutscher in Berlin wohne und aufgewachsen bin? Ich akzeptiere das so, wie es ist. Wie auch bei meinem Freund Konrad, der mir leise ins Ohr geflüstert hat, dass er ein Jude ist. Was geht in einem vor, wenn man seine Religionszugehörigkeit nicht frei äußern darf? Erst war ich erschrocken darüber, dass er feinfühlig und hinter vorgehaltener Hand sagte, dass seine Familie jüdisch ist. Der Ururgroßvater ist in Zypern geboren und hütete damals schon die Gebetsrollen, woraus sie ihre Gebete lasen. Die jüdische Liturgie hat auch eure Mutter sehr gut verinnerlicht, indem sie euch beide danach erzogen hat. Das Sabbatfest mochte Konrad, und ich konnte sein freudiges Gesicht sehen, als ich mit ihm zur neuen Synagoge in die Oranienburger Straße gefahren bin. Wie ein Geschenk nahm er es von mir an. Auf einer Bank in der Halle durfte ich das ganze Fest miterleben, beobachten, zelebrieren, anschauen, riechen, wahrnehmen und reflektieren. Ich habe zwar von all dem nichts verstanden, aber das war mir egal gewesen. Kein jüdischer Denker hat mich deswegen schief angeschaut. Im Gegenteil. Ich wurde respektiert und geachtet. Man grüßte mich herzlich und gab mir ein Zeichen von Hochachtung und Respekt.

Hertha, warum erzähle ich dir das alles? Ich denke, dass es richtig ist diesen mit Konrad eingeschlagenen Weg jetzt mit dir weiterzugehen. Konrads Vernunft und sein Verstand kamen nicht aus der jüdischen Liturgie, sondern von eurer Mutter, die es verstanden hat, dass die Wahrheit für die jetzige Welt von immenser Bedeutung ist. Sie gab euch beiden das Gefühl, dass die Liebe eine richtungsweisende Fügung im Leben darstellt. Sie lebte es euch vor. Eure Abstammung war unwichtig: Israel oder Polen, Europa oder Amerika, Hellersdorf oder Zehlendorf. Ihr seid Denker mit Herz und Verstand. Ihr wusstet, was eure Mutter von euch

33

erwartet, wohin der Weg euch führt. Die Religion kennt die Spuren der Erleuchtung: die Erkenntnis, die Vernunft, die Ehre und den Stolz. Heute aber ist die Religion verzerrt und wird zum Schwert, das richtet. Und das ist nicht gut, liebe Hertha. Konrad spürte die innere Weisung, wenn die Religion heute weiterhin so angewendet wird, dass sich ihre Macht vermehrt, statt die Wahrheit.

Konrad und ich waren der Meinung, dass die Bibel in vielen Bereichen des Lebens zwar nicht über den aktuellen Stand verfügt, es aber auch keine Wende braucht. Das ist verkehrt. Der Zölibat ist ein wunder Punkt in der katholischen Kirche, welcher unbedingt abgeschafft werden sollte, um wirklich eine Wende herbeizuführen. Das Geschlecht der Denker unter dem Dach einer Kirche ist kein Anhaltspunkt mehr, an dem man festlegt, wer die heilige Messe liest. Gleichberechtigung ist zwar ein sinnliches Wort, aber es ist auch dehnbar, austauschbar. Man kann es verwenden, wie es einem gerade passt. Ehret den Vater und dann die Mutter. Wo ist das Kind, liebe Hertha? Wo ist das Kind? Konrad sprach davon, dass in der Bibel das Kind an erster Stelle stehen müsste. Ehret das Kind. Ehret die Mutter. Ehret den Vater. Das sollte zum Gesetz gemacht werden. Der Papst in Rom könnte in die Geschichte eingehen, wenn er diesen bislang ungebrochenen Status in der Bibel ändern würde. Stell dir mal vor, dass du als Päpstin von den Kardinälen gewählt auf der Empore den Segen Christi spenden würdest. Käme das nicht einem Wunder gleich? Die Welt würde den Ruck der Veränderung spüren. Und Gott würde sein Himmelreich öffnen, um endlich das Chaos der Schuld zu beenden. Ich bin mir sicher, dass die Welt die Wahrheit diesmal richtig verstehen würde. Jeder Denker, ob Christ oder Atheist, bekäme den gleichen Lohn, den gleichen Rang in der Schöpfung. Es gebe keine Führungsriege, die nach männlich und weiblich unterscheidet. Eine ganz andere Weltpolitik wäre möglich. Der Terrorismus müsste sich zurückziehen, um einen Tanz von Frieden und Gesang der Liebe anzustimmen. Es wäre ein absoluter Gewinn für diese erbärmliche Welt dort draußen, wenn der von Gott gegebene Wille es zulassen würde, den Zölibat abzuschaffen, damit Kinder in Ruhe ihrem Ball hinterherlaufen können.

Oh Hertha, ich wäre gern bereit der katholischen Kirche in Hellersdorf unter die Arme zu greifen. Mehr noch. Ich könnte mir vorstellen, ihnen die Kraft und den Mut zu geben eine Vorreiterrolle einzunehmen, um den Zölibat abzuerkennen – mit Schriftrolle und Siegel. Ich würde die alte Geschichte von Luther mit seinen 95 Thesen noch mal hervorholen, überarbeiten und sie heute an jede Haustür in Marzahn und Hellersdorf heften. Was hätte das wohl für Folgen? Die Mitgliederzahlen in den Kirchengemeinden würden wieder steigen. Frieden würde an erster Stelle stehen, da die überarbeiteten 95 Thesen sonst keinen Sinn machen würden. Was für ein Wunder, schon die Idee gibt mir Kraft. Und ich weiß Hertha, auch ein vierter Band über Hellersdorf würde nicht ausreichen, um darüber zu berichten, dass die Kirchendenker, die ihre Gemeinden lenken und führen, jeden Tag dieses Wunder inhalieren ohne das Paradies zu verlassen. Sie können den Weltfrieden erhalten. Mehr noch. Ich bin davon überzeugt, dass die Kirche die Revolution mit dem Ziel ausrufen könnte, dass Waffen und Gewalt auf dem Erdball keine Zukunft mehr haben. Sie müsste die Schuld aufgeben und die Sünde in Dankbarkeit verpacken, damit die Gläubigen endlich wissen, dass die Liebe in ihnen ruht. Sie bräuchten nur still zu sein, um es zu erfahren.

Selbst Orte wie Hellersdorf und Marzahn könnten von solch einem Wunder profitieren, indem sie sozialen Aspekten eine ganz besondere Priorität geben. Entscheidungsvielfalt wäre das Ergebnis. Wobei männliche Denker ihren technischen Anspruch aus dem trockenen Geist heraus anfangen zu planen, indem sie auf ein Blatt Papier mit einem Bleistift ihre Ideen skizzieren und danach unterteilen, was gut ist und was schlecht. Die weiblichen Denker würden dann gleich sagen, dass sie es besser können.

Du lächelst, Hertha, aber das ist genau der Punkt. Da der Herr in der Religion immer schon über die Macht verfügt hat, ist die Meinung der weiblichen Denker auch nicht relevant. Schade eigentlich. Aber das ist ein Grund, weshalb die Gehälter zwischen Mann und Frau immer noch so unterschiedlich sind. Der männliche Denker führt das Projekt, und erst wenn es gegen den Baum gefahren wird, ruft man den weiblichen Teil zu Hilfe. Diese Prägungen einer überalterten Gesellschaftsordnung würden sich durch dieses erwähnte „Wunder" auflösen. Denn ich meine, dann sind beide Geschlechter gleichrangig und bei keinem würde das Gefühl entstehen, dem anderen Denker was wegzunehmen. Aber ein Denker, der ungerecht behandelt wird, fühlt sich angegriffen. Angriff erfordert Wut darüber, dass diesem Denker was fehlt. Mehr noch. Es entsteht also der Eindruck, man nehme ihm etwas weg. Diese falsche Projektion ist fatal und entwirft immer neue Schuldfragmente, sodass keine gesunden Kompromisse entstehen können.

Die seit Langem geplante Umgehungsstraße von und durch Ahrensfelder zum Berliner Ring zeigt das typische Konkurrenzdenken zwischen dem Bund und dem Land Berlin. Das Problem ist offensichtlich, keiner will nachgeben. Sie haben es nicht gelernt. Würden alle einen Schritt zurücktreten und über den „Tellerrand" schauen, wäre die Umgehungsstraße längst fertig. Aber was kommt nach den Argumenten: Zu teuer, zu aufwendig, es schadet der Natur, es schadet den Denkern, die an der Trasse wohnen, es sei zu laut, es müsste untertunnelt werden, eine Brücke über Ahrensfelde wäre sinnvoller? Seit meiner Kindheit wird über dieses Projekt diskutiert. Aber das Problem wird nicht kleiner, denn Hellersdorf und Marzahn wachsen. Große Wohnviertel entstehen und die Denker wollen zur Arbeit und wieder nach Hause. Der öffentliche Nahverkehr ist jetzt schon in einem desolaten Zustand und dennoch werden die Fahrstreifen von zwei auf einen umgebaut, weil man angeblich an die vielen Radfahrer im Bezirk denkt.

Hertha! Die Denker in Hellersdorf sind eigenständig, neugierig und ein kreatives Völkchen. Sie wissen, was sie an Hellersdorf haben. Es sind Denker, die auf den vielen Parkbänken sitzen und die Sonne genießen, wenn sie abends am Horizont untergeht. Sie stehen auf dem neu errichteten Wuhlesteg kurz vorm Kienberg und bewundern die schöne Tierwelt, die geradezu beglückend um einem herumfliegt und -kriecht. Der Wolkenhain ist heute das Symbol einer absoluten Erneuerung in Hellersdorf. Dort oben kann man Kaffee trinken und Kuchen essen, ohne dass einem der Dreck der Straße um die Nase weht. Früher war dort nur Grillen und Saufen angesagt, jetzt kann man alles genießen: Schauen, Einatmen, den Weitblick von der Plattform aus erobern und sehen wie Berlin sich unter einem verändert. Diese ehemalige Mülldeponie ist nun endlich Geschichte. Hellersdorf hat den schönsten und größten angelegten Garten, den man sich vorstellen kann.

Auf dem Wolkenhain habe ich Konrad kennengelernt. Er saß an einem der vielen Gartentische und trank Kaffee, als ich ihn fragte, ob ich bei ihm Platz nehmen kann. Er sah mich freudig an und mir kam es so vor, als ob ich ihn bereits kennen würde. Wenn ich mich heute daran erinnere, scheint es mir, als wäre es erst gestern gewesen. Tief beeindruckt davon ließ ich an diesem Tag meine Seele zur Sprache kommen und sah den Schmetterling, der über meinem Kopf hinwegflog.

Weißt du Hertha, es gibt Dinge im Leben, die geschehen nur einmal. Nur ein einziges Mal kann ein Moment sehr intensiv wahrgenommen werden. Für mich ist das ein Geschenk, für das ich dankbar bin. Hertha, ich gebe dir etwas von mir. Das sind solche Augenblicke, die ein zerbrochenes Wunder in helle Oasen führen und im Ganzen erscheinen. Es ist mir geglückt, den seltsamen Augenblick zu spüren, zu erkennen, zu inhalieren. Damals war ich nicht gerade in einem guten psychischen Zustand. Das solltest du wissen, Hertha. Auch ich musste mich der vermeintlichen Wahrheit stellen, ob meine Kindheit mich hat wachsen lassen oder ob ich die Vergangenheit immer noch mit mir herumtrage. Die Frage stand im Raum. Sie nagte in mir, ungewollt. Was hatte ich falsch gemacht, dass meine Söhne mir den Rücken kehrten und sie mich für schuldig erklärten? Die Gedanken nagten an meiner Seele. Irgendwann wusste ich, dass es an der Zeit war das alte Muster abzustreifen, um der Vergangenheit zu entkommen.

Du hast einen wunden Punkt angesprochen. Du sagtest, dass ich früher die Gefühle meiner Kinder nicht wie von ihnen gewünscht beachtet hätte. Das kling hart, aber ich wollte wissen, was das in mir ausgelöst hat. Ich glaube schon, dass etwas an deiner These dran ist und ich es völlig unterschätzt habe, dass die Gefühle in uns allen etwas auslösen. Ich kann gut nachvollziehen, dass meine Gefühle und die meiner Kinder von uns gegenseitig nicht sehr ernst genommen wurden. Ich war damals jung und völlig überfordert. Trennung und Flucht haben in mir tiefe Spuren hinterlassen, von denen ich mich bis heute nicht erholt habe. Ich kann verstehen, dass meine Kinder kein Vertrauen zu mir aufbauen konnten und sie letztendlich die Flucht wählten, um sich von mir zu lösen. Wahrscheinlich habe ich zu naiv gedacht. Ich löste die erste Ehe auf, als wäre es eine Kugel Eis, die in der Sonne liegt und dahinschmilzt. Viele Fehler wurden begangen, nicht nur von mir, aber letztendlich auf Kosten der Kinder, die ich verlassen musste. Als das Scheidungsurteil ausgesprochen wurde, konnte ich meine Kinder nicht jeden Tag sehen. Alimente zahlte ich allerdings jeden Monat. Erst später, als die Kinder größer waren, machte ich die Erfahrung, dass sie mich als Vater gebraucht hätten.

Hertha, ich will es nicht mit dem jungen Alter entschuldigen. Denn du musst wissen, dass ich den Grenzdienst gerade hinter mich gebracht hatte und zusehen musste, eine Arbeit zu finden, die zu mir passte. Und wenn du denkst, danach wäre „Heile Welt" gewesen, irrst du gewaltig. Heute nach über dreißig Jahren stellten die Ärzte fest, dass eine Traumatisierung bei mir vorgelegen hat. Meine Belastungsgrenze war längst überschritten. Ich kämpfte mit mir selbst und ließ eine neue Figur in mir entstehen, die nur die Aufgabe hatte zu lächeln, fröhlich zu sein, lieb zu sein, angepasst zu sein, um nicht aufzufallen. Letztendlich wollte ich nur überleben, wusste aber nicht wie.

Der ständige Druck seitens der Arbeit und der Gesellschaft trug dazu bei, meine eigenen Grundbedürfnisse beiseitezustellen. Ich machte alles, was andere verlangten. Ich arbeitete von früh bis in die Nacht und stellte immer wieder fest, dass ich nicht vorankam. Da fällt mir eine Episode mit meiner Mutter ein. Am Frühstückstisch fragte sie mich ganz spontan, warum ich mit meinem Geld nicht klarkäme und verschuldet sei. Meine Brüder würden doch auch alles schaffen und hätten keine Schulden. Das war ein Schlag ins Gesicht. Gerechterweise muss ich sagen, dass ich bereits zwei Jahre krankgeschrieben war und nur vom Krankengeld lebte. Da die Krankenkasse über mich die Macht besaß, zahlte sie, wie es ihr passte. Es gab Zeiten, da bekam ich drei Monate lang kein Krankengeld. Sie meinten zu wissen, dass ich gesund sei. Mein Neurologe, ein älterer guter Denker, der kurz vor der Berentung stand, hat mir das Leben gerettet. Er wies mich in ein Krankenhaus ein, wo ich über sechs Wochen lag. Dort wurde ich endlich ernst genommen. Sie gaben sich Mühe, mich zu verstehen. Anstelle leichter Depressionen und Ängste wurde mein ganzer Diagnosebericht vollständig geändert. Als ich schließlich das Krankenhaus in Havelhöhe verlassen konnte, wusste auch die Krankenkasse über meinen tatsächlichen Zustand Bescheid. In der Reha für posttraumatische Belastungsstörungen diagnostizierten die Ärzte, dass ein Berufsleben für mich zurzeit nicht möglich sei.

Ich danke dir herzlichst für deinen „mütterlichen" Einwand, der mir letztendlich guttat. Du hast gesagt, liebe Hertha, dass es nicht allein meine Schuld sei, dass die beschriebene Situation mit meinen Kindern so ist. Wessen Schuld sollte es dann sein, wenn nicht meine? Ich weiß, dass das Leben auch Schattenseiten hat. Natürlich versuchte ich damals, eine Lösung für mich zu finden. Ich suchte nach einer Antwort, die ein wenig Frieden in meine Seele bringen sollte. Schwer ist es, seine eigene Gefolgschaft aus der Kindheit abzustreifen und sein inneres Wesen einer neuen Zeit zu übergeben. Seit Jahren begebe ich mich in eine Therapie und versuche, die Dinge aus der Vergangenheit zu verstehen, aufzuklären, aufzulösen, Verständnis aufzubringen, um sie dann loslassen zu können. Es wird immer schwieriger zu verstehen, warum gerade mir so eine Kindheit widerfuhr. Du hast sicher recht mit der These, ich hätte keine andere Wahl gehabt, mir den Zeitpunkt meiner Kindheit auszusuchen. In der heutigen Zeit bemerke ich mehr und mehr, dass mich Kompromisse näher ans Licht bringen. Noch würde ich die Vergangenheit gern korrigieren, aber das geht bekanntlich nicht.

Das Thema Vergangenheit beschäftigte Konrad oft, denn er sprach häufig über die braune Zeit im Nazideutschland, über seine Familie. Der an ihm nagende Schmerz über den Verlust seiner Familie war für ihn nicht sehr hilfreich, um die Vergangenheit loszulassen. Du kennst seine persönliche Geschichte besser als ich, als er seine erste Frau und seine Kinder im KZ verloren hat. Was muss in einem Denker wie Konrad vorgegangen sein? Ich möchte es nicht wissen. Es sind damals grausame Kräfte am Werk gewesen, die viel Unheil über die Welt brachten.

Ich meine, wem dienen Kriege? Ich lebe in Hellersdorf seit vielen Jahren und kenne den Ort ohne Ruinen und Leid. Wenn ich mir vorstelle, dass hier Panzer stehen würden, nicht auszudenken. Es macht mir Angst, wenn ich die Welt heute sehe. Wann hört dieses Säbelrasseln auf und wann werden die Staaten sich zusammenfinden, um zu klären, wem beispielsweise die Ukraine gehört, wem die Antarktis, die griechischen Inseln oder die Arktis? Seit meiner Geburt höre ich vom endlosen Krieg zwischen Israel und Palästina und kein Ende ist in Sicht. Das Ego der einzelnen Machthaber sei verflucht. Kein Staatsoberhaupt auf der Welt ist meines Erachtens in der Lage, die Kontrahenten mit Friedensangeboten zu einen. Ich habe den Eindruck, dass die Gleichgültigkeit Blüten treibt. Die Völker selbst wollen Frieden, damit sie ihrer Arbeit nachgehen können. Aber wer fragt schon die Völker?

So war es auch in Deutschland. Hitler wollte Krieg. Sein Volk wollte Frieden. Keine Familie wollte ihre eigenen Kinder in den Krieg ziehen lassen. Mit welchem Recht konnte Hitler befehlen, andere Denker einfach zu erschießen und ihnen ihr Hab und Gut zu nehmen? Warum gibt es in Deutschland heute noch die Rüstungsindustrie, die tagtäglich Hunderte von Panzern baut, um hinter zu sagen, wir geben dem Volk Arbeit, gut bezahlte Arbeit. Arbeit für den Tod, für den Krieg. Als ich gerade mal dreizehn Jahre alt war, konnte ich nicht verstehen, dass zum ersten Mai in der Kollwitzstraße 59 Panzer standen und darauf warteten an der Parade auf der Karl-Marx-Allee teilzunehmen. Hertha, kein erwachsener Denker konnte mir darauf eine Antwort geben.

Deine Flucht 1937 aus Magdeburg ist dir geglückt. Du hast deine Version erzählt, die ich absolut spannend fand. Du konntest Deutschland verlassen, weil zufällig ein Fernzug am richtigen Bahnsteig stand und zum richtigen Zeitpunkt abfuhr. Du bist über Österreich nach Italien gefahren. Dass du im Zugabteil jemanden gefunden hast, der sich bei der Passkontrolle durch die SS als dein Vater ausgab, war wieder pures Glück. Die Offiziere der Wehrmacht haben es nicht durchschaut und eure Pässe akzeptiert. Wahrscheinlich waren sie gut gefälscht, sodass der Betrug deshalb nicht auffliog. Deine Reise über Kroatien nach Athen, dann mit einem Dampfer weiter nach Amerika, klingt fast wie Urlaub. Zwei Jahre hast du illegal in Boston gelebt, und als du in einem Hotel in Sarasota einen Job fandest, hast du dich in einen Mann verliebt. Der Denker war neun Jahre älter als du und Inhaber einer Bekleidungsfirma. Du hast später für ihn als Schneiderin gearbeitet, bis du von ihm einen Heiratsantrag erhalten hast. Drei Kinder sind aus dieser Ehe entstanden. Drei Monate später habt ihr geheiratet und euch ein Heim im Südwesten von Philadelphia aufgebaut. Den in der Nähe deines Zuhauses liegenden Cedar-Park kann man gut mit unserem Wuhlepark in Hellersdorf vergleichen. Der Unterschied ist die Vegetation. Statt Palmen sieht man bei uns Eichen und Eschen.

Hertha, dein Lebensweg klingt sehr spannend. Selbst dein vor zweieinhalb Jahren an Krebs verstorbener Mann war ein Jude. Und doch hast du erst spät erfahren, dass seine jüdischen Wurzeln aus Kiew stammen. Die jüdische Gemeinde in Tschernihiw war die Geburtsstätte der Vorfahren deines Mannes. Was für eine Geschichte. Für mich spannend zu erfahren, welche Wege die Völker auf sich nehmen, um irgendwo anzukommen, ein neues Zuhause zu finden. Ist das ein Grund, warum sie alle schwiegen? Es macht mir traurig, dass die jüdischen Denker immer ihre Herkunft verschwiegen haben. Sie waren Flüchtlinge. Zwischen Konrad und deinem verstorbenen Mann sehe ich Parallelen, die mir das sagen. Ich glaube, dass sie bewusst ihren Mund hielten, um zu überleben. Und das letztendlich für einen sehr hohen Preis. Diese Verdrängung muss ein gewaltiger Kraftakt gewesen sein?

Konrad wurde unruhig und nervös, wenn er zusehen musste, wie die braune Garde in Marzahn oder Hellersdorf vor den Flüchtlingsunterkünften herumlief und versuchte, Gift in die Gesellschaft zu streuen. Er hatte ein feines Gespür, wenn die Luft brannte und sie sich schlecht atmen ließ. Seltsame Gestalten lungerten herum und suchten sich mit ihren ängstlichen Augen ein Opfer aus, versprühten antisemitistische Parolen. Feindschaften werden gemocht, anstatt Platz zu machen, um Eskalationen abzubauen. Aber letztendlich haben sie es sich von denen abgeschaut, die ganz oben am Pult standen und „Heil Hitler" riefen.

Präsidenten und Könige streiten sich permanent und zetteln zu jeder Tageszeit Kriege an, die sie irgendwann nicht mehr kontrollieren können. Überall auf den Kontinenten werden Hassbrunnen gebohrt, um Giftsubstrate aus den Tiefen zu schöpfen. Konrad hatte schon recht, als er meinte, dass wir alle in eine Katastrophe schlittern und der Pluralismus seine Türen öffnen wird. Die braune Garde will keine vertrauensvolle Vernunft. Sie wollen Unruhe stiften. Das ist die Devise von heute.

Zu Konrad sagte ich, dass die Gesellschaft in Hellersdorf zu wenig gegen diese braunen Typen unternimmt. Jeder Abgeordnete im Bezirk sollte sich fragen, ob er wirklich mit Herz und Blut für die Sache einsteht, für die er gewählt wurde, oder ob er mehr auf der Seite seines Bankkontos steht. Ich konnte mit Konrad sehr leidenschaftlich über Politik und Kunst diskutieren. Er war ein gnadenloser Patriot und Kamerad, wenn es darum ging, den Mittelstand in Deutschland zu verteidigen. Solange der Mittelstand weiterhin abgewirtschaftet wird, kann der soziale Frieden keinen festen Stand bekommen.

Er hatte recht. Die Gesellschaft tut zu wenig, um die Bedrohung für den Mittelstand abzuwenden. Es ist wie in deinem Amerika. Der Mittelstand ist wie ein goldener Streifen am Horizont, den man mit viel Licht beleuchten sollte. Die großen Firmen und Banken zeigen wirkliches Interesse, dass der Mittelstand auf einem festen Fundament steht. Denen ist es nicht wichtig, ob einhundert Denker arbeitslos werden oder achthundert Denker eine Luxuswohnung erwerben.

Die Welt dreht sich auch ohne den Mittelstand weiter. Eine Devise, die viele Gefahren in sich birgt. Die Gesellschaft bekommt eines Tages die dicke Rechnung dafür, wenn das arbeitende Volk keine Jobs mehr hat und wir in Hellersdorf darauf warten müssen, dass Hartz-IV überhaupt noch ausgezahlt wird.

Es wird keine Schuld geben, solange der schwarze Denker an sich denkt und den strömenden Bach nicht zum Erliegen bringt. Solange das Wasser abfließt, entstehen neue Uferböschungen, die den lebendigen und lebensfrohen Fischen Schutz gewähren, um im Frühling zu laichen. Das Gesetz der Anziehung macht es möglich, da Widerstand Stillstand bedeutet. Die Welt ist in Bewegung und dient den Energiezellen, die die vier Himmelsrichtungen erzeugen, aus denen uns die Wolkenformationen Schutz gewähren. Kein Wort wird es schaffen, den Regen zu verdrängen und den Wind zu hassen, da das Wollen im Gefühl lebendig bleibt. Jede Ansicht über die Welt ermahnt das wiederkehrende Spiegelbild und lässt den Groll fallen. Die Anziehungskraft ist null und wird einem anderen Wert nicht zugeordnet. Groll ist Illusion und Illusion fällt in sich zusammen, weil die Zeit nicht die Namen der Stunden, Minuten und Sekunden kennt. Der schwarze Denker, und das wird bald kommen, lässt seine Fingerspitzen ins Wasser gleiten und träumt davon, dass die Welt nicht seine Welt widerspiegelt. Sie ist nichts. Sie ergibt keinen glaubhaften Sinn und ist nicht beschreibbar, da das Gesetz der Illusionen fehlt.

Hertha, ich verlasse den bitteren Teil von Politik und Gesellschaft. Beides ist unveränderbar und zieht einen nur runter, da letztendlich immer wieder die Schuldfrage im Raum stehen wird. Ein gutes Yogastudio in Hellersdorf ist bekannt dafür, dass die Heilung von Körper und Geist möglich ist. Aber auch hier gibt es Grenzen, die ein Yogalehrer respektieren sollte, um nicht unglaubwürdig zu

wirken. Ich war erstaunt, wie viele Heilpraktiker in Hellersdorf Praxen eröffnet haben, um dem massiven Strom von
Angst und Hass entgegenzutreten. Sie geben sich Mühe,
wollen ihre Patienten verstehen und mit ihnen gemeinsam
über neue Wege der Heilung nachdenken. Ich überzeugte
Konrad, dass er mit seinen Schmerzen in den Bandscheiben zu Bhakati gehen sollte. Das ist eine erfahrende Yogalehrerin, von der ich mir erhoffte, dass durch bestimmte
Dehnungsübungen die Schmerzen bei Konrad gemildert
werden könnten. Bhakati lernte ich auf einem Markt kennen. Sie kaufte Ingwer und Kräuter. Sie fiel mir auf, als sie
mit ihren zarten Fingern die Kräuter berührte und daran
roch. Es inspirierte mich, sie weiter zu beobachten. Ihr grü-
nes Seidenkleid weckte mein Interesse noch mehr. Ich
sprach sie einfach von der Seite an, was ich von mir gar
nicht kannte. Sie drehte sich freudestrahlend um und begrüßte mich mit einem Lächeln, sodass ich ins Schwanken
kam. Auf einmal suchte ich nach Worten. Sie bemerkte
meine Unsicherheit und lächelte sie einfach weg. Ich fragte
sie nach ihrem Beruf. Als sie mir sagte, dass sie eine Yogalehrerin sei, war ich sehr erfreut. Sie sah das und fragte
nach dem Warum. Daraufhin erzählte ich von Konrad.
Von seinen Bandscheiben und seinen Schmerzen. Von seinem Alter. Von seiner Gebrechlichkeit und seinen Depressionen. Aus ihrem selbst gestrickten bunten Rucksack holte
sie eine Visitenkarte heraus und übergab sie mir mit dem

Tipp, dass sie Konrad helfen könne. Nach fast vier Wochen intensiver Überzeugungsarbeit machte ich bei Bhakati einen Termin für Konrad. An einem Freitag gingen wir zu ihr. Schon vom ersten Augenblick an mochten sie sich, Hertha. Ich war zu diesem Zeitpunkt so glücklich, dass ich nach kurzer Zeit Konrad allein im Studio ließ. Ich trank fast zwei Stunden lang beim Türken Tee, bis mich Konrad von hinten berührte und er mir sagte, dass es ihm schon viel besser ginge. Jeden Freitag ist er dann zum Yoga gegangen und hat sich dort wohlgefühlt. Von der Yogalehrerin schwärmte er in den höchsten Tönen. Als mich Konrad später damit konfrontierte, warum ich nicht zum Yoga gehen würde, gab ich ihm keine Antwort. Ich glaube, er hatte mich sofort verstanden.

Hellersdorf besitzt zwei Kinos. Eins in „Helle Mitte" mit hundert Plätzen und eins, wo die Wuhle mit der Natur im Einklang steht, das kleinere Kino „Die Kiste". Mit seinen etwa dreißig Sitzen steht es schon viele Jahre da. Im Foyer steht eine kleine Bühne, auf der ab und zu verschiedene Musikgruppen spielen. Mit Konrad bin ich oft in das Kino gegangen. Und bevor der Film anfing, gönnten wir uns noch eine Tasse Kaffee. Wenn noch Zeit war, sahen wir uns auch die Bilder an den Kinowänden an. Das waren Bilder von kreativen Denkern aus der Umgebung von Hellersdorf, die für einen ganzen Monat Ausstellungen organisierten. Vier Wochen lang durften sie ihre Werke auf einer Vernissage öffentlich zeigen. Deine Frage ist daher berechtigt, Hertha, ob auch ich meine Aquarelle in diesem Kino ausgestellt habe.

Vor etwa drei Jahren stellte ich sie tatsächlich dort aus, und ich muss dir sagen, es war ein eigenartiges Gefühl, die eigenen Aquarelle zu zeigen. Ich weiß nicht ganz genau, wie viele Denker zu meiner Vernissage kamen, aber ich erinnere mich sehr gut daran, dass ich einen Klangspieler eingeladen hatte, der eine sehr besinnliche Musik für mich gespielt hat. Es waren Klangschalen aus Metall, die unglaublich weiche klangvolle Töne abgaben. Die Hände des Musikers berührten die Metalloberfläche äußerst behutsam, um den Ton hervor zu bringen, den er haben wollte. Diese Musik beschreibt für mich das Wort Ruhe am besten. Sie widerspiegelt sich in meiner Seele und gönnt mir eine Atempause, von der ich weiß, dass ich auch morgen noch weiterleben darf.

Ich höre die Schwingungen der Töne, die Intervalle der Schläge auf den Klangschalen und gebe zu, dass die offenen Schwankungen in mir im Fleisch zerfließen. Ich wecke den Tag durch meinen Blick und warte auf die Geduld, die mich in meiner Armseligkeit kurz festhält. Oh, was für ein Fest, an dem ich keine Opfer anbieten musste. Ich darf jener sein, der einem Notenschlüssel gleichkommt und die Strophen nicht mehr auswendig zu lernen braucht. Ich zittre am ganzen Leib, zelebriere vor der Sonne, vor dem Mond bei Nacht, höre die Grillen ihr Spiel beginnen. Sternenbilder ziehen eine Linie in der Galaxie. Kein Wort ist zu verstehen. Kein Moment gleicht dem anderen. Orte, die ihren Namen nicht kennen, lösen sich im Nebel auf. Augenblicke werden zu Smaragden und glitzern im Sonnenlicht. Der Fenchel wächst und wird blühen. Er vergibt in der Wahrnehmung das, was die Illusion nicht wertschätzt, um ein Willkommen auszurufen. Ein Wert ist entstanden. Die Bäume schlagen aus und trotzen der eisigen Kälte als wäre der Unsinn nicht vorhanden. Sie berühren die Knospen, damit das Leben weitergeht. Als würde es erneut beweisen wollen, dass die Musik kein Zeuge meiner Existenz auf Erden ist.

Ich bin dir dankbar, Hertha, dass du meine innere Unzufriedenheit nachempfinden konntest, dass Konrad nicht mehr da ist. Er fehlt mir sehr. Doch sollte ich erwähnen, dass seitdem nicht alles reibungslos in mir funktioniert. In mir lebt ein Wesen, das mich daran hindert, passende Worte zu finden, die zum Beispiel ein Glücksmoment beschreiben. Ich kann nicht etwas Schönes anschauen und mit mir zufrieden sein. Stolz ist ein Fremdwort für mich. Zu keiner Zeit war der Stolz in mir lebendig. Selbst Anerkennung war unbedeutend für mich. Egal ob sie von außen kam oder ob ich mir selbst zugestand, ein toller Typ zu sein. Zu oft ertappte ich mich dabei lieb und gerecht zu sein, damit andere Denker glauben, ich sei ein feiner Kerl. Aber was ist schon die Wahrheit über einen selbst? Ist es denn möglich, diese beschissene Welt gut zu heißen, auch wenn es einem nicht gut geht?

Hertha, mich selbst zu beschreiben wäre keine gute Sache, auch wenn andere Denker mir das zutrauen würden. Ich musste mir eine Welt erschaffen, die zum bösen Spiel auch das Lachen zum Inhalt hatte. Die Maske wurde für mich eine Überlebensgarantie, die ich sehr gut beherrschte.

Konrad und ich mochten gute neue Filme, die jeden Donnerstag in den Kinos gezeigt wurden. Wobei in Hellersdorf und Marzahn früher drei Kinos zur Verfügung standen, jetzt noch zwei. Am Helene-Weigel-Platz zum Beispiel steht das Kino „Sojus", ein helles Betongebäude.

1981 wurde es an die Marzahner und Hellersdorfer übergeben. Geschlossen wurde es 2007, weil angeblich der Bedarf an Kultur nicht mehr vorhanden war. Seit 12 Jahren verfällt es nun und wartet auf die Abrisskeule, um einem Einkaufscenter Platz zu machen. Konrad kannte das Kino gut. Er konnte sich sogar noch daran erinnern, wie es drin ausgesehen und in welchem Saal er in welcher Reihe gern gesessen hat. Das heutige „Le Prom" in Marzahn und das „CineStar" in „Helle Mitte" kann man weder mit dem „Sojus" noch miteinander vergleichen. Jedes Kino hat seinen eigenen Charme. Das Kino „Sojus" war das Kulturhaus, welches vielen Marzahnern und Hellersdorfern heute fehlt. Du wolltest mit mir dorthin fahren, also taten wir es.

Ich konnte dir etwas über die Geschichte des Kinos erzählen. Du hast sicher recht, die Politiker hätten mehr Sachverstand und Herz haben müssen, um das Kino mit Leben zu füllen. Es fehlte nur am politischen Willen und Geduld.

Um wieder auf das ursprüngliche Thema zurückzukommen: Konrad und ich mochten besonders französische Filme. Das lag daran, weil wir Alt-Paris oder die Altstadt von Lyon, die oft als Filmkulisse fungierte, mochten. Jean Gabin war für Konrad ein Idol. Er spielte in seinen Charakterrollen oft den weisen Denker oder einen Halunken, der er in gewisser Weise auch im tatsächlichen Leben war.

Hertha, du kannst dich gewiss an das kleine Kino „Die Kiste" erinnern, am Rand von Hellersdorf. Dort haben wir beide uns einen Film angesehen, der mit Frankreich zu tun hatte. Der Film hieß, glaube ich, „Der Wald". Es war ein Dokumentarfilm und ein Wunsch von dir. Der Film gefiel uns beiden sofort. Er öffnete mir die Augen, wie die Bäume im Wald eine Symbiose bilden. Der Wald spendet nicht nur Schatten oder dient der Erholung, nein, er gliedert sich vollständig in den natürlichen Kreislauf von Flora und Fauna ein. Er produziert Sauerstoff und nimmt gleichzeitig CO_2 auf. Die Wälder sind sowohl für die Tiererhaltung und das Wettergeschehen als auch das globale Klima entscheidend. Viele Denker wildern in den Wäldern herum, als wäre der Wald ihr Eigentum. Wir alle sollten dem Wald mehr Respekt zollen, was der Film im Kino deutlich gemacht hat.

Jedes Insekt ist ein Wunder, jedes Wild ein Geschenk. Bäume und Sträucher sind eine Gnade, die wir zu erhalten verpflichtet sind.

Das Kino „Die Kiste" steht auch für Musik. Auf der kleinsten Bühne wird Live-Rock und Beatmusik gespielt, bis das Stuhlbein im Zuschauerraum bricht. Auch Kinderchöre und Trios mit Cello oder Gitarre geben Anlass zum Wiederkommen. Hellersdorf ist vielfältig, man muss sich nur mit dem Bezirk beschäftigen. Hellersdorf hat nicht nur einen Baum oder einen wild angelegten Strauch. Oh nein! Hellersdorf ist umgeben von vielen Kastanien, Erlen, Eschen und Buchen. Selbst der Ginkgobaum hat den Weg nach Hellersdorf gefunden. Diese Vielfältigkeit ist an jeder Straßenecke zu beobachten, und macht den eigentlichen Reiz aus.

Vereine und soziale Gruppen aus allen Schichten wollen vorankommen und geben sich Mühe, Aufmerksamkeit von der Gesellschaft zu bekommen. Auf dem Boulevard „Kastanienallee", der etwas versteckt liegt, gibt es einen Modelleisenbahnklub. Ihre Eisenbahnen zeigen sie in den Spuren H0 und TT. Hier fand ich eine kleine Welt, die von Denkern gebaut wurde und ihrem inneren Kind sehr nahe sind. Sie geben hilfsbereit Auskunft und hören zu, wenn man Fragen über die Funktion einer digitalen Eisenbahn hat. Es sind Denker aus allen Berufsgruppen, die dort tagtäglich mit gleichgesinnten Denkern im Dialog stehen, um neue

Ideen zu entwickeln. Ich glaube, hier hast du mich auch gefragt, ob wir beide den dritten Teil von Hellersdorf weiterschreiben. Ich war begeistert, denn ich meinte zu dir, es gebe viele Geschichten über Hellersdorf und Marzahn, die man aufschreiben müsste. Als deine Frage im Raum stand, verlor ich meine Konzentration auf die Eisenbahn. Ich spürte die innige Freude, die mehr und mehr Raum einnahm. Plötzlich überkam mich das Entdeckerfieber, dir alles zu zeigen.

Da fällt mir ein, dass in Kaulsdorf noch ein Freiluftkino mitten im Wohngebiet existiert. An vier Wochenenden im August werden vier verschiedene Filme gezeigt, und das ohne Eintritt. Hertha, du kannst mir glauben, jeder Kinoabend in diesem Wohnbezirk ist gut besucht. Jeder Denker hat einen Klappstuhl dabei. Konrad und ich sahen uns zum Beispiel den Musikfilm „Yesterday" an, den man erst jüngst in England gedreht hatte. In dem Film wurde uns deutlich gemacht, dass Träume für die Zukunft sehr wichtig sind. Der Musiker Jack spielte im Film weltbekannte Musikstücke von den Beatles, doch keiner seiner Freunde im Film kannte diese Titel. Er spielte sie und gab vor, dass die Musik von ihm stammte, was aber nicht stimmte. Als seine öffentlichen Auftritte ganze Fußballstadien füllten, musste er sich der bitteren Wahrheit stellen. Er gab auf einer großen Bühne zu, dass nicht er diese Musikstücke komponiert hätte, sondern die Beatles. Sein Traum aber, einmal groß rauszukommen, blieb unverändert. Endlich ein Sieger sein. Endlich vor Millionen von Denkern auf der Bühne stehen und die Musik spielen, die er liebte. Dieser Traum, so dachte er tatsächlich, würde jetzt platzen, weil ihn das schlechte Gewissen plagte enttarnt worden zu sein. Aber durch seine Ehrlichkeit am Tag des Konzerts feierten ihn die Zuschauer dennoch als ein Idol. Sie klatschten lange anhaltend und wollten das Konzert weiter hören.

Ich kenne viele kreative Denker, die gern mal in die Rolle eines Siegers schlüpfen würden. Ich kenne das Motiv und das Ego der Einzelnen. Sie würden über Leichen gehen, um ihr Ziel zu erreichen. Früher dachte ich genauso. Hertha, ich bin froh, wenn ich dir meine Gedanken mitteilen kann. So habe ich mich gefragt, ob es ein wohlüberlegter Schritt gewesen war mit dem Malen vor zwei Jahren aufzuhören. Ich denke schon. Ein Lebensabschnitt ist zu Ende gegangen, meinte ich zu dir und zu Konrad. Ich musste für mich entscheiden: schreiben oder malen. Die Zeit war aber reif, mich mehr dem Schreiben zu widmen. Heute macht alles einen Sinn, denn deine Entscheidung, Hertha, mit mir den dritten Teil über Hellersdorf fertigzustellen fundiert darauf, dass ich nicht mehr malen brauchte. Dazu musste ich dir aber sagen, dass ich nicht leicht zu händeln bin. Ich meine nicht, dass ich bösartig oder arrogant wäre, nur weil ich schreibe und ein Autor bin. Oh nein! Ich bin ein waghalsiges Wesen, das in seinem Schicksal eine Melodie fand

und den Text erst verstehen musste, bevor er niedergeschrieben werden konnte. Ich habe dabei hohe Anforde-
rungen an mich gestellt und musste Selbstdisziplin erlernen.
Nächstes Jahr werde ich sechzig und meine dünne Begabung im Malen und im Schreiben ist im unteren Bereich
anzutreffen. Auf einer Skala von eins bis zehn, würde ich
mir eine eins geben. Aber der Drang zum Weitermachen ist
immer noch vorhanden. Das ganze Leben über produziere
ich, egal ob es ein Bild oder ein Buch ist. In dem Augenblick, wenn das Produkt fertig ist und ich es berühren darf,
nehme ich innerlich Abstand davon und denke, dass es von
einem anderen geschaffen wurde.

Als Konrad noch lebte, sagte ich zu ihm, dass Ehrungen
keine Bedeutung für mich haben. Das war mir wichtig.
Meine Beweggründe sind andere. Ich wollte ein Aquarell
malen und es zeigen, mehr nicht. Es war mir ein Anliegen,
das Aquarell an einer Wand hängen zu sehen. Die Betrachter sollten selbst urteilen, ob es ihnen gefällt. Ein anderes
Verlangen hatte ich nicht.

Ich mochte mal einen an Demenz erkrankten Denker, dem
ich helfen wollte seine Angst loszuwerden. Es ist mir
dadurch gelungen, dass ich ihm seine Briefmarken vorlegte,
die er jahrelang nicht gesehen hatte. Ich habe ein Baby aus
dem Kaulsdorfer See gerettet. Ich gab dem kleinen Wesen
meinen Atem, ohne darüber nachzudenken. Ich half einer

jungen Denkerin, die zu Mitternacht in einer S-Bahn von drei Denkern sexuell bedrängt wurde und nicht imstande war sich zu befreien. Ich tat dies aus freien Stücken, ohne ein Lob oder eine Prämie von der Polizei zu erwarten. Ich ging dazwischen und gab mich als Vater der Frau aus. Diese Halunken glaubten mir, denn ich wurde wütend und rasend. Es gelang mir, sie aus der S-Bahn zu werfen, als der Zug an einem Bahnhof hielt. Wenn ich einen hinauswerfen konnte, würden die anderen mit aussteigen. Das war mir klar. Die Polizei und die junge Frau suchten mich und wollten sich für meinen Einsatz bedanken. Ich wollte das aber nicht. Ich war zum richtigen Zeitpunkt am richtigen Ort, das genügte mir.

Konrad war nicht immer meiner Meinung. Er verstand zum Beispiel nicht, warum ich jeden Tag schrieb. Ich konnte ihm auf dieser Frage keine plausible Antwort geben. Ich sagte ihm nur, dass ein Buch auch mal fertig werden müsste. Auch dir, Hertha, kann ich nicht erklären, warum ich jeden Tag schreibe. Ich weiß nur, dass ich beim Schreiben keine Angst habe und ich meine Fantasie dabei abrufen kann.

Weißt du, Hertha? Zuhause bekam ich nie die Erlaubnis zu schreiben. Dabei war es mir damals schon wichtig, Sätze auf ein Blatt Papier zu schreiben – zum Beispiel meine Not als Kind. Meine Angst prägte jeden Buchstaben, um irgendwie zu überleben. Scheu nahm ich die Stunden am Tag wahr, wenn ich das Blatt Papier berührte, um zu schreiben. Jeden Schatten am Tag nahm ich zum Anlass, mich darin zu verstecken, indem ich anfing, den Satz zu formulieren, den es brauchte, um mich zu erkennen. Als Kind wollte ich mich auflösen. Da meine alten Denker (Eltern) ihrer Verantwortung nachgehen mussten, lebte ich unter ständigem Zwang.

Hellersdorf ist ein Ort, der viele Kinder beherbergt. Ich sehe die vielen Spielplätze, die alt sind und heruntergekommen. Die Natur holt sich alles zurück. Unkraut und neue Bäume wachsen aus dem Kiesbett heraus. Ich stehe dann vor verrosteten Gitterstangen, die im Erdreich stecken, und frage mich, warum es so weit kommen musste. Müssen erst neue Spielplätze gebaut werden, wenn es auch die Möglichkeit gibt, die alten zu erneuern oder sie besser zu pflegen? Umso mehr freue ich mich, wenn dann alte Spielgeräte abgebaut werden und auf einem Spielplatz beispielsweise ein großes farbenfrohes Seemannschiff aus Holz errichtet wird, mit Rutsche und Seil, mit Bullaugen und Bug, mit Fahnen und Verstecke.

Oh Hertha, du glaubst gar nicht, wie schön es ist, die Kinder beim Spielen zu beobachten. Ich erkenne an ihrem Verhalten, ob es ihnen gut geht oder sie Angst haben. Dafür brauche ich aber nicht Hellersdorf zu beschreiben, denn der Bezirk gerät in Stress, wenn es darum geht, den Kindern eine richtige Beschäftigung anzubieten. Ich glaube, dass es zu meiner Zeit sehr viele Kinder gab, die vor den Häusern spielten bis die Sonne unterging, zum Beispiel Murmeln, Sackhüpfen, Brummkreisel, Springseil oder das geliebte Klimpern mit Geldmünzen, Radrennen oder Versteck spielen auf dem Käthe-Kollwitz-Platz. Heute sehe ich die Kinder mit ihren Handys spielen. Oder sie spielen auf dem Computer, wie Soldaten den Krieg imitieren. Ruinenbilder und Granatlöcher als Hintergrundbilder bereiten mir bei diesen Spielen große Sorge. Überall wird geschrien. Laut muss es sein. Der Asphalt ist weich und die Trockenheit sucht die Nässe. Genervt wird gehupt, gebremst, geschimpft, genötigt und gedroschen. Da sitzen sie nun, die armseligen Kinder mit ihren Kopfhörern, und hören laute Musik, die ihnen die Ohren kaputtmacht. Ihre Blicke sind nach unten gerichtet. Selten sehe ich ein Kind, das gelassen ein Spiel mit anderen Kindern spielt. Gott sei Dank, dass es Fußball gibt. Hellersdorf bewirbt sich für diesen Sport und gibt den Kindern und Jugendlichen Bolzplätze.

Deine Bemerkung, dass Hellersdorf viele Ruheoasen hat, ist richtig. Parks und viele lange Gehwege laden die Denker ein, Ruhe zu finden. Es ist auch wichtig, diese Ruheoasen aufzusuchen. Wenn es sie nicht gebe, wäre Hellersdorf arm dran. Denn der Straßenverkehr nimmt stetig zu und der Nahverkehr wird dichter und lauter. Daher waren Konrad und ich immer froh, uns nach einer Wanderung irgendwo hinsetzen zu können oder in ein Café zu gehen. Die Denker, die in Zehlendorf oder in Tiergarten wohnen, sollten sich aufmachen, um Hellersdorf zu besuchen. Hier findet man eine Menge Ruheoasen, um die Seele baumeln zu lassen. Der „Chinesische Garten" zum Beispiel ist so ein Ort, wo jede Idee aufhört zu existieren und man nur relaxen will.

Was ich dir erzählt habe, ist in Hellersdorf alles öffentlich zugänglich. Was selten erwähnt wird, ist, dass ehrenamtliche Denker aus Hellersdorf solche Orte an der Wuhle pflegen und achten. Ich sehe Hausnachbarn die Beete und Randbepflanzungen im Winter beschneiden und im Sommer gießen. Sie harken Unkraut und setzen neue Pflanzen ein, damit sie im Frühjahr neu blühen. Vor meinem Haus entsteht gerade eine kleine Tulpenwiese, die nach und nach größer wird. Mit drei Tulpen fing ich an und voriges Jahr waren es über fünfundzwanzig, in unterschiedlichen Farben wohlbemerkt. Es macht mir Freude, dass vor meinem Wohnhaus alles blüht und gedeiht. Die Vögel nicht zu vergessen. Da waren es drei Spatzen am Anfang, die auf meinen Balkon ihr Futter bekamen. Heute, wenn ich vom Balkon schaue, kann ich die Spatzen und Meisen nicht mehr zählen. Zwischen acht und halb neun in der Frühe erhalten die Vögel ihr Futter. Der Trog ist randvoll. Nach sechs Stunden ist er leer. Allerdings warten sie am nächsten Tag auf neue Körner.

Es leben viele Denker in Hellersdorf und Marzahn, die ehrenamtlich tätig sind. Ich kenne einen Verein, der sich für die Kinder auf der Straße einsetzt. Erwachsene Denker dieses Vereins planten einen Abenteuerspielplatz in Marzahn Anfang der 90er-Jahre und bauten auf diesem Platz ein richtiges Lehmhaus. Interessante Architektur, die fast mit der Arche-Sternwarte zu vergleichen ist, nur ohne Teleskop. Der halbrunde Aufbau aus Glas lässt den Innenraum hell und freundlich wirken. Die Sonne scheint und wärmt den Lehmofen im Sommer richtig auf, damit er in der Nacht Wärme abgeben kann. Umrandet ist der innere Teil mit kleinen bunten Mosaiksteinen aus Glas, die dazu einladen, auf dieser Fläche zu sitzen. Ideen sind eben stets gefragt. Es wurde viel gebaut auf diesem Spielplatz, geplant und gesägt, gebohrt und gefräst. Verschiedene Holzhäuser kamen dazu. Vor zwei Jahren wurde eine Rakete aus Holz mit einer Startrampe integriert. Ein halbes Jahr später kam ein kleiner Teich hinzu, der durch ein Hexenhaus beschützt wird. Wenn Schnee fällt, ist das ein besonderer Anblick. Kinder fühlen sich dort sicher, weil sie nicht permanent beobachtet und ermahnt werden.

Verschiedene Feste werden auf diesem Spielplatz gefeiert. Der Lehmofen sorgt für frisch gebackenen Kuchen. Brötchen verlassen frisch und heiß die Küche. Marmelade wird gekocht und eingeweckt. Die Früchte dafür stammen alle von den auf dem Platz wachsenden Bäumen und Sträuchern. In guten Jahren ernten sie sogar Pflaumen und Stachelbeeren, woraus die schönsten Blechkuchen entstehen. Konrad hat diesen Abenteuerspielplatz besichtigt, denn an dem Tag war ein kleines Konzert geplant, das uns beide interessierte. Zwei Musiker spielten russische Volkslieder: Heimatmusik aus Polen, Russland, Norwegen und Island. Es wurde getanzt und geklatscht. Ich erinnere mich an einen schönen Abend. Menschen unterschiedlicher Herkunft haben sich in diesem Lehmhaus verstanden. Sie tranken und feierten. Probleme der Verständigung gab es nicht. Wenn andere Denker die Sprache nicht kannten, kam ein Dolmetscher. Ich finde, das macht Hellersdorf und Marzahn aus: Toleranz und Offenheit. Manche Denker aus fernen Ländern haben sogar kleine Geldbeträge gespendet, damit der Verein neue Spielgeräte kaufen konnte.

Konrad fragte mich mal, warum ich mich dort nicht einbringen würde, um den Verein bei sozialen Projekten zu begleiten und neue zu organisieren. Ich musste etwas schmunzeln, Hertha, denn ich erzählte ihm, dass ich viele Denker aus Verein „Kinderland" kenne. Viele Jahre war ich im Vorstand und habe versucht, eine Veränderung herbei zu führen. Ich wollte die Kunst mit einbeziehen. Das Kind und die Kunst, so dachte ich, würden gut ins Zeitgeschehen passen. Das Lehmhaus bietet geradezu ideale Bedingungen, gemeinsam mit den Kindern vielfältige Ausstellung zu organisieren. Alle zwei Monate wollte ich ein neues Thema bewerben, mit abendlichen Musikveranstaltungen für die Erwachsene. Musikgruppen hatten sich schon angemeldet und wollten im Lehmhaus gratis spielen. Lesungen aller Art wollte ich durchführen, das war eine weitere Idee. Alle im Vorstand fanden die Ideen gut, aber es gab immer irgendwelche Widerstände, die letztlich dazu führten, dass ich die Projekte abgab. Meine Nerven reichten nicht aus, um ständig zu kämpfen. Was sich anfangs als Idee gut anfühlte, wurde später von den Denkern im Vorstand infrage gestellt. Neue Ideen entstanden und wurden wieder verworfen. Ich hatte schließlich keine Lust mehr, und die Kraft ging mir verloren. Dann kam die Euphorie nach einer Beratung zurück. Erneute Zwischenrufe, weil ein besserer Gedanke im Raum stand. Ich zweifelte irgendwann an mir selbst und dachte: „Für wen machst du das eigentlich?"

Ihnen fehlte der Mut. Sie hatten Angst vor dem Versagen, denn später erfuhr ich, dass der ganze Vorstand meine Ideen gut fand, sich aber nicht traute damit an die Öffentlichkeit zu gehen. Heute ist das Lehmhaus in den Abendstunden leer. Später kam ein neuer Vorstand, der es besser machen wollte. Aber leider wuchsen wieder Hierarchien im Verein heran, die selbst gern im Rampenlicht stehen wollten und das gleiche Drama praktizierten. Ich war schließlich endgültig das Handtuch. Das egoistische Verhalten im jetzigen Vorstand, und das spürte ich sogar auf deren Facebook-Seite, ist heute so dominant wie früher. Sie laden die politische Prominenz in der Hoffnung ein, im Haushalts-entwurf der Bezirke auf die Förderliste zu kommen. Alles Unfug. Hertha, ehrenamtliche Arbeit macht keine Freude, wenn nur jene Ideen wahrgenommen werden, die eine Möglichkeit der Umsetzung haben. Einige Vereine glauben tatsächlich, wenn bei Höhepunkten im Vereinsleben die Parteivorsitzenden eingeladen werden, dass dann irgend-wann mal der Geldhahn aufgedreht wird. Das sind schöne Träume, die aber nur selten wahr werden.

Hertha, ich bin erleichtert, dass diese vergangenen Er-eignisse wertvolle Erfahrungen für mich waren. Noch mal durchleben will ich sie aber nicht. Ich hätte mir gewünscht, dass ehrenamtliche Vereine mehr Unterstützung von der Politik bekämen, sodass die dortigen Denker finanziell ab-gesichert sind, um gute gesellschaftliche Arbeiten leisten zu können. Ich meine, wo würde Hellersdorf heute stehen, wenn es ehrenamtliche Arbeit nicht geben würde? Du siehst, wie schnell wir das Thema „Schuld" wieder ankrat-zen, wenn der Stellenwert der ehrenamtlichen Tätigkeit die Frage nach den besseren Ideen aufwirft.

Sei mir nicht böse, aber der Eindruck lebt in mir, dass es immer weniger Denker gibt, die sozial und gerecht den-ken und fühlen. Selten erlebe ich, dass ein Denker richtig zuhört, geschweige denn mir in die Augen schaut ohne das Handy auf Bereitschaft zu halten. Ich glaube, dass es immer schwerer wird, in der Gesellschaft einen gemeinsamen Weg zu finden. Es genügt bereits ein einzelner Denker, der sich nicht anpassen will oder kann, sodass ein Konflikt vorprogrammiert ist und zu Spannungen führt. Es würde genügen, das Gefühl von Teilen und Geben in sich zu tragen, um gemeinsam eine Idee zu verfolgen, die in eine gute Richtung führt. Natürlich ist ein Kompromiss immer notwendig, um zu lernen. Bei einer Rangordnung innerhalb eines Prozesses sollte man schon vorsichtig agieren. Die Endrunde schaut dann meistens so aus, dass die kreativen Denker ihre Ideen durchsetzen, auch wenn sie kurz einlenken, um zu beweisen, dass sie die Besten sind. Aber sind sie das wirklich?

Es kann sein, dass die Angst sich irgendwann legt und die Hoffnung ein Zugeständnis erhält, um die Erfahrung zu machen, dass Gebote und Schuldzuweisungen Illusionen sind. Wäre es möglich, die Kreuzigung Jesu zu widerlegen? Gebe es dann vielleicht mehr Freundlichkeit untereinander? Oder sind Betrug und Schwindel allgegenwärtig? Der Handel mit Gedanken und das Aufgeben von Träumen, soll das die Zukunft sein? Ist die Möglichkeit verschwunden, dass das Paradies entsteht, wenn die dunklen Wolken abziehen? Und wenn sie sich verziehen, würde dann die Sonne zur Mitternacht scheinen? Kein Grund zur Panik und keine neuen Sehnsüchte für eine zurückliegende Zeit, die eh keiner nachfühlt. Wehe dem, es ist was dran an der Behauptung, dass die Geschichte über Jesus ein Märchen ist, um der Sicherheit mehr Raum zu geben. Fatal nur, dass die Überlegungen

weiter im nassen Mutterboden gedeihen und gute Wurzeln bilden kön-
nen. Denn dann würden die Wurzeln gut und kräftig sprießen, um
den Stamm immerfort zu nähren. Die vielen Jahresringe zeigen die
Einsamkeit und lassen die Zuversicht außen vor. Alles ist gegeben.
Doch dass die Zukunft die Hetze nicht mag, die das Volk gern aus-
ruft, steht so nicht in der Bibel geschrieben. Selbst die Mahnung wird
gern verschwiegen, da das Schweinefleisch bei den monotonen Denkern
nicht verdauungsfähig ist, weil die Ideen zur Freiheit immer noch sehr
eng gesehen werden. Auch die Zeit wird vergehen, und der grüne Rasen
vor der Kirche lässt den Stachel des Bösen fallen und sagt sich, dass
die wahre Liebe in jedem Denker darüber entscheidet, ob der Tod das
letzte Wort freigibt, in dem er ein Zeichen setzt, halt zu machen. Man
mag glauben, dass die Altersangaben ein leichtes Spiel haben, uns alle
dahingehend zu prägen, dass die Schwere in der Seele uns mehr belas-
tet als es den Anschein hat. Ich gebe daher acht, dass die schwere Last
die Anregung für etwas mehr Freiheit erhält. Denn sie ist anwesend,
wenn die Traurigkeit an die Tür klopft.

Oh, von dir kommt Beifall? Ich danke dir! Und doch sind
es belanglose Gedanken, die allerdings Sinn machen alles
zu geben. Ich spüre, dass du es gern hast, wenn meine Gedanken so abschweifen und den Kometen am Himmel erblicken, der mir und auch dir Sicherheit gibt.

Kirchengemeinden in Hellersdorf leben davon, sich den
gläubigen Denkern anzuvertrauen. Die Kirche möchte mit-
reden. Sie will zeigen, was es für Wege in eine neue Welt

gibt – eine Welt, die niemand zuvor gesehen hat. Hellersdorf ist eine Welt für sich und darf sich nach außen hin öffnen. Gott wäre dann im Mittelpunkt eines Prozesses, der den gläubigen Denkern die Hand reicht, sodass der wahre Glaube ein Wink der modernen Zeit ist.

Gottesdienste werden an den Sonntagen gern zelebriert. Die Orgelmusik sprengt den hohen Ton aus der Pfeife und lässt den Gedanken des Glaubens freien Lauf. Man darf träumen unter dem Kreuz von Jesus Christus. Die Kirche gibt einen Impuls, der den Denkern sagt, dass es für Hellersdorf gut ist, solche Kirchenhäuser einzubinden. Sie stellt eine wichtige Balance her zwischen der politischen und der religiösen Welt. Beide Welten gestalten die Gesellschaft mit, um eine Linderung der Probleme bei allen Denkern herbeizuführen.

Hertha, die Kirche, und damit meine ich alle Gotteshäuser, hat eine Berechtigung ihre Türen zu öffnen. Heute ist mein Denken über die Kirche sehr differenziert, da sie ihre Macht oft missbraucht hat. Geld zu besitzen heißt nicht, dass sie mir ihren Glauben aufzwingen dürfen. Wo kämen wir hin, wenn die 95 Thesen von Martin Luther nicht richtig verstanden werden und zu einem Umdenken führen? Weiß du Hertha, ich denke, dass die Kirchenobersten nicht immer wissen, was sie in ihren Predigten wirklich zum Ausdruck bringen. Sie geben der Sünde unnötigen Raum. Und wenn Reue und Wiedergutmachung nicht wahrhaftig in einem leben, soll sie durch eine Beichte ungeschehen gemacht werden. Die sogenannten Schandtaten müssen gesühnt und mit Vergebung am Altar offen versüßt werden. Bei Ehebruch und Homosexualität soll die Kirche berechtigt sein, die Sakramente zu verweigern. Wo leben wir denn? Was ist das für eine Macht, die ihnen eine solche Berechtigung erteilt? Sie beachten nicht, dass die Gleichberechtigung auf der ganzen Erde lebendig nachempfunden wird. Es gibt kein Gesetz, dass die Lebensnormen andersdenkender Denker respektiert werden müssen. Im Namen Gottes werden in unserer modernen Zeit noch weibliche Denkerinnen in der arabischen Welt gesteinigt. Wer gibt ihnen das Recht, solche barbarischen Handlungen durchzuführen? Gott will keine Gewalt an der Menschheit ausüben. Dem HERRN zu dienen heißt, Frieden zu schaffen und nicht Gewalt zu säen. Demut darf im Gefühl das tolerieren, was ein Denker gerade fühlt und denkt – so wird es in der Bibel verkündet. Aber wo ist die Liebe? Dennoch werden immer noch Kriege auf der Welt geführt, statt der Wahrheit ins Auge zu sehen, dass alle Denker gleich sind. Sie werden geboren, leben und sie sterben. Darin liegt nämlich der eigentliche Sinn des Lebens. Alle anderen Dinge wie Geld, Arbeit, Wohnung, Familie und vieles mehr bestimmt nur bedingt den Sinn des einzelnen Lebens. Seit Jahrtausenden aber werden Kriege geführt. Doch Gewalt ist eine Sprache, die ich nicht verstehen will. Der Mensch ist anscheinend von Natur aus gewalttätig. Und wenn ein Vater sein Kind prügelt, weil es schlechte Zensuren mit nach Hause bringt, dann ist das der Ausdruck von absoluter Macht. Gott steht daneben und gibt dem Vater das Recht dazu. Er greift nicht ein. Gibt es ihn dann überhaupt? Ist das mit Gott alles nur ein großer Irrtum? Es scheint darauf hinauszulaufen.

Mit Konrad konnte ich über das Thema Religion auf Augenhöhe sprechen, und das freute mich, denn das war eine Bereicherung für mein Leben. Alle Religionsrichtungen sind aus dem Ruder gelaufen und bedienen sich an Automaten, wo leere Plastiktüten für den alltäglichen Einkauf hergestellt werden, indem sie eisige Luft reinpressen und nichts dafür tun, dass die Ehrlichkeit vor den Altären eine Bedeutung bekommt. Das ist nämlich die Grundlage für eine solide Beziehung zwischen Mann und Frau, zwischen Staaten und Ländern, zwischen Lehrer und Schüler und zwischen Kind und Eltern. Hier ist viel zu tun, um Christi Botschaft ehrlich zu versenden, kundzutun. Ja, sie sollten sich endlich daran erinnern, dass sie selbst aus Fleisch und Blut sind und in ihnen zu gleichen Teilen das Ego und der „Heilige Geist" leben. Gerade der „Heilige Geist" entscheidet darüber, wohin der Weg führt. Es gibt tatsächlich Dunkelheit und Licht. Beides zu wählen, führt ins Chaos.

Hertha, die Grenzen sind überschritten und verteilen die Macht der Enttäuschung auf nahezu alle Denker und

Denkerinnen. Sie preisen das Böse an, indem sie urteilen und schweigen. Sie geben nicht zu, dass sie aus Fleisch und Blut sind. Ich meine, sie wären gut beraten, ihren Körper neutral zu sehen, um nicht unterscheiden zu müssen, was gut und böse ist. Die Trennung tut ihnen nicht gut. Sie führt dazu, die Schuld lebensfähig zu machen und den Angriff zu verteidigen. Das ist nicht gut. Das führt immer zur Wahl zwischen Krieg und Frieden.

Hertha, seit Jahrtausenden versucht die Religion das Paradies zu erklären, was es in Wirklichkeit nicht gibt. Sie können in jeder Predigt das Paradies beschreiben, wenn der Denker keinen Fehler macht und brav die Welt regiert. Ich könnte auch ein Paradies malen und den Hellersdorfern sagen, dass dieser Bezirk ihr Paradies ist. Die Religion aber will das Paradies definieren, doch der Versuch es zu beweisen, scheitert kläglich.

Die Angst, nicht ins Paradies zu kommen, sendet im Körper ablehnende Impulse aus und bekräftig so den absoluten Wahnsinn, der uns ins Chaos führt. Was folgt, sind Depressionen, Versagensängste, Albträume, Traumata und Zukunftsängste. Der leidenschaftliche Groll wächst weiter und keine medizinische Wissenschaft ist in der Lage, die Ursache zu ergründen. Dabei können die Denker jeden Sonntag in die Kirche gehen, um einen Gottesdienst zu genießen, der ihnen wahrscheinlich die Augen öffnet, woher der ganze Unsinn kommt. Die einzig wahre Botschaft, die eine Religion für sich in Anspruch nehmen kann, ist, das Paradies loszulassen, um schließlich die wahren Werte eines Denkers zu erkennen. Der Versuch, nicht zu urteilen, wäre mir angenehmer, denn dann müsste ich nicht ständig an die Schuld denken, die einen zur Buse auffordert. Ich würde es begrüßen, wenn die Religion Abstand nähme vom sogenannten Guten und Bösen im Denker. Wo ist das Böse in mir? Wo das Gute in Konrad und wo ist das Heil in dir, Hertha? Wer darf einen anderen schuldig oder frei sprechen? Ist Licht das Positive und die Dunkelheit das Negative? Wieso ist die Wahrheit rechtens und die Lüge unrecht?

Hertha, diese Welt verstehe ich nicht. Sie ist für mich ein Gerüst falscher Tatsachen, die immer wieder Angst erzeugen, um Machtstellungen auszubauen. Geld ist eine Macht. Liebe aber ein Gefühl. Und ein Gefühl kann das Geschlecht nicht unterscheiden. Die Liebe ist nicht fähig das Weibliche mehr zu lieben als das Männliche, da die Liebe keine Grenzen kennt. Liebe ist nicht fähig, zu urteilen. Liebe ist nicht begrenzt und kann daher nicht bewertet werden. Konrad mochte diese spirituellen Dinge von mir nicht so sehr, denn er war stets der Meinung, dass das mit Religion wenig zu tun hätte. Dabei ist die Religion eine Art Darlegung von Zuständen der Illusionen, die in Todesgräben zu finden sind, ohne ein Entkommen zu erfahren. Sie ruft immer die Vergangenheit auf und schmückt die Pforten der Kirche mit einem verblühten Rosenkranz. Wo ist das eigentliche Leben, das keinen Vergleich braucht? Wo steht geschrieben, dass die Barbarei die Zukunft prägt und im Schatten auf die Rache wartet? Genügt es nicht zu sagen, wir alle sollen die Hände falten, um die Macht abzugeben? Wie kann man behaupten, dass die Schuldfrage eine Illusion ist? Das führt mich zu dem Gedanken, dass Hellersdorf nicht ausschließlich von Religion geprägt ist, sondern eine „multikulturelle Landschaft" besitzt. Jede Verwerfung und Intoleranz hinsichtlich eines Emigranten, der seinen eigenen Weg geht, sollte wahrheitsgemäß in einer Predigt zelebriert werden. Mehr noch. Wäre es nicht wünschenswert, den andersdenkenden Denkern in ihren persönlichen Ansichten den Zugang zu gewähren, sodass ein Bleiben in der jeweiligen Kirchengemeinschaft zulässig ist, um den wahrhaften Glauben zu verinnerlichen? Was spricht dagegen, dass ein Papst in Rom einem Lesben- oder Schwulenpaar die Trauringe überreicht und den Segen des Herrn spendet? Sind Papst und Gott eine Person, die darüber entscheiden, ob gleichgeschlechtliche Paare den Segen des HERRN bekommen oder nicht? Das betrifft übrigens auch den Zölibat.

Hertha, an diesen Wunden ist die Grenze deutlich sichtbar. Die Obrigkeit einer jeden Kirche hat Angst und lässt den wahrhaften Frieden aufs Schafott legen. Damit erhöhen sie die Gefahr eines Krieges. Sich von diesem starren Mantel der Schuld zu lösen, kann alle Denker unter dem

Himmel Gottes in Frieden vereinen. Sie hätten die Möglichkeit, der ganzen Welt Frieden zu spenden, indem sie ihre Angst zulassen und sagen, dass sie sich selbst lieben dürfen. Aber ich sehe keinen Papst und keinen Bischof vor den Toren Syriens stehen und sagen: „Jetzt ist der Krieg beendet!" Wo ist der HERR, der in Jerusalem den Gläubigen aller Konfessionen die Hand reichte, um eine Zukunft ohne Waffen zu schaffen? Warum war das nicht möglich? Die Idee, dass die hochrangigen Kirchenvertreter aller Konfessionen sich an einen Tisch setzen und mit der Politik eine gerechte Welt schaffen, ist doch eine Mindestforderung. Sie alle müssten einen Pakt der Liebe schließen, damit der Bau von Waffen und das Töten von Menschen verboten werden. Was ist daran nicht zu verstehen? Ich bin überzeugt, dass der innige Glaube zerkrümelt und die Gier nach Geld vergrößert wird, indem sie Krieg zu einem legitimen Mittel der Anhäufung von Macht und Reichtum erklären. Und was hat das mit Hellersdorf zu tun?

Die damalige Frage von Konrad fand ich berechtigt, auch wenn er später diese Frage nicht mehr hören wollte. Überall sind gesellschaftliche Prozesse in Gang, indem Informationen und Gedanken zwischen Denkern ausgetauscht werden und zu Veränderungen führen. Sie müssen verarbeitet und ausgewertet werden, um neue Standpunkte zu entwickeln. Ich meine, so bilden sich meinungsbildende Strukturen aus und geben dem Ganzen ein Gesicht. Der eine Denker mag vielleicht die LINKEN und der Gemüse-mann auf dem Cecilienplatz, der jeden Morgen seine Möhren auf die Auslage packt, die FDP. Die Denker in den Wohnhäusern nehmen wahr, was im Kiez geschieht, und man sollte sie in ihrer Intelligenz nicht unterschätzen. Sie formulieren nach ihren Bedürfnissen und Freiräumen ihre persönliche Meinung und nehmen Bezug darauf, um irgendwie gehört zu werden. Es gibt auch die Denker, die auf ihre eigene Meinung verzichten, um nicht aufzufallen, weil sie in ihrer Welt leben möchten. Das ist in Ordnung und darf so sein. Die politischen Strömungen im Kiez werden bemerkt oder auch ignoriert. Sie geben das wieder, was ihnen nicht passt. Oder sie verzichten, weil sie missverstanden werden. Politik ist und bleibt ein gefährliches Geschäft von Interessenkonflikten, die immer mit Geld zu tun haben.

Die Denker aus Hellersdorf fordern zum Beispiel seit Jahren den Neubau einer Brücke in der Eisenacherstraße, damit die Fußgänger und Radfahrer gefahrlos die Wuhle passieren können. Doch nun wird die Brücke nicht gebaut. Die finanziellen Mittel stehen nicht zur Verfügung. Zur gleichen Zeit aber wird der Bau von 150 hochmodernen Panzern zum Stückpreis von 1,8 Milliarden Euro im Bundestag genehmigt und produziert. Die neue Brücke in der Eisenacherstraße fehlt heute noch. Die Folge: Um die marode Brücke vor dem Einsturz zu schützen, bekommt der

Verkehr eine Geschwindigkeitsreduzierung von fünfzig auf dreißig Kilometer pro Stunde verordnet. Das ist einseitige Politik. Die Politikverdrossenheit bekommt Rückenwind, weil die Medien der Tageszeitungen und Sender mehr über Morde, Raubdelikte, Tankstellenüberfälle und Gerichtsprozesse berichten als über gute Botschaften oder aktuelle Probleme.

Ist doch interessant, wie ich damals mit Konrad diskutiert habe, als die Wiedervereinigung auf uns zukam und uns Deutsche verändert hat. Auch Konrad war ein ehemaliger DDR-Denker und hat den Mauerfall miterlebt. Das war ja das große Thema 1989. Ich war entsetzt, dass alle Normen von Anstand und Ehrlichkeit, die man uns beigebracht hatte, aufs Spiel gesetzt wurden. Ich fühlte mich wahrlich überrannt; und kein Bundesgenosse der alten Regierung hat mich in die Frage einbezogen, ob ich ihre undefinierbare Gesellschaftsordnung haben will. Das D-Mark-Gespenst war der Führer einer undurchsichtigen Revolution, die ich von vornherein ablehnte. Fast alle DDR-Denker hatten nur noch die Reisefreiheit im Sinn und wollten endlich das richtige Geld in den Händen halten: die Westmark. Ostgeld war Alu-Geld und Alu-Geld war eine Währung, die es eigentlich nie gegeben hat. In großen Scharen witterten die Wirtschaftsbosse aus den alten Bundesländern das große Geschäft mit der untergegangenen DDR. Alles wurde verhökert, als ob die ehemaligen DDR-Denker versklavte Müllsammler gewesen waren, die nicht wussten, wie man arbeitet und Kinder erzieht. Hier hat der neue Gesetzgeber wertvolle Arbeit geleistet, indem er seine Rechtsordnung über den Osten stülpte.

Oh, wehe dem, wer sich widersetzte und sich im neuen Gesetzesdickicht nicht auskannte. Ein gut ausgebildeter Jurist aus Bonn brauchte zehn Jahre, um sich im Bürgerlichen Gesetzbuch auszukennen. Und ein Richter, der im Amtsgericht Tiergarten Urteile im Sekundentakt fällt, verlangt von einem Denker aus dem Osten, sich in Urteilen und Revisionen sofort auszukennen. Die DDR-Denker wurden aufgefordert, die Bundesgesetze innerhalb kürzester zu verstehen, und das in Deutsch. Dabei ist im Grundgesetz nicht mal verankert, dass die deutsche Sprache eine geschützte Sprache ist. Wir alle könnten auch Englisch oder Polnisch als Amtssprache nehmen.

Es ist der Wille der Denker aus Hellersdorf, dass die deutsche Sprache eine Art Wertschätzung bekommt, um auch die Integration in ordentliche Bahnen zu lenken. Leider ist der Prozess vergeblich und trägt dem Willen, die deutsche Sprache im Grundgesetz zu verankern, keine Rechnung. Die CDU war dahingehend schon weiter und beantragte 2008, dass die deutsche Sprache im Grundgesetz verankert wird. Was ist passiert, liebe Hertha? Dein amerikanischer Dialekt ist gut herauszuhören, da deine Sprache in den „Vereinigten Staaten" das Fundament darstellt, um das Land größer und reicher zu machen. Eure Sprache ist geschützt, oder hast du schon mal in den großen Einkaufscentern in deutscher Sprache lesen können, wie ein Bier aus Los Angeles schmeckt?

Konrad ist da meiner Meinung gewesen. Wir betraten da eine zweifelhafte Welt, in der wir uns fragten, ob wir tatsächlich in Deutschland leben.

In „Helle Mitte" wird beispielsweise immer wieder in Englisch Werbung gemacht. Ich kann sie und ich will sie auch nicht verstehen. Ich ignoriere sie und stelle mich dumm. Die arrogante Seite der Denker, wie die „Deutsche Post", ließ nicht lange auf sich warten. Entweder du kaufst oder verlässt den Laden schnell wieder. Dienstleistung gleich null. Die Geduld verlässt den gesunden Menschenverstand.

Ich bräuchte Hellersdorf nur für einen Tag verlassen und die nächste S-Bahn wählen, um nach Charlottenburg zu fahren. Dort würde ich einen Bäcker aufsuchen und fragen, ob er abends um halb sieben ein warmes Dinkelbrot für mich hat. Natürlich hätte er keins, dafür aber ein Weißbrot aus Sesam, welches bereits seit vier Uhr morgens im Regal gelegen hätte. Ist doch was, oder? Konrad wäre nicht damit einverstanden gewesen und hätte sich beschwert, zumindest sagte er das damals. Ich erlaubte mir ein Schmunzeln. Auweia! Da wurde er aber ärgerlich und machte mich böse an. Wie konnte ich mich über ihn lustig machen? Da meinte ich zu ihm, dass der Markt das nicht hergebe, weil der Bäckermeister plane, wie viele Brote er am Tag verkaufen würde, ohne abends etwas wegzuwerfen. Die Kalkulation ist das A und O. Da nützt mir auch der englische Hinweis „Sales" nichts. Hertha, ich verließ seine Wohnung und entschied, mich in Geduld zu üben. Ich respektierte seine Verletzbarkeit.

Als die Kaufhallen und Fabriken von der Treuhand in den 90er-Jahren geschlossen wurden, kümmerte das keinen Denker in den alten Bundesländern.

Ich habe den neuen Staat nicht gewählt. Neunundzwanzig Jahre lang habe ich die Betonmauer und den Stacheldraht gesehen. Ich musste es in der Hoffnung akzeptieren, dass es irgendwann ein freies Land wird. Aber was verstehst du unter Freiheit, Hertha? Ich meine, du definierst Freiheit anders als wir aus der ehemaligen DDR. Mir ging es nicht ums Reisen oder eine andere Währung. Mir war unsere Schulpolitik und das Programm der Erziehung in den Kindergärten und im Krippenbereich wichtig. Was war denn daran schlecht, und warum musste man ein so bewährtes System kaputtmachen?

Ich schaue in die heutigen Klassen. Fast jeder Schüler hat ein Handy und konzentriert sich nicht mehr darauf, was an Schultafel abgeht. Wenn der Lehrer etwas zum Verhalten des Kindes äußert, ob zum Handy oder zu irgendwas anderem, werden die Kinder aggressiv und wehren sich sofort. Sie holen ihre Väter, die dem Lehrer sagen, dass ihre Kinder sich gleichzeitig mit dem Handy und dem Schulunterricht beschäftigen können. Sowas geschieht in jedem Bezirk, auch in Hellersdorf.

Die innere Unzufriedenheit nach der Wende bekam einen bitteren Beigeschmack von Angst. Die DDR-Denker wussten sehr wohl wohin ihre Reise gehen muss, wenn sie weiter vorankommen wollten: persönlich und beruflich. Es gab immer eine Lösung. Der eigentliche Zusammenhalt in der DDR existierte tatsächlich. Hausgemeinschaften und Kollektive in den Fabriken prägten diesen Zusammenhalt. Am roten Leitfaden konnte sich jeder Denker in der DDR festhalten. Aber nicht jeder Denker, der in der DDR lebte, wollte sich von diesem Leitfaden beherrschen lassen.

Kreative Denker aus der Musik- und Kunstszene hoben sich von der Arbeiterschaft generell ab. Das hat sich bis heute nicht geändert. Die Zeit vor der Wende gab uns Sicherheit. Man wusste, jeder gesunde Denker musste arbeiten gehen. Arbeitslosigkeit gab es offiziell nicht, dafür gab es gute Hausärzte, die einen mal krankschrieben. Früher musste ich um eine Krankschreibung kämpfen, heute ist es einfacher.

Die Zeit ist unfair hinsichtlich der Frage, wie es morgen weitergeht? Keiner wird direkt helfen können oder überhaupt wollen. Das Messer hat schließlich zwei Seiten. Die Denker, die gern helfen, geben ihre Zuversicht weiter. Andere Denker sind einfach überfordert und wollen nur ihre Ruhe haben. Sie sind mit sich selbst beschäftigt und suchen einen eigenen Rettungsring. Das kann Alkohol sein oder Kiffen, beides ist legitim.

Wenn ein Gewitter aufzieht und es bald Regen gibt, freue ich mich, dass die trockene Wuhle bald wieder Wasser bekommt. Die Sommermonate der zurückliegenden Jahre sind heißer geworden. Dennoch glaube ich nicht, dass die CO_2-Werte allein verantwortlich für den Klimawandel sind. Ich zeichnete einmal für Konrad unser Sonnensystem nach, also Erde und Mond, morgens am Kaffeetisch bei einer Tasse Kaffee. Dazu Jupiter, Saturn und Merkur, die uns begleiten und Teil unserer Milchstraße sind. Kosmische Winde aus Energieteilchen kommen von unserer Sonne und prallen auf die Erde. Ich bin überzeugt, dass die Energieteilchen das Klima auf der Erdoberfläche verändert haben. Die Luftströmungen auf dem Planeten geben Anlass genug, sich zu überlegen, warum die westliche Strömung unser Wetter beeinflusst und sich abschwächt und die südöstliche Strömung zunimmt. Konrad fand meine Zeichnung sehr suspekt. Als ich ihn fragte, wer mir die Garantie gibt, dass all die Planeten von ihrer festgelegten Umlaufbahn um die Sonne nicht abweichen, hatte auch er keine

Antwort. Wer beweist mir denn, dass die Umlaufbahnen exakt die festgelegten Bahnen sind und nicht auch nur einen Millimeter davon abweichen? Selbst auf der Erdkugel können sich Süd- und Nordpol verschieben, also umkehren. Die Naturgesetze sind noch nicht vollständig erforscht, und kein Wissenschaftler ist in der Lage zu erklären, wie genau sich das Klima auf dem Erdball entwickeln wird, wie Hitze und Kälte entstehen und wer der Energieträger von beiden ist.

Egal wie die Planeten sich verhalten, die Anonymität in Hellersdorf ist gewachsen. Und es bedarf eines Vertrauensvorschusses zu staatlichen Institutionen, damit sich die Politik für das Volk entscheidet und nicht gegen das Volk. Aber leider ist das Vertrauen auch in Hellersdorf leicht gestört, da die Angst der Denker ihren Alltag prägt. Und diese Angst ist seit der Wende in den Köpfen sehr präsent. Mehr noch. Sie hat sich sogar verstärkt, da es keine Sicherheit innerhalb der Gesellschaft mehr gibt. Die Angst, ab morgen keine Arbeit mehr zu haben oder kein Dach über dem Kopf, sitzt uns allen im Nacken. Das politische Klima ist rauer geworden. Die Gesellschaft ist nervös und hektisch und reagiert auf alles, was Sorgen und Probleme bereitet, mit Chaos. Geschürt wurde das in den letzten Jahren noch dadurch, dass viele Flüchtlinge nach Deutschland kamen. Die fremde Mentalität dieser Denker bringt kein Vertrauen, da ihre Lebenseinstellungen und Normen in ihrem Land

anders sind. Da denke ich zum Beispiel über den Nationalstolz und den Zusammenhalt innerhalb der Familie nach.
Selbst ihre Religionen sind total unterschiedlich. Die deutschen Denker stehen vor ihrem Altar und rufen ihren
HERRN Jesus an, wobei die aus Syrien, Irak, aus Nigeria
und weiten Teilen des Islam ALLAH um Hilfe bitten. Nun
ist die Frage erlaubt: Wie soll es weitergehen in Hellersdorf
oder besser in Berlin?

Konrad stockte bei dieser Frage, und das aus gutem
Grund. Hellersdorf und Marzahn nahmen eine große Anzahl von Flüchtlingen auf, die in Wohncontainer unterge-
bracht wurden. Diese Container sind aus Metall: im Hochsommer unerträgliche Hitze und im Winter furchtbare
Kälte. „Egal, sie leben nun mal unter uns", meinte ich zu
Konrad. Und doch blieb das vor der braunen Öffentlichkeit nicht geheim. Sehr schnell zogen sie vor die Flücht-
lingsheime, drohten und erzeugten Angst, um das zarte
Porzellan von Ruhe und Ordnung in Marzahn zu zerstören.
Die Atmosphäre in Marzahn und Hellersdorf ist seitdem
spürbar gereizt. Demonstrationen sind nicht mehr kalku-
lierbar und lassen sich von der Polizei nicht gut lenken,
wenn es darum geht, eine friedliche Botschaft zu verkünden. Da gibt es die braunen Schläger, die ihre Wut gerade
dort abladen. Sie machen die Flüchtlinge für ihr eigenes
Elend verantwortlich und behaupten einfach, dass gerade
sie es sind, die ihnen die Jobs wegnehmen. Konrad und ich

mussten bei einer Demonstration vor dem Rathaus regelrecht lachen, als ein junger brauner Denker im Alter von etwa einundzwanzig Jahren diese Behauptung aufstellte. Auf die Frage von Konrad, ob er überhaupt einen erlernten Beruf hätte, winkte er ab und meinte lapidar: „Warum sollte ich?"

Die politische Welt wandelt sich zum Bösen, indem die Regierungen zeigen, dass ihre Machtinteressen Vorrang haben. Du siehst, Hertha, dass es nicht unbedingt mit Hellersdorf zu tun hat, wenn die Politik einseitig verstanden wird. Jeder denkt für sich und kommandiert sinnlose Thesen, die oft in der Presse zu lesen sind, anstatt sie zunächst in den eigenen Reihen der Partei zu diskutieren. Ich zweifle ständig an solchen Aussagen von Politikern in der Presse, die auf der großen Weltbühne nur wenig zu sagen haben. Und wenn sie was von sich geben, dann ist es manchmal schon peinlich, ihnen zuzuhören. Denn bis sie ihre Wahlversprechen einlösen können, ist bereits eine neue Regierung an der Macht und alles beginnt von vorn. Ich höre nicht mehr zu und vermeide das ewige Gezanke zwischen den Parteien. Daher verzichte ich auf Fernsehen und diversen Tageszeitungen, die immerzu schlechte Botschaften verkünden. Was für ein Drama?

Da frage ich mich doch: Warum bekommt die braune Garde in Hellersdorf und in Deutschland so viel Zulauf?

Die großen Volksparteien reden vor den Mikrofonen und in Parlamenten und fassen Beschlüsse, die sie morgen wieder für ungültig erklären. Das geht nicht gut. Ich meinte zu Konrad, dass wir die neuen Bundesländer ernst nehmen sollten und die Denker einladen sollten, um zu klären, wo ihnen der Schuh drückt. Wir sollten mehr ins Gespräch kommen und gegensteuern, um die Abwanderung aus den Dörfern und Städten in die alten Bundesländer aufzuhalten. Unsere Denker haben doch gute Ideen, selbst wenn nur ein kleines Café daraus entsteht. Eine Kanne vom kubanischen Kaffee müsste ausreichen, um sich in die Augen zu schauen und zu reden. Aber nein, der kubanische Kaffee wird nicht aufgebrüht, da Eisenbahnstrecken stillgelegt wurden und nur mit dem Auto gefahren wird. Sie sagen, es gebe zu wenige Denker, die das östliche Land bevölkern. Stimmt das wirklich?

Es fröstelt mich, und ich beginne meinen eigenen Tagebau, der das Gold widerwillig frei gibt, anzuzweifeln. Wahrlich, alles, was einen zufrieden macht, ist nicht einen Cent wert, wenn die Ignoranz weiter die brutale Schnittfläche schürt. Sinnlos wird es sein, wenn der Verstand nicht dem folgt, wo die Hoffnung ihr Zuhause hat. Lasst es ruhen und reicht den schlechten Tag weiter. Es wird der Morgen gewiss sein Antlitz zeigen und mir sagen, welche positiven Dinge mir guttun und welche Gedanken mir schaden. Er mag die Offerte der Freundlichkeit eröffnen, aus der ich die soliden Erfahrungen bekomme. Wie bedauerlich ist mein jetziger Zustand, der es nicht wagt die Grenzen, zu überschreiten, um das Silber zu berühren. Es würde mir vollständig ausreichen, den Tagebau in mir zu akzeptieren, um das Gold ruhen zu lassen, das mich seit Jahren blendet.

Hertha, du hast viele Informationen über Hellersdorf, die man erwähnen kann. Die gesellschaftliche und politische Ebene in Hellersdorf und Marzahn lebt von Denkern, die immer neue Ideen und Gedanken ins Spiel bringen. Der Dialog ist aber oft einseitig. Dann aber spüre ich wieder einen Zusammenhalt, wenn es darum geht der braunen Garde entgegenzutreten. Es liegt auf der Hand, dass viele Denker etwas verändern wollen, auch in der Kultur. Gerade der künstlerische Bereich ist sehr sensibel, wenn es darum geht, die innere Angst ernst zu nehmen. Jede feine Veränderung ist ein Weg, der primär seine eigene Dynamik hat. Gott sei Dank ist das erlebbar.

Liebe Hertha, große Denker heben sich von anderen ab, um eine Richtung vorzugeben. Schiller und Goethe waren in dieser Hinsicht Pioniere. Sie lebten für ihre Kunst, für das geschriebene Wort: die Lyrik und Prosa. Sie erkannten, dass die Liebe einerseits gefährlich und andererseits dein Freund sein kann.

Ich bin deinem Alter entsprechend sehr respektvoll zu dir, liebe Hertha. Aber die Wende war kein Geschenk für mich, eher ein Trauma. Alles ging rasend schnell über die politische Bühne. Nun gab es Denker aus dem anderen Teil Deutschlands, die angeblich nur Gutes für die Ossis tun wollten. Mein Kontostand ist so geblieben wie früher, und eine Urlaubsreise ins Ausland muss man sich immer noch gut überlegen. Die ehemaligen DDR-Denker bezogen sich in ihrem Freiheitsgeschrei zumeist auf die Reisefreiheit. Wo wollten sie denn hinfliegen mit fünfhundert Mark Verdienst im Monat? Nach Cuba oder nach Spanien? Alles hatte seinen Preis, und die D-Mark saß an der Börse fest im Sattel, sodass die Nachfrage an Devisen sehr groß war. Die DDR-Mark war eine Binnenwährung und im Ausland nichts wert. Sie wurde nicht mal erwähnt.

Was ich allerdings nicht in Ordnung fand, dass die Ostdeutschen in der Wendezeit nicht ernst genommen wurden. Alles geschah halbherzig und ganz nebenbei, als wären wir gar nicht da gewesen. Fabriken und soziale Errungenschaften wurden aufgelöst. Die Treuhand öffnete ihren Schlund und verschlang innerhalb kurzer Zeit Fabriken, Schulen, Kindergärten und Immobilien. Die Identität der DDR-Denker wurde ignoriert. Das Geld regierte das Leben. Die Arroganz mancher Denker, die in der Regierung eine leitende Funktion besaßen, war häufig darauf gerichtet, ihren Job zu behalten. Sie wollten zwar Veränderungen, aber nicht zugunsten des Volkes, das mehr und mehr auf das Internet zusteuerte. Vielleicht hätten sie damals Rauchzeichen geben sollen, dann wären sie heute nicht so abhängig davon. Nein, es ging damals um Vertrauen. Vertrauen heißt, dass sich die politischen Verhältnisse erneut stabilisieren müssen, um Gerechtigkeit im Volk zu erzeugen.

Ich stelle mir vor, dass die sozialen Netzwerke mehr in den Fokus rücken und die Belange der Denker in der Gesellschaft den Raum erhalten, den sie brauchen, um darüber zu sprechen. Gerecht wäre es, wenn zum Beispiel die Einkommen in den obersten Etagen der Großfirmen gekürzt würden. Mir wäre es lieber, wenn ein Hausmeister oder ein Wachmann mit 3.000 Euro nach Hause ginge, um nicht zusätzlich noch einem Zweitjob nachgehen zu müssen. Hartz-IV-Denkern würde ich einen Job anbieten, der ihrer Qualifikation entspricht.

Hertha, es gibt viele Möglichkeiten den Denkern dort draußen zu helfen. Manche würden gern den ganzen Tag lang kochen oder backen. Andere wiederum würden sich gern mit Technik auseinandersetzen. Selbst der Beruf eines Lokführers oder eines Polizisten wäre für manch einen Denker überlegenswert. Wäre die Politik in der Lage solche beruflichen Brücken zu bauen, könnte ich mir gut vorstellen, dass der soziale Frieden auch in Hellersdorf und Marzahn gewahrt bleibt. Endlich eine Verkäuferin sein und den Nebenberuf als Reinigungskraft hinter sich lassen. Endlich eine Straßenbahn fahren und nicht weitere Jahre am Backofen stehen, um Pizzateige zu backen, damit die jungen Denker in der Nacht Hawaii-Pizza schlemmen können. So

könnte die Zukunft aussehen. Die Bundeswehr müsste abgeschafft werden, damit Geld frei würde, um zum Beispiel
in Hellersdorf und Marzahn die maroden Kulturhäuser finanziell abzusichern. Und noch eine Überlegung hätte ich,
um dir zu verdeutlichen, Hertha, wie arm unser Land geworden ist: Das Ehrenamt wird immer dafür genutzt, dass
Firmen daraus Kapital schlagen können. Selbst die BVG-
Fahrscheine der ehrenamtlichen Denker werden nicht er-
stattet, das sind immerhin 2,90 € hin und dieselbe Summe
zurück. Benötigte Materialien müssen teilweise selbst gekauft werden, um in einer Projektgruppe, die sich zum Beispiel mit verhaltensauffälligen Kindern beschäftigt, arbeiten zu können. Überall wird gespart und gleichzeitig rügt
man frech und arrogant, wenn falsche Farben für das Bastelpapier eingekauft und den Kindern angeboten werden.
Dabei ist es für die Kinder so unwichtig, welche Farbe das
Bastelpapier hat. Leider gibt es solche Dinge im Leben,
Hertha. Wir müssen sie akzeptieren, wir haben keine andere
Wahl.

Wir beide haben die vielen leer stehenden Läden in Hellersdorf und Marzahn gesehen, Hertha. Kein schöner Anblick.
Mit großen Buchstaben stand an einer Schaufensterscheibe
„Wir bauen gerade für sie um". Monate später sah ich wieder diesen Hinweis, wahrscheinlich für einen anderen Laden. So war es auch in der Markthalle in der Krummenseer

Straße. Ich kenne sie nicht anders als leer. Konrad und ich durften in dieser Markthalle einer IGA-Großveranstaltung beiwohnen. Die IGA-Leitung lud alle paar Monate die Denker aus aller Welt ein, um über den Fortgang der Baumaßnahmen auf dem IGA-Gelände zu berichten. Selbst eine Seilbahnkabine stand als Modell in der Halle. Wir konnten nur ahnen, wie es sein würde, mit der Seilbahn über den Kienberg zu fahren. Leider war es meiner Mutter nicht gegönnt, das zu erleben. Ich hätte es ihr gewünscht. Konrad war ein großer Fan dieser Seilbahn. Seitdem er eine Jahreskarte für die IGA besaß, konnte er jeden Tag damit fahren. In den Wintermonaten wird die Seilbahn stillgelegt. Die Kabinen überwintern in einem Depot, und werden für den Frühling gewartet. Heute wird darüber diskutiert, ob die Seilbahn mit einem BVG-Fahrschein genutzt werden kann. Ich meinte zu Konrad, dass der Fahrpreis von über 5 € für manchen Denker zu viel sei.

Ich ging mit Konrad gern zum Advent in die Kirche in Hellersdorf. Es begann im letzten Jahr. Ich kann dir nicht mal sagen, warum Konrad plötzlich den Drang verspürte, jeden Sonntag in die Kirche zu gehen. Lange habe ich darüber nachgedacht und bin zu dem Ergebnis gekommen, dass er die gläubigen Denker mochte, die mit ihm auf Augenhöhe standen. Vernunft und Höflichkeit, das waren die Eigenschaften von Konrad und die auch meine Mutter früher sehr schätzte. Es ist mir ein Bedürfnis, von meiner Mutter mehr zu erzählen, da du immer etwas über sie wissen wolltest, Hertha. Sie wurde 1930 in Hangelsberg geboren. Das war eine Zeit des Wandels in der Politik Deutschlands, denn da besetzten die braunen Denker die Weltbühne. Das Bewährte wurde von ihnen infrage gestellt. Dazu gehörte insbesondere die Erziehung der Kinder, da man eine liebevolle Erziehung als Gefahr ansah. Man wollte eine straffe Erziehung, mit Prügel und gnadenlosem Drill – also harte Kinder, die nicht weinen und keine Gefühle zeigen. Das war eine Zeit, wo der kindliche Wille in Deutschland gebrochen wurde. Widerstand wurde nicht geduldet. Gehorsam und Disziplin standen an oberster Stelle.

Was ist richtig und was falsch? Zucht und Ordnung sind Maßstäbe, die sehr hochgehalten wurden in den 30er-Jahren. Ich weiß nur wenig über Mutters Kindheit. Selbst wenn ich sie danach fragte, sprach sie nicht darüber. Und ob sie geschlagen wurde, darauf ging sie nicht ein. Unbedingt wissen wollte ich, wie es ihr in der Schulzeit ergangen war. Karg waren ihre Antworten. Sie meinte nur, dass der Krieg ihre Schule zerstört hat und es keinen Unterricht gab. Daher musste sie in der sechsten Klasse aufhören zu lernen und ging erst später noch mal in eine Schule. Wie war es mit den Hausaufgaben? Konnte sie diese mit nach Hause nehmen oder war es üblich, sie in der Schule zu machen? Gab es Strafen oder andere Maßregeln für Kinder? Wie war ihre Kindheit? Wie war das Verhältnis zu ihrer Mutter? Gab es Trost bei Schmerz oder Streit? Gab es einen Gutenacht-kuss, wenn sie ins Bett ging? Wie war die Fürsorge bei all-täglichen Problemen in der Schule, als sie in die Pubertät kam? Durfte sie eine Puppe mit ins Bett nehmen? Besaß sie einen Puppenwagen? Ich hatte so viele Fragen.

Als sie verstorben war, fand ich in der Wohnung nur wenige Dokumente und Fotos von ihr. Im Nachhinein hat es mich traurig gemacht, dass ich von meiner Mutter so we-nig wusste. Und selbst das wenige verblasst nun allmählich.

Beim Gottesdienst beobachte ich gern die Kinder, die in den Stuhlreihen sitzen und zuhören können. Sie sitzen brav und verfolgen den Gottesdienst, wobei ich mich manchmal frage, ob sie auch genug Geduld mitbringen. Die Kinder, die mit ihren Eltern in die Kirche gehen, sind, glaube ich, bodenständiger, gelassener, mehr auf ihre Eltern bezogen. Klar, dass auch bei ihnen nach einer Weile die Konzentra-tion nachlässt – es sind eben Kinder, die spielen möchten. Konrad hat Kinder gemocht. Sein Gesicht hellte sich auf, wenn er sie sah. Hertha, du sagtest, dass Konrad früher ver-narrt in kleine Kinder war. Er spielte als Puppenspieler in eurer Stadt im Puppentheater, außer der Reihe, nach der Schule. Er hat ein wunderschönes Puppentheater aus Holz gebaut und kleine bunte Stockpuppen aus Stoff und Pappe gebastelt. Es gab ein Heinzelmännchen, einen Förster im

Wald, einen Fuchs, der im Unterholz wohnte, und die Marie in ihrem kleinen Haus. Ich war sehr erstaunt darüber. Ich wusste nicht, dass er jahrelang in einem kreativ erzieherischen Puppentheater Regie führte und selbst mitspielte. Seine selbst geschriebenen Stücke waren zur damaligen Zeit sehr erfolgreich. Du sagtest, dass das kleine Theater stets mit kleinen und großen Gästen gefüllt war. Begeisterung pur. Als du mir dann sogar alte Aufnahmen davon gezeigt hast, empfand ich meinen Tag als äußerst wertvoll. Zum ersten Mal spürte ich weniger Angst, weil du bei mir warst. Deine offene Art zu erzählen, sprengt tatsächlich meine Fantasie. Es drängt mich dann nach Hause, um mein Buch weiterzuschreiben.

Dein Unverständnis, dass ich in meinem Stadtbezirk als Buchautor nicht bekannt bin, hat damit zu tun, dass ich mich zurückgezogen habe als die Rufe meine Arbeit lauter wurden. Meine Bücher dienen nur dem Selbstzweck. Das Schreiben erfüllt mich. Wie Konrad mit seinen Stockpuppen, der das wahrscheinlich aus Leidenschaft tat. Ich weiß, dass Konrad keine große Erwartung zum Buch „Hellersdorf" hatte. Ich mochte seine Einstellung, denn ich lebe generell ohne Erwartung und akzeptiere die Dinge, wie sie kommen. Ich möchte mir keine Hoffnung mehr machen, da die Dinge sowieso anders kommen als man denkt.

Dabei fällt mir der Denker Antonio ein, der sich gern auf Facebook aufhält und auf diese Art hofft, Anerkennung als „Poetenkönig" zu bekommen. Ich will nicht gehässig sein, aber ich sehe in den sozialen Netzwerken, dass die unbekannten Denker gern dem süßen Traum des „hoffentlich-werde-ich-bald-entdeckt" nachhängen und das realistische Geschehen in der Welt gern verdrängen. Ich beobachte die kreative Welt im Netz genau und erfahre so, wie sehr Antonio aus Bonn darauf wartet, dass die Welt ihn anhimmelt. Ich schätze ihn sehr, habe sogar Verständnis, dass er für seinen gerade veröffentlichten Gedichtband Lobpreisungen ernten will. Wer würde das nicht wollen? Da steckt doch viel Arbeit drin. Man muss eben Werbung für sein Werk machen und viele Lesungen ankündigen. Ich sah ihn vor dem Mikrofon stehen und heftig mit den Armen wedelnd jeden Satz seines Gedichts emotional vortragen. Ich gab Antonio zu verstehen, dass ich mich mit ihm freue. Es erfrischte mich zu sehen, dass Antonio seinen literarischen Weg geht und dass er gezeigt hat, was Lebensfreude mit einem macht. Aber leider habe ich sehr schnell gemerkt, dass er nur darauf wartete gelobt zu werden. Leider ging er auf die Empfehlungen seiner vielen Freundschaften nicht ein. Er ignorierte die Anfragen von anderen und mir und ließ, wie ich beobachten konnte, die männlichen Denker unbeachtet im Regen stehen. Bei den weiblichen Denkern reagierte er spontan und fühlte sich geschmeichelt. Er strahlte vor Dankbarkeit und fühlte sich wie ein kleiner Pascha. Sein Vorgehen auf Facebook war kalkuliert. Ihm ging es nicht darum, welche Ideen andere im Netz vorstellten, nein, er wollte im Mittelpunkt stehen.

Antonio war leicht zu durchschauen, Hertha. Für all seine Publikationen im Netz lobte ich ihn und schrieb lange Rezensionen, die ihn noch mehr ins Rampenlicht stellten. Ich schmeichelte ihm, doch eine Reaktion von ihm blieb aus. Wieder war da ein Eintrag zu einer Lesung auf einer Buchbörse. Wieder ließ ich mich nicht lumpen, meine Schmeicheleien niederzuschreiben. Antonio reagierte auf meine Kommentare überhaupt nicht. Bei dem Herzsymbol einer Sabine, einer Heidi und einer Simone aus Bayern zeigte er in Sekunden seine Dankbarkeit. Diese Kommentare gefielen ihm. Eines Tages hatte ich die Idee, Antonio nach Berlin einzuladen, damit Hellersdorf um ein kulturelles Highlight reicher werde, denn solche Art von Lesung war nicht alltäglich. Einige Tage später erklärte er sich dazu bereit, da er zu diesem Zeitpunkt auch in Zehlendorf und Wedding eine Lesung hatte. Ich bedankte mich und war auf die Lesung im „Maxi-Treff" schon sehr gespannt.

Vier Tage später schrieb mir Antonio eine Nachricht über WhatsApp und empörte sich darüber, dass ich nicht ehrlich zu ihm gewesen sei. Ich wusste nicht gleich, was er meinte. Dann ließ er die Katze aus dem Sack. Er hielt mir vor, dass ich auch ein Literat sei und bereits viele Bücher veröffentlicht hätte. Das ginge so nicht, meinte Antonio. Ich fragte ihn, wo das Problem liegen würde. Eine Antwort blieb aus. Selbst auf seine Facebook-Seite konnte ich nicht mehr zugreifen. Er hatte sie offensichtlich für mich gesperrt. Weiß du, Hertha, das sind Dinge im Leben, die ich einfach nicht verstehen kann.

Zwei Wochen später kam mein Gedichtband „Der Meeresspiegel und die Zeit" heraus. Für mich war das ein besonderer Tag. Da ich nach Harmonie strebe überlegte ich, Antonio ein Buch mit einer Widmung zu schicken. Ich dachte, das mögliche Missverständnis damit aus dem Weg räumen zu können. Vier Tage später übergab mir die Postfrau ein Päckchen, in dem mein Gedichtband lag. Darin lag ein Zettel: „Mit besten Dank zurück. Ich brauchte nicht lange in das Buch zu schauen, um festzustellen, welchen Unsinn du da niedergeschrieben hast. Ich rate dir, das Schreiben guten Literaten, die ihr Handwerk verstehen, zu überlassen."

Wahrlich, es wird Momente geben, in denen „die Welt" mich fragt: „Ist die Gerechtigkeit an dem Ort zu finden, wo deine Gedanken sich aufbäumen, um zu erkennen, dass nichts zu zerstören ist, was in deinem Gefühl sowieso nicht lebt?" Selten werde ich meine Ungeduld auf einen Präsentierteller legen. Ich werde seltener den Augenblick wahrnehmen, der mein Bewusstsein mit Stacheldraht umgibt, um den Tod zu begrüßen. Ich erhebe den Anspruch des kreativen Forschens. Nichts kann mich davon abbringen. Kein Gefühl, das mir Schaden zufügen möchte, ist imstande, den Thron vor mir zu stürzen. Ich

*meine, dass gerade dieser Eichenholz-Thron die Vergangenheit längst
überstanden hat. Man könnte die Gerechtigkeit ebenso der Vergangenheit übergeben. Möge sich alles auflösen. Möge sich alles wiederho-
len, denn letztlich hat das alles nichts mit mir zu tun.*

Hertha, ich danke dir für dein Verständnis. Alles hat damit
zu tun, dass die innere Befangenheit in mir siegte. Der
spontane Gedanke suchte das Wort und begrub im gleichen
Moment meine Unsicherheit, von der ich glaubte, sie wäre
nie da gewesen. Es fühlt sich jetzt etwas besser an, denn ich
weiß, dass ich lernen muss, mit solchen „Antonio-Situatio-
nen" umzugehen. Neid ist eine grausame Eigenschaft, die
manche kreative Denker in sich unbewusst zulassen. Monate später ist es Antonio wahrscheinlich klar geworden,
falsch gehandelt zu haben. Es mag vielleicht Zufall sein,
dass ich seine Facebook-Seite eines Tages wieder einsehen
konnte: vielleicht aber auch nur. Ich ließ seine Seite dann
jedenfalls links liegen. Ich wollte mich nicht noch mal mit
seiner verletzenden Reaktion beschäftigen.

Meine Einstellung zu meiner Arbeit hat sich ein wenig
geändert. Konrad hat einen großen Anteil daran, an mich
mehr zu glauben als andere. Selbst in der Therapie habe ich
gelernt, mehr zu mir selbst zu stehen. Ich darf Fehler machen. Ich darf unpünktlich sein und kann zulassen, dass andere Denker nicht mit mir einer Meinung sind. Meine Erwartung vor fünf Jahren war groß, als ich etliche Verlage

anschrieb und mich vorstellte. Aber selbst die kleine Hoffnung, mir auf einer Buchmesse in Leipzig irgendwie Gehör zu verschaffen, fußte letztlich in der bitteren Erfahrung, dass kein Denker mich wahrnahm. Die Hallen in Leipzig waren unvorstellbar weit und großflächig, sodass ich gar nicht abschätzen konnte, wie viele Verlage hier um die Leserschaft buhlten. Ich schaute mir die Stände der Verlage genau an, kam mit ihnen ins Gespräch und lotete aus, welcher Strategie die Denker nachgingen. Jeder war der Überzeugung, das beste Buch zu haben. Aber was ist ein Bestseller? Den Kommentaren von Zeitungsredakteuren, die oft einen Bestseller beurteilen, ist nicht ganz zu trauen. Andererseits sind gerade sie es, die durch ihre Kommentare ein Buch erst zu einem Verkaufsschlager machen. Auch wenn der Buchdeckel dazu benutzt wird, dass der *Spiegel* schreibt: „Ein wunderbares Buch. Man kann nicht genug davon bekommen. Es wurde Zeit, dass ein solches Buch in die Öffentlichkeit kommt." Zu manchen Büchern, die ich in die Hand nahm, stand: „Wie spannend und poetisch."

Doch die Realität sieht anders aus. Die unscheinbaren kreativen Denker werden zu achtzig Prozent von den Literaturagenturen entdeckt. Sie sind ständig im Netz unterwegs, um die Knaller des Jahres zu erhaschen. Sie suchen fieberhaft in der digitalen Welt nach dem außergewöhnlichen Denker und wollen die Spitze des Eisberges erklimmen, um so an lukrative Buchaufträge im Verlagswesen heranzukommen. Sie müssen ständig auf der Suche sein und das richtige Gespür haben, um den Erfolg für sich zu verbuchen.

Ich nehme jetzt Abstand, meine Bücher irgendwo anzubieten. Ich lass' das Wasser ruhen und schaue zum Ufer, wo ich genau weiß, dort hat niemand irgendeine Erwartung an mich. Sollen doch die bekanntesten Literaten die Diamanten nach Hause tragen und stolz darauf sein. Ich meine es ehrlich, Hertha. Jeder Denker hat in sich eine Geschichte und will einen Weg beschreiten, der ihm Anerkennung bringt. Neid hat in mir keinen Platz, da stehe ich drüber. Ich beschenke mich lieber mit dem Gedanken, dass ich überhaupt einen Weg gefunden habe, meine Ideen in Buchform niederzuschreiben. Letztlich betrachte ich das Schreiben als eine Art Therapie, um aus der Depression herauszukommen. Deshalb lese ich viele sogenannte Bestseller, spüre aber, dass keines der Bücher mich verändert hat. Ich gönne ihnen den Ruhm. Das Motiv um Anerkennung ist Gott sei Dank bei mir ins Abseits geraten. Den Druck von außen kann ich nun ignorieren, und ich fühle mich wohl dabei, weil die Anonymität mich beschützt.

Hertha, Konrad war damals erstaunt darüber, als ich zu ihm sagte, dass ich mich in meinem jetzigen Zustand wohlfühle. Noch existieren Ideen in mir, die ich nur aufschreiben brauche. Alles ist bereits fertig. Zu jeder Zeit kann ich am Rechner sitzen und die Wörter zu Sätzen formulieren.

Meine Fantasie beginnt sich Geschichten auszudenken, die meine Angst auflösen.

Hertha, ich weiß auch, dass das Schreiben nur ein Abschnitt meines Lebens darstellt. Ja, du hast richtig gehört. Die Zeit wird kommen, da werde ich mit dem Schreiben einfach aufhören, um mich mit anderen Dingen des Lebens zu beschäftigen. Jetzt ist es für mich wichtig, den eigentlichen Prozess des Schreibens, der meine Gedankenströme ordnet, um das Chaos zu verhindern, meinem Leben richtig zuzuordnen. Im Schreibprozess, so ist der Zustand im Augenblick, bin ich in der Lage, meine Vergangenheit zu begreifen. Das ist eine Möglichkeit, das Wunder in mir zu entdecken. So war es auch mit dem Malen. Ich wusste, dass ich mit dem Malen aufhören musste. Ich missachtete die Regeln der Anerkennung, denn sie führten dazu, dass ich sie verlangte, mich nach ihnen sehnte. Aber ich wollte nie Anerkennung haben. Als Kind wollte ich unbedingt die Anerkennung meines Vaters. Ich bekam sie nicht, und heute erfahre ich nach so vielen Jahren, dass es gut war, sie nicht erhalten zu haben.

Mein Therapeut fragte mich einmal: „Was wäre gewesen, wenn ich nicht schreiben könnte?" Meine Antwort kam prompt: „Ich würde heute nicht mehr leben."

Ja, Hertha, ich wäre bestimmt nicht mehr am Leben, egal wie viele Freunde um mich wären. Die Einsamkeit ist, glaube ich, ein vertrauenswürdiger Patriarch. Er löst all die

Fragen und Probleme, die in mir wuchern. Da die Einsamkeit mir einen warmen Mantel umhängt, ist mein Wohlsein beschützt. Mir fehlt die Anerkennung nicht, denn sie braucht stets neue Nahrung. Hierfür bräuchte ich Geduld und Zeit, ohne Druck. Die habe ich aber nicht. Ich mag die Zeit beim Schreiben, da sich in mir eine Welt öffnet, die ich bändigen kann. Gut, dass ich sie in Einklang bringe. Ich darf Fragen stellen. Ein Veto einräumen. Und wieder eine Frage stellen. Ja, Hertha. Mit der Frage zu beginnen, das war für mich befremdlich, da ich das alte Muster meiner Eltern nur zaghaft durchbrach. Daher muss die Frage nach dem Warum und weshalb ich hier auf der Erde sein darf in mir langsam geklärt werden.

Die Gedanken geben dem alten Anstrich auf meiner Haut keine Beachtung. Daher stelle ich alles infrage. Auch den dritten Teil von „Hellersdorf". Nicht dass du denkst, ich möchte mit dir den dritten Teil nicht zu Ende bringen. Oh nein! Aber die Fertigstellung infrage zu stellen, macht was mit mir. Ich sehe die Dinge anders, indem ich das Projekt Hellersdorf an sich auf einer ganz anderen Ebene betrachte. Da war mal eine Idee, und diese Idee füllte sich mit Argumenten, von denen ich vorher glaubte, sie wären sinnlos, nicht erwähnenswert.

Nun, Hertha. Jetzt hast du einen kleinen Vorgeschmack davon bekommen, wie ich ticke und über die Welt denke. Bin ich ekelhaft oder gar unfreundlich zu dir? Du solltest es mir sagen, wenn ich die Höflichkeit missachte. Denn Schweigen schmerzt und beginnt unter der Haut zu eitern. Und das ist unbedingt zu beachten, wenn wir gemeinsam Erfahrungen austauschen wollen. Und welcher Denker soll bei dir die aufgerissenen Wunden heilen, wenn du dich verletzt fühlst?

Ganz nebenbei hast du mir von deinem Mann erzählt, dass er vor ein paar Jahren gestorben sei und dir früher Trost gespendet hat. Heimweh nach Deutschland mit Erinnerungen aus einer Zeit als deine Eltern vor dem Krieg noch lebten. Deine Kindheit in einer Altstadt mit Markt und Fachwerkhäusern – ich kann mir gut vorstellen, dass dir gerade diese Umgebung heute fehlt. Du lebst nahe am Wasser, und dein Haus in Florida ist mit weißer Farbe gestrichen. Eine kleine Jacht fährt dich dorthin, wo die Ruhe die Erde berührt. Was ich mit dem Bus oder mit dem Auto unternehmen möchte, kannst du mit der Jacht machen.

Jetzt lebst du allein und willst alles veräußern, um für immer nach Deutschland zu kommen. Ich kann das nachvollziehen, denn unsere Vorfahren sind vor langer Zeit bereits von dieser Welt gegangen. Wir sind geblieben und müssen nun zusehen, wie wir den Lebensabend bestreiten. In dieser hektischen Zeit schlägt der Wind schnell um, er wird kühler. Ich spüre, dass sich die Luftmassen aggressiver in mein Gesicht fressen. Deine persönlichen Erfahrungen der Vor- und Nachkriegszeit haben dich geformt. Deine

Wunden brechen bestimmt öfter auf, ohne dass du dich dagegen wehren kannst. Das ist dein Alter. Du welkst wie ein Baum im Herbst und lässt die Blätter fallen, um das zuzudecken, was deine Angst hervorbrachte. Die Sensibilität reift nach, auch wenn wir es nicht zugeben wollen. Die Weisheit lässt das verhärtete Ufer aufbrechen und spült mit weichem Wasser den alten Groll weg. Die Alten, die uns geboren haben, bauten eine Brücke, die wir erst heute zu betreten wagen. Hertha, das sind die Schätze des Lebens, die wir berühren. Es tut gut, dass wir jetzt anfangen zu ernten.

Hertha, das Leben in Hellersdorf ruft nach Weitermachen. Die Stunden geben dem Moment eine Bedeutung der Wahrnehmung und heben alles auf, was ich als Illusion bezeichne. Erinnere dich an deine Kindheit. Du kannst die alten Fotografien in die Hand nehmen und mir sagen: „So habe ich als fünfjähriges Kind ausgesehen." Aber das würde mir nichts nützen, denn die Gegenwart wird dich nicht mehr zum Kind machen. Kann es dir einen Nutzen bringen, wenn du sagst: „So sah ein kleines Mädchen in den 30er-Jahren aus?!" Ich könnte mich freuen und es nett finden, aber wem würde das nützen? Du allein besitzt diese Erinnerung, und sie wird dich nähren mit all den alten Verletzungen, die keinen Sinn mehr machen. Konrad zweifelte an meiner Aussage, da er von seinen Erinnerungen selten losließ. „Was für eine Gerechtigkeit ist das", fragte er, „dass ich so oft den Tod sehen musste und damit bestraft wurde?"

Hertha, sei mir nicht böse. Es sind langweilige Phrasen geworden, die keine Garantie zum Weiterleben geben. Eure Jahrgänge beklagten oft das Schöne an ihrer Vergangenheit. Sie geben dem Unsinn dadurch mehr Raum, was nur dazu dient, dass du in der Nacht von der Angst verführt wirst. Was hat das mit Gerechtigkeit zu tun, wenn man es nicht ändern kann? Natürlich lag die Vergangenheit nicht immer im hellen Lichtspektrum. Die Dunkelheit ließ sich nicht nehmen, die alten verwitterten Spuren aufzuspüren, die einen immer wieder belasten. Ich habe Verständnis und kann es akzeptieren, aber dann hört es auch schon auf.

Auf deine Frage, warum ich Hellersdorf als meinen Lebensmittelpunkt wählte, müsste ich wirklich lange überlegen. Eigentlich war es nicht bewusst geplant, wohin meine Reise geht. Mit der Gründung meiner ersten Familie lag es auf der Hand, nach Marzahn zu ziehen. Wir lebten in der DDR, lernten uns kennen, verliebten uns, gründeten eine Familie, bezogen eine Wohnung und dann kam der Alltag.

Mein erster Sohn wurde geboren, die Zweiraumneubauwohnung in Lichtenberg erwies sich als zu klein. Durch das groß angelegte Wohnungsbauprogramm seitens der DDR-Regierung hatten wir die Möglichkeit, über eine Wohnungsbaugesellschaft unsere Aufbaustunden zu leisten, die uns schließlich eine Dreiraumwohnung in Marzahn ein-brachte. Den S-Bahnhof „Otto Winzerstraße" konnten wir mit der Bahn gut erreichen. Ich werde nicht vergessen, wie es zu diesem Zeitpunkt um den Bahnhof herum ausgese-hen hat: Lehm, Lehm, Pfützen, Pfützen und wieder Lehm. Ohne Gummistiefel ging gar nichts. Sieben Jahre wohnte ich in Marzahn und ließ mich 1987 scheiden. Ein halbes Jahr später zog ich nach Hellersdorf. Das war kein leichter Prozess für uns alle. Wir suchten nach Möglichkeiten, die Krise zu überwinden. Wenn ich heute darüber nachdenke, weiß ich, dass wir für eine Familie noch viel zu jung waren. Ich hatte die Berufsschule gerade erst abgeschlossen, es folgte die Armeezeit von achtzehn Monaten.

In manchen Dingen war ich damals etwas zu naiv. Mich selbst zu entdecken, um zu wissen, was ich eigentlich will, was ich vom Leben erwarten kann, das kam mir nie in den Sinn. Spiritualität war zu dieser Zeit ein Fremdwort für mich. Das Buch „Ein Kurs in Wundern" war noch nicht geschrieben, sodass ich auf mich selbst achtgeben musste. Die Rangordnung war mir noch nicht bekannt. Mir wurde klar, dass ich die Vaterrolle übernehmen musste, ohne fremde Hilfe, ohne den Rat der Alten, da ich die Gewalt nicht brauchte, die mein Vater an mir angewendet hatte, um Zucht und Ordnung durchzusetzen. Ich wollte den al-ten Prägungen meiner Eltern gänzlich den Rücken kehren. Ich stand schon in früheren Lebensjahren auf dem Standpunkt, dass durch Liebe und Vertrauen bei der Erziehung von Kindern mehr zu erreichen ist als mit Gewalt.

Hertha, die Verwandlung meiner Persönlichkeit fing, wenn ich ehrlich bin, sehr zeitig ein. Einen Tag zuvor noch ein Jugendlicher, dann ein junger Mann mit Verantwortung. Aber so war es eben. Mein erster Sohn kam 1979 zur Welt. Ich empfand so unendlich viel Freude. Sie galt einem kleinen Kerl, der mich unbewusst anstrahlte. Ich war ein stolzer Vater und durfte mein Baby in den Armen halten. Es fühlte sich gut an, und dennoch war ich mit 19 noch nicht reif für diese Vaterrolle. Zehn Jahre später, Hertha, fühlte es sich schon anders an, Vater zu sein. Ich spürte zum ersten Mal die Last der Verantwortung auf meinen Schultern.

Als dann mein letztes Kind geboren wurde, war das für mich eine ungemein spannende, aufregende Zeit. Ich fühlte mein Vaterherz voller Ungeduld pochen. Und als es geboren war, sah ich die feinen Lippen und geschlossenen Augen meines Jungen und wusste, dass ein weiteres Wunder geschehen war. Selbst bei meinem zweiten Sohn wusste ich, dass ein besonderes Gefühl in mir lebte, welches ich nicht mehr missen wollte.

Gewiss, viele Dinge waren damals nicht in Ordnung. Ich handelte egoistisch, um einen neuen Weg zu finden. Vielleicht hätte ich mehr versuchen sollen, eine faire Lösung für meine erste Ehe zu finden. Aber bei dem Schmerz, den ich empfand, war es mir nicht möglich, die Liebe und Zuwendung meinen Kindern zu geben, die sie gebraucht hätten. Das ist keine Ausrede, Hertha. Was geschehen ist, kann ich nicht mehr ändern. Ich muss damit leben. Ich bin mir sicher, dass ich ihnen als Vater gefehlt habe und durch mein Verhalten eine große Lücke für sie entstanden ist. Ich habe sie verlassen, das ist eine Tatsache. Wir haben uns getrennt. Ein Fakt. Wir mussten entscheiden und keiner von uns kannte die Folgen.

Auch wenn ich es könnte oder es einen Gott geben würde, der die Zeit rückgängig machen könnte, würde ich wahrscheinlich wieder so entscheiden. Mein Therapeut meinte, dass meine damalige Entscheidung richtig gewesen war. Über die Folgen heute noch nachzudenken, das macht keinen Sinn. Zu keiner Zeit ist es möglich, einen Diamanten zu finden, der einem das pure Glück schenkt. So ist das Leben. Wir treffen in jungen Jahren Entscheidungen, die uns erst im Alter zeigen, ob sie richtig oder falsch waren.

Natürlich gab es auch schöne Erinnerungen aus dieser Zeit. Ich weiß, dass mein erster Sohn keinen guten Start ins Leben hatte. Bereits in den ersten Monaten wurde er krank. Der verschließbare Kehldeckel zwischen Luft und Speiseröhre funktionierte nicht richtig, sodass er fast daran erstickt wäre. Zum Glück war mein „inneres Kind" bei mir und entschied, ihn ins Krankenhaus zu bringen. Im Arztzimmer bekam er einen Erstickungsanfall. Das hohe fachliche Können der weißen Denker rettete meinem Sohn das Leben.

Hoch hinaus kann ich meinen Zeigefinger heben und deutlich betonen, dass diese Welt keine Zuversicht für mich bereithält. Ich bewege mich und renne die leeren Straßen entlang — allein und wochenlang, ohne mich umzudrehen, um zu sehen, was hinter mir geschieht. Es schmeckt süß, die mich bedrängenden Gedanken zu verlieren. Ohne die Hast zu zerstören, fließ alles an mir vorbei. Die glatte Oberfläche spiegelt sich in meinem Gesicht. Das wirkt konfus und nicht direkt freundlich. Allein und einsam wird mein Freund bleiben. Ich achte deshalb darauf, dass die Äste den kahlen Baum nicht zerbrechen. Er lebt in mir wie in einer Wüste und kein Wasser wird die Wurzeln bewässern. Alles stirbt ab, und die Dürre, die ich bereits erahne, wird sich an der Zerbrechlichkeit meines Willens ergötzen. Mag sein, dass die Zukunft die feuchte Luft am Boden hält und ich hoffen kann, irgendwann anzukommen, wo die Stille mein Bild erbricht. Erwartungen fliegen davon. Träume zerbrechen und geben dem vergilbten Papier die Nachsicht, dass die Geburtsangabe von mir sehr verschwommen zu lesen ist. Hoch hinaus ist immer noch mein Zeigefinger gestreckt, als ob die Mahnung keine Früchte tragen würde. So wird, und das ist ganz gewiss, die Zuversicht irgendwann meine dünne Haut berühren und sagen, dass alles gut werden kann.

In Hellersdorf, wie du es heute bildhaft festhalten kannst, sind Häuser und so manche Parkanlagen etwas steril und kalt, aber man sollte vorsichtig mit diesen Vorurteilen sein. Gewiss, die wenigen Geschäftsstraßen, die ich dir gezeigt habe, sind eher langweilig. Klar können wir uns nicht mit dem Prenzlauer Berg oder mit Wilmersdorf vergleichen. Die unterschiedlichen Bauweisen der Häuser und die Anzahl der kleinen Läden und Cafés auf den Straßen lassen das schon nicht zu. Von daher sollte die Marzahner Promenade vor Jahren aufgewertet werden. Man wollte Ruhepunkte schaffen, Cafés eröffnen, ein Espresso hier, ein Hackbraten mit Rotkohl dort. Flanieren und genießen und den Billig-Läden Konkurrenz machen. Der Friseur wäre unbedeutend, wenn die Denker nicht wüssten, dass ein kurzer Haarschnitt fünfzehn Euro und ein langer Haarschnitt für Frauen dreißig Euro plus einen Filterkaffee kosten würde. Ich bin mit dir über die Marzahner Promenade gegangen, die ein ähnliches Flair bietet wie Hellersdorf. Selbst das Eastgate in Marzahn hat Sorgen, seitdem bekannt wurde, dass jugendliche Denker dort ihr Unwesen treiben und Passanten anpöbeln.

Konrad und ich saßen auf einer Parkbank und sahen, wie vier dunkelhaarige jugendliche Denker aus dem Ausland junge weibliche Denkerinnen im Alter von etwa 17 Jahren anbaggerten und keine Ruhe gaben, bis sie im Eastgate verschwanden. Die Polizei wurde gerufen, hieß es. Sechs weitere ausländische Denker mit schwarzen Haaren kamen hinzu und begannen einen Joint zu drehen.

Arabische Musik aus den Boxen hörten wir; sie wurde immer lauter. Der ganze Platz hallte von der fürchterlichen Musik wider. Die Fahrgäste der S-Bahn und Straßenbahn flüchteten ins Einkaufscenter. Konrad schüttelte den Kopf und sagte zu mir, dass es ihm Angst mache, so was mit anzuschauen. Die Polizei war immer noch nicht vor Ort, als wir den Platz verließen.

Hellersdorf verarmt immer mehr. Wenn ich an das Erntedankfest im September zurückdenke, als das Leben noch in Ordnung war, da konnte ich noch in Ruhe C&A oder H&M besuchen. Bei diesem Fest gab es wunderschöne dekorative Stände der Bauern aus dem Umfeld, die ihr Obst und Gemüse verkauften.

Hertha, im vorigen Jahr ging ich nach Jahren wieder mal zum Erntedankfest. Was ich sah, war die reinste Katastrophe. Die große Hellersdorfer Straße war gesäumt von Billig-Ständen, die Mützen und Socken, Ledergürtel und Unterwäsche, Schuhe und Hüte, Schals, Jacken, Spielzeug, Wäscheklammern, Hosen, Turnschuhe, Kochtöpfe, Siebe, Batterien, Biergläser u. v. m. verkauften. Entweder „Made in China" oder „Made in Taiwan" oder „Made in Indien". Laute Popmusik und Autoskooter verschleierten das eigentliche Thema des Erntedankfestes. Ich meine, was wissen die Kinder über eine Birne, von einer Tomate, einem Maiskolben, einer Zwiebel oder gar einer noch dreckigen Mohrrübe? Sie wissen nicht mal, was eine Biene ist, die in den Vorgärten Blüten bestäubt, um die Honigwaben mit Nektar zu füllen. Selbst die Geschichte der Königin eines Bienenvolkes ist den meisten Kindern unbekannt. Ohne Königin wäre das Bienenvolk in Gefahr. Das Sammeln von Nektar, den der Züchter später zu Honig macht, ist wahrlich ein Wunder. Dabei bleiben Blütenpollen an den Beinchen der Biene haften, die sie zu einer anderen Blüte trägt.

Ja, Hertha, es ist interessant, wie die Bienen sich im Bienenstock verhalten, wenn sie mit ihrem Nektar dort ankommen. Es gibt aber auch Bienen, die auf das Sammeln von Baumharz spezialisiert sind, um daraus Propolis herzustellen. Andere Bienen sammeln Wasser und wieder andere Blüten ein. Die Pollensammlerin zum Beispiel nimmt in den Blüten den winzigen Staub auf und schabt ihn zusammen, um ihn in ihre Pollenhöschen zu packen. Diese Pollenhöschen enthalten Nektar, die sie zu winzigen Kugeln formen. Gleichzeitig fügen sie Enzyme hinzu, damit die Polen haltbar bleiben. Ist das Pollenhöschen gefüllt, fliegt die Biene in ihren Bienenstock zurück. Pro Tag könnte die Biene damit mehr als 80.000 Pollenladungen einbringen, um diese schließlich in Honig zu verwandeln. Hellersdorf hat viele Imker, die Honig produzieren und dafür sorgen, dass all die Kirsch- und Apfelbäume bestäubt werden. Hertha, ich hatte deine Frage mit den Bienen und ihrer Geschichte schon geahnt. Konrad hat mal ein kleines Mädchen im Alter von etwa acht Jahren gefragt, was für ein großes orangenes Gemüse das sei, das auf der Bühne liegt. Es war rein zufällig, denn das Mädchen stand unmittelbar davor und blickte erstaunt dort hin. Vier große Kürbisse und ein Ehrenkranz aus Plastik dazwischen, das war die Dekoration dieser einzigartigen Bühne. Das junge Mädchen kannte keine Kürbisse, konnte die Frage demnach auch nicht beantworten.

Die Herbstzeit im Wuhletal besitzt einen besonderen Reiz. Die Blätter der Bäume am Kienberg wollen sich verabschieden und fallen lautlos zu Boden. Langsam kehrt Stille ein. Es wird früher dunkel und die neu installierten Gehweglaternen leuchten oder leuchten mal wieder nicht. Aber wenn die Laternen die Wege erhellen und ich den Wuhlesteg überquere und die Ruhe einatme, dann spüre ich irgendwie ein Ankommen. Am schönsten ist es, liebe Hertha, wenn der Nebel ins Tal zieht. Die Welt taucht so in helle Watte ein und gibt mir innere Sicherheit, als wäre nie was Böses in der Welt geschehen.

Ich erinnere mich, dass Konrad und ich Ende Oktober auf dem Wolkenhain standen und das Gefühl hatten, die Welt unter uns sei nicht mehr da. Alles lag unter einer Wolkendecke und wir hörten nur den lauten Straßenverkehr. Gerade solche Momente habe ich mit Konrad oft genossen. Das war so, als wäre ein Kind am Ufer, das unbedingt kleine Steine ins Wasser werfen möchte.

Um das Pfingstfest in den Gärten der Welt zu erleben, habe ich mir immer Zeit genommen, denn ich wollte wirklich zugegen sein und es bewusst genießen. An einem warmen Tag hatte ich die Wahl, entweder zu schreiben oder aufs Fest zu gehen. Ich entschied mich fürs Letztere. Dabei ist es erstaunlich, dass es so was überhaupt in Hellersdorf gibt. Im Laufe der Jahre achtete ich immer mehr darauf, was ich tatsächlich wollte, um negative Impulse in mir zu vermeiden. So bleibt seit Jahren, und das ist auch so ein Phänomen bei mir, Hertha, immer öfter der Fernseher zu Hause aus, wobei ich schon überlegt hatte, ihn wegzugeben. Ich habe kein Bedürfnis zuzuschauen, wie Radfahrer an den Kreuzungen zu Tode kommen oder die Taliban in Afghanistan einen blutigen Krieg führen. Ich kann die schmutzige Politik sowieso nicht verändern, und schon gar nicht, wenn ich jeden Tag so ein Massaker mit anschauen müsste. Vielleicht kling das für dich abgebrüht oder als „nicht-wissen-wollen", aber dem kann ich widersprechen. Wo ich Unrecht hautnah erfahre und die Möglichkeit des Einflusses habe, werde ich etwas dagegen tun. Die politische Ebene aber macht ihre eigenen Gesetze. Für wen, das weiß ich allerdings nicht. So gesehen fühlt es sich gut, Fernseher und Großveranstaltungen zu meiden. Das heißt, ich brauche den lauten chaotischen Trubel um mich herum nicht mehr erdulden und vermeide im gleichen Atemzug den großen Massenauflauf von Denkern, die sich in Scharen durch die engen Gassen eines Volksfestes quetschen. Hertha, gerade der Gedanke stimmt mich froh, dass meine Psyche einen kleinen Wandel vollzogen hat. Ich beginne zu begreifen, wie ich die Angst in mir annehmen muss, wenn ich sie spüre. Früher, als ich im Stress lebte und der Trubel permanent den Höhepunkt erreichte, konnte ich die Angst verdrängen. Heute aber schaue ich nach, was das für ein Gefühl in mir ist und wie ich dem entgegentreten kann.

In den Gärten der Welt hatte ich dagegen einen angenehmen Tag zum Flanieren und um den Sonnenschein zu genießen. Überall wurde Musik gespielt. Es wurde gegrillt und getrunken, getanzt und gelacht. Man war nachdenklich und frech und leise und laut. Selbst unterhalb vom Kienberg mit seinen Themengärten konnte man auf den frisch gemähten Wiesen liegen, um zu picknicken oder zu lesen. Alles war erlaubt: Relaxen, Ausspannen, gut essen oder einen Schoppen Wein auf der Terrasse im „Englischen Garten" genießen. Selbst einen Sonnenuntergang auf dem Wolkenhain konnte man sehen. Hertha, du glaubst nicht, wie herrlich rot die Sonne abends hinter dem Horizont untergeht. Ich sah in den Abendstunden sogar drei Pferde auf einer Koppel grasen, begleitet nur von vielen jungen Wildgänsen, die jedes Jahr dort ihre Nachkommen aufziehen. Welchen Ort in Hellersdorf habe ich noch nicht erwähnt, der zum Verweilen einladen würde? Wenn ich schreiben würde, es gebe keinen, wäre das eine glatte Lüge. Ich meine, es gibt verschiedene Seiten von Hellersdorf – eine dunkle und eine helle Seite. Von der dunklen Seite berichten immer viele journalistische Denker, da sie spannender ist als die helle und mehr Profit einbringt.

Konrad bekam mal von der politischen Denkerin einer Partei eine gute Antwort, als er fragte, wie es in Neukölln oder Wedding, Lichtenberg oder Friedrichshain aussehen würde. Jeder Bezirk in Berlin hätte seine Probleme, die es zu lösen gilt, meinte sie. Und sie hatte recht, diese freundliche Denkerin. Wir sollten auf den verlassenen, einsamen und in Armut lebenden Denker zugehen, dem es nicht gut geht in der Gesellschaft. Aber was machen wir? Wir grenzen sie aus und sagen uns: „Das geht uns alles nichts an."

Erst in den späten Nachstunden konnte ich in Hellersdorf das Elend und den verdammten Suff der kranken Denker aller Altersstrukturen sehen. Von Weitem sah ich sie, da sie gern unter sich sind. Es sind Denker, die in jedem Stadtteil von Berlin leben. Sie sind wie Schablonen, die man über jeden Stadtteil legen könnte. Sie gleichen sich, denn ihre Geschichten sind aus dem gleichen Holz geschnitzt. Sie schaffen es nicht aus eigener Kraft, ihrer Sucht zu entfliehen. Sie träumen von einem Lottogewinn oder gar einer Glücksfee, die ihnen ihre Sorgen wegbläst. Der Traum ist schon lange verflogen. Den gibt es nicht mehr. Die Realität lebt und zeigt ihnen die brutale Welt, in der sie überleben müssen. Wer nicht aufpasst, kommt schnell unter die Räder. Jugendliche Denker, gerade mal vierzehn Jahre alt, stehen an unbeleuchteten Straßenecken und auf Plätzen und brüllen laut herum, damit man sie auch ja hört. Der Inhalt ist so sinnlos wie schon zu Zeiten der braunen Garde, dass Juden und Ausländer kein recht hätten zu leben.

Als ich das zum ersten Mal erlebte, liebe Hertha, konnte ich Konrad lange nichts davon erzählen. Ich wollte keine Angst in ihm erzeugen. Wenn sie ihren Standort verließen, standen unzählige leere Bierflaschen herum und warteten darauf, dass sie am nächsten Tag von armen Denkern in einem Supermarkt abgegeben wurden. Pfandgeld ist eben auch Geld.

Ich verurteile die jugendlichen Denker nicht einfach so, oh nein, Hertha. Dafür ist mein Wissensstand über die jugendlichen stark verletzten Denker, die keinen Lebenssinn für sich finden, zu gering. Ich weiß nicht, warum sie diesen Weg einschlagen und wohin er sie führen wird. Ich meine, sie sind nicht dafür geboren, um betteln zu gehen und sich zu betrinken. Gerade diese feinfühligen Denker wussten als Kind genau, dass in ihnen ein Schmerz lebt, der von der Gesellschaft nicht verstanden wird. Erwachsene Denker haben in ihren Kindern was Eindeutiges übersehen, und das sollte jeder verstehen, wenn es darum geht, die Kindererziehung mit viel Liebe und Vertrauen zu vermengen und auf Gewalt und Hass zu verzichten. Und das muss jedem

Denker klar sein. Ihre Alten prägten das unverhohlene und antisoziale Verhalten und lebten es ihnen vor, als sie selbst noch ein Kind waren. Ich habe gesehen, wie deren Wohnungen zugemüllt und verdreckt waren.

Sie mussten mit ansehen, wie ihre Alten besoffen den Alltag über die Runden brachten. Sie gingen ungewaschen zur Schule, legten müde den Kopf auf die Schulbank, weil der Vater im Suff bis tief in die Nacht die ganze Wohnung zerschlug, und gingen wieder ungewaschen ins Bett. Gegen zwei Uhr morgens fanden sie dann ein wenig Schlaf, denn Vaters Spiel hörte dann endlich auf. Der Wecker klingelte dennoch um sechs Uhr, pünktlich. Die Folge war, dass sie ihre Schule schwänzten, weil sie müde waren. Diese Kinder hatten nie die Hoffnung auf Liebe, sie kannten zumeist nur Gewalt und Angst.

Und was hat das mit Hellersdorf zu tun, Hertha? Oder mit dem Land Brandenburg oder Sachsen-Anhalt? In jedem Bundesland sind solche Entwicklungen bei Kindern und Jugendlichen zu sehen. Warum soll Hellersdorf da eine Ausnahme sein? Nein, Hellersdorf ist ebenso ein sozialer Brennpunkt, wie das andere Orte in Deutschland auch sind.

Ein gutes stabiles Elternhaus ist eine gute Grundlage dafür, dass die Kinder einen Weg gehen dürfen, der ihnen das Lernen und Spielen ermöglicht, ohne Zwang und Gewalt. Natürlich wird es immer Seitenwege geben, wo Kinder hinten abrutschen. So ist das Leben. Aber die Eltern sollten schon ihr stressbedingtes Druckverhalten auf das Kind ernst nehmen. Wir alle sollten darauf achten, wenn ein Kind kein Kind mehr ist, dass es dann scheu und ängstlich hinter einer Schulbank wartet und erleichtert ist, dass der Lehrer diesmal nicht die Hand erhebt.

Hertha, ich weiß, worüber ich schreibe. Solche Geschichten habe ich am eigenen Leib erfahren. Sie passen gut in den dritten Teil von „Hellersdorf", das liegt auf der Hand. Weißt du, das Empfinden eines Kindes kann man sehr gut an seinem Gesicht ablesen – jede Stimmungsschwankung, jede Freude und jede Traurigkeit. Das sind Antworten auf das Verhalten erwachsener Denker. Entweder das Kind weint oder es hebt die Mundwinkel und lächelt. In all diesen Gesichtszügen erkenne ich mein inneres Kind wieder, als ob wir miteinander verbunden wären.

Und weißt du, Hertha, dass dieses Gefühl mich ausmacht? Auch dein inneres Kind ist der Schlüssel dafür, dass wir uns so gut verstehen. Wenn unsere inneren Kinder nicht allein entscheiden dürften mit wem sie zusammenkommen, dann ist es nicht möglich diesen dritten Teil zu Ende zu schreiben. So war es mit Konrad. Der kleine Konrad mochte das kleine Wesen in mir. Die Grundvoraussetzung war gegeben, das Vertrauen.

Und was hat das mit Hellersdorf zu tun? Den übel riechenden Mythos von Hellersdorf können wir säubern, indem jeder für sich darauf achtet, das zu akzeptieren, was uns begegnet. Dazu gehört die unterschiedliche Nationalität der Denker, die nach Deutschland kommen.

Weißt du, woran ich oft denken muss, liebe Hertha? An die Weltfestspiele 1973 in Ost-Berlin. Die angereisten Denker aus dem Ausland waren alle willkommen, und wir deutschen Denker bedienten ein Muster der Offenheit, nicht der Ablehnung. Gut, wir waren damals jung und kannten die Welt nicht, aber dennoch, ich nahm sie als Denker so wahr wie sie vor mir standen. Selbst ihre Gesichtszüge spiegelten Ernsthaftigkeit und Traurigkeit wider. Die wenigen jungen Denker, die ich traf, waren nicht reserviert oder frech oder beschimpften uns, was wir in der DDR alles nicht erreicht hatten. Ich meine, es war ihnen unwichtig, ob Farbfernseher oder Waschvollautomaten in unseren Schaufenstern standen. Sie liefen auf dem Alexanderplatz herum und wollten einfach Spaß haben. Und das ist doch das eigentliche Gefühl von Freiheit. Das war eine lebensfrohe Zeit, ohne zu urteilen oder zu verurteilen. Warum funktioniert das heute nicht mehr?

Ich schreibe bewusst, dass jeder Denker die Liebe in sich wahrnehmen und weitergeben kann. Was hindert uns daran? Kein Denker konnte mir bisher eine Antwort darauf geben. Wenn tatsächlich jeder mal einen Schritt zurücktreten würde, könnte er die Gefahren für unsere Welt sehen und gegensteuern. Die Menschen müssen wieder zusammenrücken. Aber nicht alle haben begriffen, wovon unser

Überleben abhängt. Das Problem kann nur von den Denkern gelöst werden, die ständig Unfrieden stiften und den Hass fest umarmen, sodass sie gar nicht mehr bereit sind, die wahre Liebe zu erkennen. Blind gehen sie in ihrer Welt umher und säen Blut und Hass. Das Schlachtfeld ist ihre Heimat. Mein Paradies ist ein Teil dieser Welt und ich kann es definieren wie ich will. In diesem Paradies will ich leben.

Ich erinnere mich an eine junge Denkerin namens Kornelia, die das Singen für sich entdeckt hatte. Heute bin ich mir nicht mehr so sicher, ob sie die alte schöne Musik aus den 20er-Jahren aus Alt-Berlin so verinnerlicht hatte wie damals die Denker in den Cafés am Ku'damm in Berlin. Schließlich sind es weit über achtzig Jahre her, als die Straßenbahnen auf dem Ku'damm fuhren und die fröhlichen Denker auf die Reise mitnahmen. Der Schaffner klingelte noch an jeder Haltestelle und begrüßte sowohl den sonnigen als auch den grauen Alltag. Nicht weit von den Boulevardstraßen gelegen fand man tiefste Armut. In manchen Straßenzügen gab es neun Hinterhöfe, wo selbst der Kalkbrenner nicht mehr wohnen wollte.

Die goldenen 20er-Jahre hatten ihre Schattenseiten, von denen man in der Öffentlichkeit nicht gern erzählte. Auf manchen Plätzen im Stadtteil Prenzlauer Berg gab es eine Armenspeisung, die von der Kirche gespendet wurde. Jeden Freitag durften die armen Denker altes Brot und Fett mit nach Hause nehmen. Später kamen die Inflation und der Krieg. Aus Angst, nicht überleben zu können, blieb ihnen nur noch die Flucht in den Alkohol. Die Flucht in die Angst. Die Flucht, um sich zu befreien.

Kornelia, Ende vierzig, gab auf ihr Äußeres sehr acht. Ihre weiblichen Rundungen waren stimmig. Mit ihren dunklen Augen und einem gut geschminkten Gesicht sah sie von der Bühne aufs Publikum. Jeden Abend stand sie auf der Bühne und sang die alten Kamellen von Marlene Dietrich: „Wenn ich mir etwas wünschen dürfte" oder „Ich habe einen Koffer in Berlin". Während sie die Lieder sang, verbarg sie ihr Gesicht hinter einer Maske. Sie gab sich Mühe, nach außen hin zu glänzen, hoffte auf einen großen Auftritt mit Millionen von Denkern, die ihr einen grandiosen Applaus spenden sollten. Was sie nicht ahnte, die Jahre vergingen. Ihr Sohn, ein bereits erwachsener Denker, der jede Ausbildung hingeworfen hatte, musste zusehen, wie er sich über Wasser hält, um seine Wohnung nicht zu verlieren. Kornelia wusste, wie es um ihren Sohn stand. Er liebte den Alkohol und die Weiber. Abends ging er lieber in die Bar, statt sich um einen richtigen Job zu kümmern. Kornelia bereute sehr, sich nach der Scheidung nicht genug um ihn gekümmert zu haben – als er im Kinderzimmer bitterlich weinte, als der Vater das Haus brüllend verließ, als sie ihren Sohn nicht in die Arme nahm und statt Trost zu spenden, lieber ins Theater ging. Er blieb allein zurück. Bis tief in die Nacht, so erzählte Kornelia es mir, habe ihr Sohn sich in den Schlaf geweint. Sie wollte unbedingt ein Star werden und fragte bei der DEFA an, um eine Hauptrolle zu bekommen. Hübsche auffällig bunte Kleider, auffälliger Lidschatten, Schminke und Applaus im Scheinwerferlicht hatten eben Vorrang. Das Kind musste leiden, es kam für fünf Jahre ins Heim. Mit hohen Absatzschuhen stolzierte sie auf den Bühnen der DDR und sang Lieder über Liebe und Heimat.

Hertha, ich weiß, man kann diese Musik nur mögen oder sie ablehnen. Das Letztere wählte ich und musste Kornelia sagen, dass sie sich schämen sollte, so als Mutter gehandelt zu haben. Ich konnte nicht verstehen, dass ihr eigenes Kind den dritten Rang in ihrem Leben eingenommen hat und sie keine Liebe für ihn verspürte. Jahrelang haben wir uns nicht mehr gesehen. Kein Gedanke verschwendete ich an Kornelia, bis zu dem Augenblick, als ich sie auf dem Wolkenhain als Kellnerin sah. Sie bediente Konrad und mich am Tisch und brachte uns zwei Tassen Kaffee. Sie erkannt mich nicht. Sie nahm mich nicht wahr, und ich wollte es dabei belassen. Sie bekam von mir gutes Trinkgeld, und doch fehlte das Schmunzeln von ihr, wie früher auf der Bühne. Sie hatte sich nicht geändert, war noch immer so kalt wie früher. Ich begann zu frieren.

Nun ist es fast ein Jahr her, als der 1. Teil von „Hellersdorf" im Buchhandel erschien. Konrad nahm das sehr gelassen und stellte fast gleichgültig fest, dass es das Buch zwar überall in der Öffentlichkeit zu kaufen gibt, aber leider keine Beachtung findet. Ich meinte zu ihm, das sei mir nicht wichtig. Vielmehr sei mir wichtig gewesen, es geschrieben und unseren Traum erfüllt zu haben. Ich erklärte ihm, dass es die hektische Zeit ist, in der unbekannte Autoren, die wir nun mal sind, nicht gleich Beachtung bekommen. Alles geht seinen Weg, und die Trilogie um Hellersdorf wird seine unbekannte Reise beenden. Es ist ein langwieriger Prozess, der nur langsam vorangeht und nach und nach die Denker findet, die es gern lesen wollen.

Hertha. Ich fragte ihn, was es für einen Unterschied machen würde, wenn das Buch „Hellersdorf" keiner kauft und es langsam hinter dem Vorhang verschwindet oder wenn ab morgen Tausende Denker vor einem Buchladen stehen, um es zu erwerben. Würde unser Leben dadurch anders? Er gab mir keine Antwort. Konrad wurde immer still bei solchen Fragen. Wahrscheinlich, um mich nicht zu verletzen. Aber er hätte es nie geschafft, mich zu verletzen, da wir beide das Buch geschrieben haben.

Mein inneres Wohlbefinden sucht nach Anerkennung, nicht aber nach Anerkennung durch die Welt. Das Buch ist gedruckt. Und ich weiß, dass auch in hundert Jahren das Buch noch irgendwo in einem der vielen Buchläden in Hellersdorf stehen wird. Was will ich mehr? Es genügt zu wissen, dass ich Seite für Seite geschrieben habe, um die Geschichte und Entwicklung von Hellersdorf öffentlich zu machen. Ich meinte im Nachhinein zu Konrad, dass wir beide etwas hinterlassen, wenn wir mal nicht mehr sind. Es stimmt mich sogar etwas froh, ein Schreiberling gewesen zu sein, der mehrere Bücher geschrieben hat. Ich wollte jedenfalls nicht so sein wie meine Nachbarn im Wohnhaus, die jeden Tag auf dem Balkon sitzen, nachmittags Kaffee und Kuchen vertilgen und sich dabei permanent zanken, warum immer wieder ihr Balkon verschmutzt ist. Ich wollte meine Zeit nicht wie Denker vertun, die ihren Tagesablauf darauf beschränken, mehrmals am Tag einzukaufen und ihren schwarzen Audi auf- und abzufahren. Montags zu LIDL, um zu erfahren, wie teuer die Bananen sind. Am Dienstag zu NETTO, wo wahrscheinlich die Mango im Angebot günstiger sind als bei Aldi. Am Mittwoch bei bewölktem Himmel geht es zu REWE, um kostengünstig Heilwasser einzukaufen. Wobei der Donnerstag gut geeignet ist, einen ausgiebigen Spaziergang ins Spreecenter zu unternehmen. Der Freitag wird dafür genutzt, um zu erfahren, welche Sonderangebote ALDI für die kommende Woche parat hält. Am Samstag, und das erstaunt mich sogar, wird der schicke Audi in Bewegung gesetzt, um zum Penny-Markt zu fahren, weil Wasser und Kartoffeln im Angebot stehen. Und in den Abendstunden wird der schöne Wagen mehrmals auf Sicherheit überprüft, ob die automatische Türverriegelung auch wirklich funktionstüchtig ist.

125

Trotz der Zentralverriegelung könnte es ja sein, dass eine der vier Türen offen steht oder auf dem Kotflügel ein Blatt liegt, das sofort entfernt werden muss.

Hertha, es sind die normalen Denker, die in Hellersdorf leben und wohnen. Sie parken ihre Autos vernünftig, indem sie exakt die Seitenlinien beachten. Wenn du denkst, das war es, so muss ich dir sagen: „Leider nicht." Der Motor wird abgeschaltet, um den Einkauf aus dem Kofferraum zu nehmen. Ist dann der Einkauf abgestellt, wird mehrmals um den Wagen herumgelaufen, um sich zu vergewissern, dass alle Türen verschlossen sind. Dabei gehen ihre Blicke zum Haus hoch, um sich zu vergewissern, dass sie auch wirklich gesehen werden, mit ihren schönen, astreinen, sauberen schwarzen Autos. Als ob die so wichtig sind.

Der Charakter eines Denkers wird von uns unterschiedlich wahrgenommen. Um ihn zu interpretieren, muss man hinter die Maske schauen, als würde die Sonne am Tag nicht mehr scheinen. Denn wenn es draußen dunkel ist, der Teint der Gesichter auf mich blass wirkt und ich ihre Lippen nicht sehen kann, dann empfinde ich sie sehr befremdlich. Mir würde etwas fehlen, wenn scheue Worte nicht gehört werden dürfen, nur weil die Angst das Steuer hält. Mag sein, dass irgendwann die Sonne die Wolken beiseiteschiebt. Das wäre eine gute Möglichkeit, den eigenen Charakter zu analysieren, damit man Bescheid weiß, warum die Denker am Tag ihr Verhalten in Richtung Überleben lenken. Selbst neue Ideen könnten von ihnen ausgesprochen werden, die eine Welt verändern. Eine herrliche Vorstellung, wenn die Denker ihren eigenen Worten vertrauen würden. Ich würde ihnen genau zuhören, um keine Missverständnisse aufkommen zu lassen. Ich allein wäre imstande nachträglich alles anzuzweifeln. Ich könnte behaupten, dass ich kein Verständnis dafür habe, wie sie fühlen. Mag sein, dass die Sonne erst am dritten Tag den Horizont erreicht, um das dunkle Tal zu erhellen. Wäre es nicht wünschenswert, wenn in Hellersdorf ein Wunder geschehen würde? So ließe sich das besser einordnen, auch im Hinblick darauf, den verdammten Fernseher auszulassen und mit sich selbst ins Reine zu kommen. Die Grenzen sind wahrlich noch nicht überschritten. Zu eng ist das Gedachte. Zu chaotisch das nervöse Verhalten. Zu verwahrlost das Gefühl in ihnen, weil sie nicht wollen, dass die Sonne heute scheint. Ich mag es, mit dem rechten Zeigefinger nach oben zu zeigen, um keine Mahnung zu bekommen. Denn ich ahne schon, dass sie den Augenblick verfehlen, ihre Ehrlichkeit an den richtigen Platz zu setzen. Das ist ein Kompromiss, den ich mit dem Leben eingehen müsste, um überhaupt anders bewerten zu können. Und die Wahl wäre zu guter Letzt, sie entweder zu akzeptieren oder zu ignorieren.

Hertha. Ich mag Hellersdorf als Stadtteil und stelle immer wieder fest, wie viele Denker aus nah und fern in die Gärten der Welt strömen, um Japan, China und England kennenzulernen. Ganz nebenbei streifen sie an der Insel Bali und an Italien vorbei. Schon das Gefühl, so habe ich von einem durchreisenden Denker gehört, nicht mehr in Hellersdorf zu sein, sondern irgendwo in der Welt, zeugt von einer bunten Fantasie. Ich beobachte ihre Mimik und Gestik genau, denn sie geben mir das Gefühl in beschwingter Harmonie zu schweben, wenn sie Rosen und Veilchen berühren. Einem anderen Denker ist der Moment des Ankommens wichtig. Er will mit der Kamera den Moment festhalten und der weiten Welt zeigen, wie schön Hellersdorf ist. Ich meine, liebe Hertha, wenn man richtig überlegt, ist an dem Gedanken schon was dran, dass die durchreisenden Denker ihre Freude über Hellersdorf verbreiten sollen. Ich glaube aber, dass sie auch die Schattenseiten meines Stadtteils kennen. In Hellersdorf und Mitte liegen Armut und Wohlstand dicht beieinander. Ich sehe die Obdachlosen auf den Plätzen sitzen und betteln, bis ein Denker eine Münze in einen Pappbecher wirft. Ich verlasse auch oft den U-Bahnhof Kaulsdorf Nord und sehe keinen Obdachlosen oder einen anderen Denker, der Ausschau hält, um zu betteln. Ich frage mich: „Wie geht das?" Ein vietnamesischer Denker taucht auf und bietet Zigaretten an.

„Guten Morgen", begrüßt er jeden ankommenden Denker, weil er seine Zigaretten an den Mann bringen will. Früher habe ich auch geraucht, aber mir lag es fern Zigaretten von einem Vietnamesen zu kaufen, weil der Tabak gepanscht ist. Die Polizei sah nur zu, und ich bekam den Eindruck, dass dies geduldet wurde. Selbst am früheren Morgen beim Joggen am Kienberg sah ich scheue Vietnamesen mit ihren Fahrrädern umherfahren, um große Zigaretten-pakete in sichere Verstecke zu bringen. Durch einen Zufall sah ich drei von ihnen am Berg stehen und darauf warten, dass ich vorbeilaufe. Ich ahnte, dass sie ihre kostbare Ware dort verstecken würden. Auf meinen Anruf bei der Polizei reagierte man sehr gelassen, als wäre das alles normal. Ich legte auf. Also, was sollte ich dagegen tun? Sie stammten nicht aus Hellersdorf und wollten auch nicht dazugehören. Sie wollen verkaufen, ohne einen Cent Steuern zu bezahlen. Das sind Dinge, die mich stören. Die Polizei aber nicht.

Konrad und ich amüsierten uns manchmal über die ehema-ligen Einkaufsnetze in der DDR. Sie bestanden aus Dede-ron oder aus Schurwolle. Plastiktüten gab es eher selten. Es sei denn, sie kamen aus dem Westteil der Stadt. Die Plas-tiktüten aus dem goldenen Westen wurden gut gepflegt. Man wollte zeigen, dass man Westgeld in der Geldbörse hatte. „*OMO. Das Ultrawaschmittel von Henkel*". Was für far-bige große auffallende Westtüten. Strahlend Rot. Schrill. Mit großen Buchstaben bedruckt. Leuchtend. Auffallend. Wer solche Westtüten oder gar eine Jeanshose von LEWIS in der Öffentlichkeit trug, bekam richtig Ärger. Die Lehrer riefen uns Schüler auf, die Westtüten zu Hause zu lassen, da der Westen über die höchste Arbeitslosigkeit verfüge und man nicht mit Westtüten Werbung mache. Wer aber mit dem Verbot nicht klarkam, wurde von der Schule suspendiert und bestraft. Hertha. Die Süßigkeiten aus dem Intershop schmeckten so lecker, ich konnte sie nicht einfach ignorieren. Was habe ich alles für eine Schokolade von Milka getan. Selbst die Seife FA war ein besonderes Geschenk für meine Mutter, wenn sie unter dem Weihnachtsbaum lag. Ich erinnere mich, dass ich als Jugendlicher die westlichen Verpackungen sammelte, um sie an die Wand im Kinderzimmer anzuheften. Das sah cool aus und machte was her. Noch angesehener warst du, wenn man viele Westschallplatten besaß. Egal ob es Roland Kaiser, die Gruppe „Ka" oder Deep Purple waren. Jeder DDR-Denker wollte sie hören, und jeder bezahlte für den Besitz einen hohen Preis.

Was für eine Zeit. Heute kann ich darüber nur schmunzeln. Viele Jahre ist das jetzt her. Keiner glaubt mir, dass die DDR-Zeit mal so gewesen war. Wie wir als Jugendliche durch die Berliner Straßen liefen. Mit großen Kofferradios von Sternradio haben wir uns auf dem Michelangelo-Platz aufgehalten und tranken Bier und Wein und hörten laut Westmusik.

In den 70er-Jahren führte ich ein kleines Tagebuch und schrieb Dinge auf, die meinen Schulalltag schilderten. Ich schrieb erste Gedichte und las sie meinen engsten Freunden vor. Ich wäre ein Dichter, meinten sie, der im Prenzel-Berg sein Unwesen treiben würde. Ein leeres Blatt fand ich immer und begann zu dichten, wo es angebracht war, um die Angst in mir ernst zu nehmen. Ich gebe zu, Hertha, ich bin wieder an so einem Punkt, wo ich keinen Tag auslasse, um nicht zu schreiben.

Im Nachhinein war meine Entscheidung richtig, mit dem Malen aufzuhören, denn so konnte ich die Sprache in mir neu entdecken. Ich meine, was will ich mit fünftausend Aquarellen, wenn sie niemand sehen möchte. Den Kurator muss man erst finden, der mich versteht und nachvollzieht, was ich mit den Motiven zum Ausdruck bringen möchte. Den Kurator werde ich nie finden. Die Kuratoren, die ich kennengelernt habe, genießen ihre Stellung als Könige in einer Branche, in die man nur schwer eindringen kann. Sie geben den Takt vor und sagen, was Kunst ist. Ich fiel durch ein Geflecht von großen Maschen, weil ich zu klein und unbedeutend als Künstler war, um in dem Netz hängen zu bleiben. Ich setzte auf die Zahl null und begab mich auf einen Stuhl, der nie zuvor im Rampenlicht gestanden hat. Es war sinnlos geworden, die Farben anzurühren und das Motiv in der Seele zu entdecken. Es spielte keine Rolle mehr, selbst wenn ich ein Studium in der Fachrichtung Kunst angefangen hätte. Meine Zukunft wäre im Vorfeld verbaut gewesen, und ich hätte nie ein Aquarell zustande bekommen, da ich nicht mal einen Hartz-IV-Antrag stellen konnte. Das ist eine Tatsache, liebe Hertha. Mag sein, dass in den USA Kunst als was anderes verstanden wird. Aber ich meine, dass der dortige Markt genauso übersättigt ist wie bei uns in Deutschland. Die Konkurrenz ist groß und aggressiv zugleich. Das Bild an sich wird nicht in der Begierde des Betrachters ganz vorn liegen, der Kurator will ja gutes Geld machen. Denn er macht Kasse, wenn viele Besucher kommen, und das geschieht nur bei bekannten Künstlern mit besonderen Ideen.

Auch die alten Fotografien von früher, die ich in Hellersdorf aufgenommen hatte, als ich mit dem Bus durch das Dorf Marzahn nach Hellersdorf gefahren bin, würde ich als Kunst bezeichnen. Die ersten Neubauten standen unfertig da und die Baukräne warteten auf Betonplatten für die nächste Etage. Das war ein Bild, wo etwas Wehmut in mir hochkam. Jedes dieser Schwarz-Weiß-Bilder gibt mir ein gewisses Vertrauen zurück. Aber das wäre zu billig und naiv, es einfach abzutun. Die Vergangenheit gehört mir. Jede Begegnung mit der Vergangenheit von Hellersdorf ist ein riskantes Spiel mit dem Gefühl. Ich verfolge unbewusst das Gesetz der Begierde und des Erkennens. Das lebt in mir. Als ich mit dem kreativen Malen begann, ahnte ich, dass ich nach einer bestimmten Zeit wieder aufhören würde. Aber ich mag kein zeitloses Gefüge von Langweile, wo kein Entrinnen möglich ist. Mir lag es fern, ein Künstler zu werden und Ruhm zu erlangen. Mein Lebensplan stand fest. Ich wollte über tausend A4-Bilder und zum Finale noch mal fünfhundert A3-Aquarelle malen, um diese später als Katalog herausgeben zu können. Ja, Hertha. Die Idee eines Katalogs erschien mir angebracht bei so vielen Aquarellen. Ich empfand den Gedanken spannend, zu den wenigen Denkern zu gehören, die einen eigenen Katalog kreierten. Die beruflichen kreativen Denker, die in Hellersdorf unterwegs sind und sich das Recht herausnehmen, wahrhafte Künstler zu sein, handeln dagegen mit losen Postkarten und Postern, ohne je eine professionelle Vita ihres Schaffens für eine Ausstellung abgeliefert zu haben. Große Galerien in Brandenburg und der weiteren Umgebung erwarten das. Hinter vorgehaltener Hand sagten die Kuratoren, dass so ein Bildkatalog erst richtig Sinn macht, wenn man sich für eine Ausstellung bewirbt. Ich kann die Kuratoren gut verstehen, denn was kann ein Aquarell über einen kreativen Denker schon aussagen? Der Kunstmarkt ist groß. Jeder Künstler möchte von dem Stück Kuchen was abhaben. Hertha, ich habe großes Verständnis für sie, denn sie müssen von ihrer Kunst leben, was bei den wenigen überhaupt gelingt. Ich schätze, dass in Hellersdorf und Marzahn sehr wenige Künstler von ihrer Arbeit leben können, außer der Partner verdient viel Geld.

Ich war ständig im Zweifel, die Aquarelle ins Netz zu stellen. Eine wahrhaft mutige Denkerin namens Isabell Schrober meinte ganz schroff auf Facebook, dass sie Bilder sehe, die nichts mit Kunst zu tun hätten. Hertha, ich wusste zum damaligen Zeitpunkt gar nicht damit umzugehen. Ich ließ es stehen und entfernte mich von den negativen Strömungen der anderen Denker, die der Meinung waren, sie dürften sich so ein Urteil herausnehmen. Ich war mir damals unsicher. Heute bestätigt sich alles, was ich als entfremdet ansah.

Ich gebe alles von mir Preis, und das mit gutem Gewissen, um zu verfolgen, wie meine Heimat, die früher angeblich von Schwermetallen belastet war, sich heute verändert. Es gibt einen Zustand, bei dem ich das Elend in der Nacht gern von mir weise. Um ehrlich zu sein, meine Haut verblasst sogar im Sonnenlicht. Das kann nicht rechtens sein. Was übrig bleibt, genügt mir, um dem Wohlstand eine dünne Scheibe abzuschneiden. Ich wahre damit mein Gesicht. Das Maß ist voll. Ich gebe zu, dass kein Gott die Welt retten kann. Die Meere werden sich dem Sturm beugen, der bald kommen wird. Die Wellen werden den Liebenden den Boden unter den Füßen wegreißen, da die Denker sich nicht trauen, den Tatsachen ins Auge zu schauen. Der letzte Satz ist der entscheidende, weil ich glaube, dass die vergangene Zeit keinen Sinn macht, um noch mal alles hervorzuheben, nur weil andere der Meinung sind, dass Erinnerungen zum Leben gehören. Und so könnte ich mir gut vorstellen, dass das Ego ein weites Feld eingrenzt, um zu verstehen, dass Hass keine Alternative darstellt. Für mich ist das kein Thema. Es sei denn, ich würde meine persönliche Einstellung zum Leben dem Regen übergeben und versuchen, all die schönen Rosen im Garten samt Wurzeln herausreißen. Was wäre das für ein Aquarell, wenn meine Gehorsamkeit am Leben wäre?

Konrad war nicht sonderlich begeistert von meiner Idee, mit dem Malen aufzuhören. Hertha, ich will es dir erklären. Für mich gibt es stets einen Anfang und ein Ende. Was für einen Sinn hätte es, heutzutage jahrelang ein Maler zu sein, um irgendwann mal ein Genie zu werden, wie einst Michelangelo, Egon Schiele, Otto Dix, Max Liebermann oder Rembrandt van Rijn? Sie strebten in ihrer damaligen Schaffenszeit nach der Aufmerksamkeit der Öffentlichkeit, um irgendwie von ihrer Kunst zu leben. Jedes verkaufte Bild war für sie ein Gewinn. Schon in dieser alten Zeit gab es viele wahrhaft kreative Denker aus anderen Ländern, die am Horizont buhlten und von sich sagten, sie wären die Besten der besten kreativen Denker. Jede öffentliche Ausstellung, die ihnen angeboten wurde, eröffnete ihnen eine neue Chance gesehen zu werden.

Für mich gab es andere Beweggründe, die mir meine Entscheidung mit dem Malen aufzuhören leicht machten. Zum einem ekelte es mich an, mit anderen kreativen Denkern im Wettbewerb zu stehen. Das Berufsethos, mich als „Künstler" zu bezeichnen, war mir suspekt und unter dem Strich völlig egal. Mir war bewusst, dass das Malen kein profitables Fundament für mich sein würde. Überall leben kreative Denker, die ständig neue Werke kreieren und um jede Ausstellung kämpfen. Ich habe zum Beispiel die dominanten Kuratoren Bernd und Marina Köfer nicht gemocht, weil sie auf ihren Königsstühlen saßen und sich das Recht herausnahmen zu erklären, was Kunst ist und was nicht. Doch wenn man es genau betrachtet, und das konnten auch sie nicht, kann der Begriff „Kunst" gar nicht eindeutig definiert werden. Das Erschaffen von Werken reflektiert das momentane Gefühl sowie den Gedanken eines kreativen Denkers. Diese Ausdrucksform erfordert keinerlei Bewertung. Sie ist gegenstandslos. Für mich ist es eine Form des Gebens. In Sekundenschnelle verwandeln sich die Farben und geben dem Bild seinen eigentlichen Stil. Davon hatte ich zuerst keine Ahnung. Es genügt schon ein Windstoß am Fenster, um eine Idee aufzugreifen und sie zu malen. Und plötzlich war ein Bild zu sehen, das einen geistigen Prozess durchlaufen hat und meine Gedanken und Gefühle widerspiegelte. Ich stellte mich infrage und sorgte dafür, dass das gemalte Bild sich wieder auflöste und mir eine Gewissheit anbot.

Ist das „Kunst"? Ist Kunst eine Sprache, die uns zur Wahrheit führt? Ich meine, Hertha, dass ein gemaltes Bild letztlich keiner Korrektur bedarf. Das Motiv ständig zu verändern, ist die eine Seite der Medaille. Die andere Seite ist, sich selbst zu akzeptieren, um das Bild zu erkennen. Das Motiv ist ersichtlich, und kein philosophierender Denker könnte sagen, dass er zwar ein Gesicht im Bild erkennt, aber meine Behauptung nicht widerlegen könnte, dass es ein Haus mit acht Etagen sei – reflektiert gedacht, um die Denker zu täuschen.

Die Wahrheit bedarf keines Urteils. Die Wahrheit ist neutral und sagt aus, was sich im Jetzt befindet. Ich gebe zu, dass Kunst ein Wort für mich darstellt, in dem nicht ersichtlich ist, wohin die Reise geht. Eine Reise, die sich eine Kunstwelt erträumt, auf der aber die wenigsten ankommen.

Dabei bin ich ein Naturdenker. Ein Fantast, der die Erde in der Hand hält, um die Felder im Winter mit jungen Trieben zu bepflanzen. Ein Chaot, der im Hochsommer die Eiszapfen an den Dachrinnen zählt und das daraus gewonnene Schmelzwasser für die Orchideen auffängt. Ein Schuft, der im Frühling die feinen Sandkörner zu einem Puzzle dekoriert und sie an eine große Fensterscheibe anheftet, um zu behaupten, dass es regnet. Ich bin tatsächlich ein Vagabund, der mit Händen und Füßen alle herabfallenden Körner, Samen und Früchte von den Bäumen sammelt, nach Größe, Farbe und Aroma sortiert, sie dann auf ein Schiff verfrachtet und in der Wüste von Jordanien akribisch einpflanzt und bewässert.

In der Realität ist es mir allerdings lieb, den vermeintlichen Kurator Bernd außen vor zu lassen, denn er ist schließlich auch nur ein Denker wie jeder andere auch. Denn du musst wissen, Hertha, in Berlin gibt es viele Galerien, die kreative Denker einladen, damit die Galerie bekannt wird. Vor Wochen besuchte ich in Berlin Mitte und in Charlottenburg vier Galerien. Ich hatte Lust, mir diese in bester Lage befindlichen Galerien mal anzuschauen. Die Mieten der großen lichtdurchflutenden Räume sind hoch und zeugen von hohem Anspruch, der sich natürlich in hochwertiger Kunst widerspiegeln musste – zumindest sah das die Kuratorin Frau Scholz so. Die Spielregeln allerdings sahen anders aus. Wer von den kreativen Denkern das nötige Kleingeld in der Tasche hatte, der konnte es sich leisten, für eine drei Meter lange Werbewand viertausend Euro im Monat auszugeben.

Ich kam durch Zufall mit der Kuratorin Frau von Schönherr ins Plaudern. Sie verdient gutes Geld. Weil die kreativen Denker, die bei ihr Bilder ausstellen, aus ihrem Umfeld kommen. Für ganze vier Wochen können sie dann hoffen, dass die Werke gekauft werden. Wenn nicht, meinte die Kuratorin Frau von Schönherr, bleibt dem bezahlenden kreativen Denker immer noch die Hoffnung einen weiteren Monatsvertrag zu bekommen. Sie würde sogar den Preis senken, von 4.000 Euro auf 3.500 Euro.

In der Charlottenburger Galerie betrachtete ich mir die Bilder des kreativen Denkers Igor Katsch genauer. Vier gestrichene Linien auf weißem Hintergrund. Kreuz und quer, als hätte es ein Kind gemalt. Alle neunzehn Werke hatte er mit unkontrollierten wilden Strichen in zwei verschiedenen Farben versehen. Ich suchte den Sinn darin. Abstrakte Kunst kann sehr interessant sein, meinte der Kurator Willi Radke zu mir, der aus dem Schwabenland kam. Auf meine

Frage, ob es hier gute Verkaufserlöse gebe, schwieg er lange. Ja! Wochenlang fuhr ich mit dem Fahrrad durch die Bezirke, um Galerien aufzusuchen, deren Adressen ich mir einen Tag zuvor auf ein Blatt Papier geschrieben hatte. Neun Galerien waren es, drei davon waren geschlossen. Und wenn ich eine Galerie betreten durfte, dann stellte ich schnell fest, wie arrogant die Künstler und Kuratoren sich verhielten. Sie waren ohne Respekt und Achtung.

Hertha. Hier in Hellersdorf und auch in Marzahn sieht es ähnlich aus. Kein gutes Benehmen, wenn sich Autodidakten gern im öffentlichen Raum vorstellen wollen. Die Anzahl der Galerien ist in Hellersdorf moderat. Aber diese anzufragen, wäre vertane Zeit. Sie lächeln zwar auf diverse Anfragen eines Autodidakten, aber das war es schon. Es kommt keine Antwort. Keine Ausstellungsflächen in Hellersdorf und Marzahn zu finden, war ein Grund, den Pinsel niederzulegen. Außerdem, und da kann ich ehrlich sein, liebe Hertha, wozu sollte ich weitermalen? Mein Kopf war voll von vakanten Skizzen, deren Konturen ich unverstanden ließ. Ich dachte, sie verfolgten mich im Schlaf, in dem ich oft die Fratze des Teufels sah. Ich nutzte jede freie Minute und füllte sie mit Malen aus. Ich konnte meine Angst für einen kurzen Moment vergessen und fühlte mich sicher. Jedes Aquarell ließ erkennen, dass sich dahinter eine Geschichte verbarg. Die Hintergründe erweckten aber den Verdacht, dass meine Welt nass und kalt ist und ich keine

139

Leiter finde, die mich ins Licht führt. Um mich dagegen zu wehren, musste ich schließlich den malerischen Prozess beenden.

Meine Aquarelle gefielen Konrad, er hat das sehr oft gesagt. Auch bei diversen Ausstellungen vor Jahren in Hellersdorf war er zugegen und gab mir dadurch Sicherheit, die ich gern annahm. Der geringe Beifall bei den Eröffnungen hatte zum Glück keinen weiteren bitteren Beigeschmack. Ich sah es gelassen, und das aus gutem Grunde. Ich wollte herausfinden, wie es sich anfühlt auf der Bühne zu stehen und Applaus zu bekommen.

Ich meine, viele kreative Denker aus Hellersdorf und Marzahn flogen von der Bühne und fühlten sich gekränkt. Ich sah ihre arrogante Mimik und die gelangweilte Reserviertheit. Die Gesichtszüge wurden hart und bissig. Die Augen zermalmten meine freundlichen Gesten, in dem sie die Denker ignorierten, die immer noch applaudierten. Gott sei Dank blieb mir das erspart. Im Gegenteil, Hertha. Ich fühlte mich eher unwohl und konnte das Gefühl eines Siegers nicht definieren, als ich auf der Bühne stand.

Es scheint mir, dass es manchem kreativen Denker aus Hellersdorf und Marzahn nur darum ging, öffentliche Anerkennung zu erhaschen. Ich konnte bei einer großen Ausstellungseröffnung zum Beispiel beobachten, wie der Vorhang sich hob und ein kreativer Denker und Kurator in einer Person die Laudatio hielt. Sein Name war Markus Reinhold; er war in aller Munde. Mit einem billigen, verschmutzten blauen Trainingsanzug, Turnschuhen, sehr fettigen Haaren, die zu einem Zopf gebunden waren, sprach er Dinge an, die mehr mit seiner Persönlichkeit zu tun hatten als mit der Ausstellung. Ich dachte, er wäre tatsächlich ein König, der kein Brot mehr bräuchte. Er ließ erkennen, dass er wahnsinnig von sich eingenommen war und keinen gut gemeinten Rat annehmen würde, der ihn zu einem braven Denker machen könnte.

Ständig lief er nervös im Ausstellungsraum umher, sodass man schwer an ihn rankam. Aufmerksamkeit wollte er nur für sich. Die anderen kreativen Denker dieser gemeinsamen Ausstellung bekamen keinen Raum, sich zu orientieren. Alles wurde nebensächlich. Selbst die Begleitmusik einer Musikgruppe mit dem schönen Namen „Die Schotte" war für ihn zweitrangig. Ich hatte große Mühe, alles zu verfolgen. Durch die permanente Unruhe in allen Ausstellungsräumen krachten die Blitzlichter der Fotografen und trieben mich in die Flucht.

Sieg und Niederlage werden mir nähergebracht. Ich gebe alles ab, was der Himmel mir nicht übergeben will. Verzicht und Verdrängung sind der Anlass, meinen eigenen Raum zu verlassen. „Es wird alles gut!", riefen sie im Tal trotzig zu mir hoch, wobei auf dem Gipfel jene standen, die fast schreiend zu mir sagten, dass es genug sei mit der

Verdrossenheit und dem Ärgernis. Mir scheint das Veto korrekt zu sein, denn mir blieb die einzige Hoffnung, zu denken, dass mein Unwohlsein damit zu tun hätte, mit mir nicht im Reinen zu sein. Daher wäre die Idee, mich zu verbessern, nicht ganz so ideal. Alles wird wieder gut? Ich traue mich nicht, über diese Brücke zu gehen. Ich habe den Glauben verloren. Einen Kompromiss sollte ich vielleicht schließen, weil die Mitleidsphase ansonsten überhandnehmen würde und ich nicht wüsste, wohin die tatsächliche Reise gehen soll. Nun, was ist mit mir? Ich ahnte schon, dass die Reise sehr zeitig begonnen und der Verlust mich oft faserhaft berührt hat, ohne dass ich es bemerkte. Kein Schmerz hat mich geweckt. Keinen Punkt konnte ich nach dem Gebet setzen. Kein Ergebnis war von meinem Leben zu erwarten. Ich bin bereit, es zu deuten, zu erwidern, zu erkennen, da ich mir die Maske vor langer Zeit vom Gesicht gerissen habe, um deutlicher sehen zu können. Was? Die Zukunft.

Das Konzert „Viva la Musica" in der Arena vorigen Jahres war ein gnadenlos schönes Konzert, was man selten in Hellersdorf zu sehen und zu hören bekommt. Ich konnte mich glücklich schätzen, dass ich es mit Konrad erleben durfte. Wenn ich zurückdenke, wie an gleicher Stelle, wo jetzt die Arena steht, ausgesehen hat, dann muss ich viel Fantasie aufbringen, um mich daran zu erinnern. Hellersdorf ist jetzt im Wandel. Alte Betonbauten aus der DDR weichen mehr und mehr einem modernen Baustil. Es wird neu gebaut. Aber wie lange noch, denn der Mietendeckel für die kommenden fünf Jahre ist beschlossen. Dann ist Schluss mit lustig. Die zukünftigen Investitionen für den sozialen Wohnungsbau werden nicht kommen, da der Gewinn vor Steuern unten bleibt. Jede Wohnungsbaugesellschaft in meiner Stadt wird das Wort „Sparen" auf ihre Agenda schreiben.

Hertha, das sind Dinge, die ich nicht verstehe. Auf der einen Seite will man Wohnraum schaffen und im gleichen Atemzug entzieht man dem Wohnungsbau das Geld in der Miete und bestimmt, wie viel ein Vermieter pro Quadratmeter verlangen darf. Ich überlege gerade, wenn ich mir erlauben würde, den Senatoren der Stadt Berlin ab heute ihre Bezüge auf sechzig Prozent zu kürzen und sie für die nächsten Jahre zu deckeln, wie würden die darauf reagieren. Es ist wohl besser, dieses Thema zu verlassen. Ein Konzert in der Arena von Hellersdorf macht mehr Freude als die überhöhten Unkostenbeiträge einer guten Wohnung.

Meine Mutter schwärmte von Johann Strauß-Melodien, die sie all die Jahre erleben durfte. Um es dir nicht zu verschweigen, Hertha, ein Feuerwerk wird es auch in Zukunft in Hellersdorf geben. Nach dem „Viva la Musica" wird eine Viertelstunde lang ein Feuerwerk der Superlative zu sehen sein. Ein buntes Treiben in den Lüften. Konrad mochte das mächtige Knallen der Raketen nicht, da er sich erinnerte, wie die Bomben im Zweiten Weltkrieg fielen. Ich musste ihn etwas beruhigen. Und so gelang es mir, mit Konrad dem lauten Kessel zu entfliehen.

143

Nicht weit von der Arena entfernt versteckt sich der wunderschöne „Orientalische Garten", eingebettet zwischen Zitronenbäumen, Dattelpalmen und Wasserfontänen und umgeben von bläulichen Kacheln. Um in den Innenhof zu gelangen, durchquert man mit leisen Schritten den „Saal der Empfänge". Dieser weitläufige, lichtdurchflutete runde Saal fängt das Licht von oben ein. Hier Bilder aufzuhängen, macht die Betrachtung zu einem echten Erlebnis. Ich war entzückt zu erfahren, dass des Öfteren hier Ausstellungen angeboten werden. Leider gab es keine Möglichkeit an einer Ausstellung teilzunehmen.

Ich erfuhr durch eine Wochenzeitung, dass eine Gruppe von neun kreativen Denkerinnen die Absicht hatte, ihre Werke zu zeigen. Die Ausstellungszeit war so eng bemessen, dass mir ein Besuch nicht möglich war. Vier Wochen lang konnte man im „Saal der Empfänge" die ausgestellten Werke anschauen. Nur vier Wochen. Eine kurze Zeit, wenn man bedenkt, wie immens zeitraubend solche Vorbereitungen im Hintergrund ablaufen. Nun Hertha, das mag keiner gern hören, was für Sorgen die kreativen Denker mit sich herumtragen. Ich meine, sie alle wollen ihre Werke verkaufen, aber in der kurzen Ausstellungszeit kann man sich nicht an einem kreativen Denker orientieren, um eines seiner Bilder zu erwerben.

Anders schaute es aus, wenn ich mit Konrad in ein Bürohochhaus in Hellersdorf gefahren bin. Dort gab es ein relativ großes Ausstellungszentrum namens Pyramide. In der Tat ähnelt das Bauwerk einer Pyramide. Mein Buchcover ist damit ausgestattet. Ich malte es vor ein paar Jahren als Aquarell auf A3. Es fiel mir nicht schwer. Ich wusste noch nicht, für welchen Zweck ich es mal brauchen würde.

Hertha, es hat einen Grund, weshalb ich das mit der Pyramide erwähne. Erstens gehört sie zu Hellersdorf und zweitens kann man dort Kunst erleben. Eine Straßenbahn hält in der Nähe des Gebäudes, und man muss sich über die Öffnungszeiten gut informieren, da sie ständig wechseln. Die Kuratoren sind im Ausstellungszentrum tätig und geben sich Mühe, doch fehlt es mir irgendwie an Vertrauen. Alles wird unter der Hand entworfen, entschieden, geteilt, geplant und die Autodidakten werden nicht eingebunden. Einmal im Monat gibt es eine Lesung. Ein Musikfestival am Wochenende. Ein Theaterstück als Gastspiel, um den schönen Ort und das Gebäude zu würdigen. Es ist eine besondere Plattform, um Kunst zu zeigen. Das Sonnenlicht bricht in seiner ganzen Herrlichkeit hinein und durchflutet die Motive der dort ausgestellten Werke. Die Idee war und ist, regionale kreative Denker einzuladen. Ein guter Gedanke, wie ich finde. Von 10:00 Uhr bis 18:00 Uhr sind die Pforten geöffnet, um sich Ausstellungen anzuschauen. Die beruflichen Denker aus nah und fern haben fast nie die Möglichkeit, eine Veranstaltung in der Pyramide zu besuchen. Selbst ich hatte Schwierigkeiten. Als besonders beklagenswert empfand ich es, wenn eine Vernissage angesagt war und ich erst acht Tage später davon erfuhr. Ich meine, was soll ich von solcher Pressearbeit halten?

Konrad und ich wollten einmal eine solche Vernissage besuchen. Gott sei Dank, liebe Hertha, gelang uns das. Drei kreative Denker, die ich namentlich nicht kannte, hatten in ihrer Schaffenszeit, so die Erzählung meiner Nachbarin, die als Erste auf dem Stuhl saß und fotografierte, ungefähr sechzig Bilder hergestellt, um sie in dieser Ausstellung mit dem Namen „Die Zerwürfnisse" zu zeigen. Igor, der jüngere Denker von den dreien war Mitte dreißig, hatte Kunstwissenschaft studiert und kam aus Brandenburg. Isabell, eine freche, gut aussehende Denkerin mit buntem Kleid und einem sehr großen blauen Plastikhut, hatte ihr Studium erst vor Kurzem abgebrochen, lebte in Wedding und jobbte jeden Abend in den Kneipen, um so über die Runde zu kommen. Konstanz, die dritte Denkerin, 29 Jahre alt, geschieden und Mutter von einem Kind kam aus Pankow und besaß eine Firma in Berlin Mitte. Sie nähte Handtaschen aus Naturmaterialien für weibliche Denkerinnen und malte abends in einem Atelier.

Als Peter Krabbat, der Chef der Pyramide war, seine Rede zur Ausstellung beendet hatte, begann ein Musiker-Trio einen warmen Jazz zu spielen. Da bekam die Ausstellung etwas Feierliches, wo ich dachte, das würde eine gute Vernissage werden, auf der ich was lernen könnte. Aber weit gefehlt. Ich beobachtete die drei kreativen Denker. Sie saßen gelassen auf ihren Stühlen. Unbeeindruckt lauschten sie den Musikern. Es berührte mich und ich konnte sogar meine Gedanken weit wegfließen lassen, als Peter Krabbat das Wort übernahm. Er bekam nur mäßigen Beifall. Ich fand das schade, denn auf anderen Ausstellungen bekam man nicht einen so wunderbaren Jazz zu hören.

Als die Musiker ihre Instrumente niederlegten, begann Peter Krabbat den zweiten Teil seiner Rede. Er sprach über die kulturelle Arbeit von Hellersdorf/Marzahn und fand schnell den Bogen zu den drei Künstlern. Er rief jeden ihrer Namen auf und bat sie, einzeln nach vorn zu kommen. Als Igor, Isabell und Konstanz vor dem Mikrofon standen und nervös herumzappelten, fühlte ich plötzlich in mir Befangenheit und Enge. Innerhalb von Sekunden wirkten sie auf mich unnahbar. Die Augen wurden eisig. Ich spürte, dass ich von ihnen nichts mehr wissen wollte. Ihre dominanten Fratzen kamen zum Vorschein. Konstanz nahm als erste das Wort und überrannte uns förmlich mit poetischen Sprüchen, als würde sie ein Buch vorstellen. Ich dachte immer, es wäre meine Berufung zu malen. Doch als ich Konstanzes Gedichte hörte, mit welcher emotionalen Betonung und melancholischer Offenheit sie diese darbrachte, da wusste ich, dass es zu einer Berufung mehr braucht, als nur daran zu glauben. Im Gegenteil. In jungen Jahren waren die Zukunftsaussichten relativ klein; ich probierte viele Dinge aus. Schon aus den vielen Biografien der uralten Maler war mir klar geworden, dass ich nicht den Leidensweg gehen würde, um berühmt zu werden. Das kannst du mir glauben, Hertha. Unzählige Vernissagen habe ich besucht, wollte die Erfahrungen in mich einfließen lassen, um sicherzugehen, dass meine Entscheidung mit dem Malen aufzuhören richtig ist.

Konrad wäre jedenfalls bei der Rede von Peter Krabbat fast eingeschlafen, hätten die drei kreativen Denker nicht das Wort ergriffen. Die Lobduselei von „Eingebung" und „Gott", der sie zur Kunst gebracht habe, konnte ich nicht mehr hören. Es war anstrengend und schwierig, ihren Ausführungen zu folgen. Ich hatte bei allen dreien plötzlich den Eindruck, dass jeder der gerade sprach, der absolute Künstler sein wollte. Widerwillig hörte ich noch eine Weile zu.

Weißt du, Hertha, als die Ausstellung endlich eröffnet war und die wartenden Denker zu den Bildern strömten und sie begutachteten, wurde schon über sie gerügt, gestraft und geurteilt. Unverständnis machte sich breit. Wie kann man so malen? Wie kommt man auf solche Ideen? Schon die Motivation, solche Bilder entstehen zu lassen, sei prekär und abstoßend. In allen Ecken wurde getuschelt, als würden die Gäste ihre Kritiker wie Hunde von der Leine lassen. Ich war geschockt von so manchem Verhalten.

Mir stellt sich da die Frage, warum sie überhaupt zur Ausstellung gekommen sind. Wer hat sie gezwungen, sich solche Bilder anzuschauen? Ob sie auch über meine Bilder so dachten, sich obszön abreagierten und mich hinter vorgehaltener Hand zu einem Bastard erklärten?

Ich denke dabei oft an eine kreative Denkerin, die in einem Café ganz ungezwungen sagte, dass ich kein Künstler sei, sondern ein Nichts. Teilen ist leider nicht mehr möglich in den Reihen der Denker der Kunst, Hertha. Das muss man in der heutigen Zeit wissen. Die wahrhaften kreativen Denker können teilen und sich mitfreuen. Selten hörte ich einen ehrlichen Zuspruch, der mir Kraft zum Weitermachen gegeben hat.

Ich sah mir die Bilder der Ausstellung in der Pyramide genau an, wollte erfahren, was sie in mir auslösen. Der kühle Wind, der durch die Pendeltür wehte, berührte meine Haut und ich begann zu frösteln. Die Gäste der Ausstellungsfeier fieberten den ausgestellten Werken entgegen. Sie wollten sie beurteilen oder verurteilen oder suchten akribisch nach Ansätzen von Kritik, die, wie mir schien, bei so manchem Besucher sehr unter die Gürtellinie ging.

Hertha, dein Stiefbruder in allen Ehren, aber wir hielten uns beide aus den bösen Dialogen heraus und wollten diese Kunst nicht beurteilen, sondern auf uns wirken lassen. Leider verfügen die Bilder über keine farblichen Nuancen. Die Kreuze eines Friedhofs waren so gut gemalt, dass ich den Eindruck gewann, das könnte meine letzte Ruhestätte sein. Andere Werke waren düster. Als ich sie betrachtete, spürte

149

ich eine depressive Stimmung in mir. Dennoch war ich überzeugt, dass sie in ihrer Art von Sprache ehrlich waren und das auch widerspiegelten. Ich spürte ihre ausgestrahlte Macht. Die Macht aber war im Begriff mich anzugreifen, und das wollte ich nicht zulassen. Ich bemerkte, dass ein Urteil nicht angebracht war, da ihre Motivation zum Malen ihnen gehörte. Ihre Ideen kamen aus ihrem Inneren und zeigten, dass ein Schmerz in ihnen lebte.

Aber da waren auch wieder die bösartigen Meinungen der Betrachter und Möchte-Gern-Künstler, die ernsthaft meinten, besser malen zu können. Mir blieb mit Konrad nur die Flucht von der Ausstellung. Für mich war es letztlich frustrierend, diese Art von Erfahrung machen zu müssen. Aber es war auch eine Besonderheit, zu sehen, wie manche kreativen Denker so ticken und sich unfair gegenüberstehen. Es bleibt mir daher, liebe Hertha, nichts übrig, als die Kunst der Malerei von mir abzugrenzen und sie schließlich zu beenden. Konrad war dagegen und hat mir sehr deutlich gemacht, dass dies ein Fehler sei. Eine andere Entscheidung kam für mich aber nicht infrage. Ich wollte in keine irgendwie geartete Kategorie geworfen werden, keinem Verein und keiner Künstlergruppe angehören. Ich meinte zu Konrad, was es mir einbrächte, der Frage hinterherzulaufen, wer der beste Maler oder Karikaturist sei. Unterm Strich war es reine Zeitverschwendung, einer dieser Ausstellungen beizuwohnen. Heute bin ich froh, über die ungerechte Kritik dieser Halunken hinausgewachsen zu sein. Ich empfinde es als angenehm, mir eine konstruktive Meinung auf Augenhöhe anzuhören. Oh ja, es gibt tatsächlich kreative Denker, die mit ihrem Herzen teilen. Sie akzeptieren, dass ihr Nachbar mit der Kunst wetteifert. Ich verstehe diesen Prozess mehr und mehr. Letztendlich hat es nie mit einem selbst zu tun.

Ich glaubte ihnen, als sie sagten, dass jede Maltechnik in Ordnung sei. Natürlich übte ich an mir trotzdem Selbstkritik und versuchte einen anderen Malstil zu finden. Aber vergebens. Mir wurde klar, dass ich niemals ein Hermann Hesse oder Rembrandt werden würde, die in ihren Maltechniken absolut grandios waren. Wozu sollte ich sie kopieren? Für wen und warum? Hertha. Das waren Gedanken, die ich brauchte, um herauszufinden, wohin mich meine Reise führt.

Erstaunlicherweise bemerkte ich nach Konrads Tod eine tiefe Verlassenheit – eine Leere, die ich nicht gleich ausfüllen konnte. Nun war es aber so, dass es dir ebenso erging. War es Trauer? Trauert man einem Denker nach, von dem man weiß, dass er einem ganz nahe war? Als meine Mutter verstarb, war die Trauer erst spät in mir angekommen. Sie überfiel mich in Intervallen. Es fiel mir schwer, mich dagegen zu wehren. Das Gefühl der Ohnmacht überrannte mich förmlich. Es gab Momente, da weinte ich bitterlich. Und dann gab es eine Zeit, in der ich

Gott verfluchte, damit er mir endlich zugesteht, dass meine Kindheit ein (Alb)Traum war. Aber dieser (Alb)Traum ging nicht fort, ich sah die Realität dieser Welt vor mir. Meine Mutter würde nicht mehr am Wohnzimmerfenster stehen und mir zuwinken, wenn ich über die Straße gehe. Ich würde nicht mehr zum zweiten Stock hochschauen, um mich zu vergewissern, dass das Wohnzimmerfenster verschlossen ist. Das ist die Realität. Ich akzeptiere das, mehr ist nicht zu erwarten.

Hellersdorf ist ein Ort der Inspiration und des Neuentdeckens von Denkern aller Nationalitäten. Ich habe Konrad erklärt, dass Hellersdorf nicht der Prenzlauer Berg ist, mit seinen vielen kleinen Geschäften. Hellersdorf ist eine Wohnstadt mit ruhigen Straßenzügen. Mit viel Grün. Mit Straßen, ohne einen Gemüseladen an der Ecke. Friseure, Bäcker und Fleischer vereinen sich in großen Kaufcentern. Als ich meine Kindheit im Prenzlauer Berg verlebte, konnte ich ohne Umwege solche kleinen Einzelhandelsgeschäfte aufsuchen. Seit ich in Hellersdorf wohne, ist ein kleiner Fußmarsch nötig, um das alles in einem Supermarkt zu finden. Supermärkte hatten die Architekten für Hellersdorf und Marzahn geplant. Na ja, hin und wieder findet man ja noch so einen einzelnen Laden, aber eben sehr selten. In einem Supermarkt bekommt man eben alles unter einem Dach zu kaufen, was zum täglichen Leben wichtig ist. So trafen sich die Denker aus der Umgebung im Foyer, klönten vor dem Zeitungsstand und machten Witze über die Politik. Konrad meinte, dass das auch früher so gewesen sei, wenn seine Hausnachbarn vor dem Milchladen standen und auf Milch warteten. Alles redete über Politik. Sie schimpften auf Ulbricht und später auf Honecker. Und wie schaut es heute aus? Alle meckern über Merkel und über die Flüchtlingswelle, die angeblich unser Deutschland kaputtmacht. Andere haben Angst, dass die Neonazis an die Macht kommen. In der DDR waren viele Geschäfte in Berlin-Mitte geschlossen und der Abbruch von alten Häusern hatte in den 80er-Jahren bereits begonnen.

Weißt du, man kann Hellersdorf und Wedding bezüglich ihrer Einkaufsmöglichkeiten nicht vergleichen. Vor langer Zeit fuhren Konrad und ich mit dem Bus durch das schöne Zehlendorf. Westend und Dahlem gehörten mit zu unserer Reise. Schnell stellten wir fest, dass es in all diesen Bezirken ebenso wenige Geschäfte gab wie in Hellersdorf. Die dortigen Straßen waren noch ruhiger, und man hat große Mühe, durch die dichten Zäune hindurch auf die Grundstücke mit ihren prächtigen Villen zu schauen. Kann ich von Hellersdorf nicht behaupten, hier gibt es keine Villen. Nebenan in Kaulsdorf oder Mahlsdorf dagegen schon. Da liegt das Geld förmlich auf der Straße.

Hertha, wenn man die dort wohnenden Denker fragen würde, ob sie sich in ihrem Stadtteil wohlfühlen, würden sie das sicher alle bejahen. Also, was kann Hellersdorf dafür, dass es erst vor vierzig Jahren entstanden ist? Moderne langweilige Straßen gibt es überall in Berlin, so auch in Hellersdorf, wo so manche Ecke keine Straßenlaterne hat, um die Gehwege zu beleuchten.

Hertha, ich bin in der DDR geboren und habe die Wende erlebt. Meine Kinder waren gerade geboren und wussten noch nichts über Politik. Ich fand es gut, dass die Grenzen aufgemacht wurden. Ich meinte zu Konrad, dass die Politik damals sehr geschickt vorgegangen ist. Ein Ventil musste her; es brodelte überall. Und die meisten Denker der DM wollten nur in den Westen gelangen. Sie dachten nur daran, wie man das Westgeld ausgeben kann.

„Nach mir die Sintflut", sagten sich alle. Selbst das böse Geläster, dass Egon Krenz angeblich Panzer am Brandenburger Tor auffahren lassen wollte, um den vermeintlichen Demonstrationszug zu stoppen, war eine Lüge. Mielke, der kleine Spinner im Politbüro, drohte massiv, alles nieder zu metzeln. Ich war überzeugt, dass keiner im Staatsdienst der DDR, Mielke vielleicht als Ausnahme, das gewollt hätte. Das Schiff hatte ja bereits Schieflage und war kurz vor dem Kentern. Wäre es zu einem Massenmord gekommen, hätte keiner der oberen Genossen die Verantwortung übernommen. Das Blutbad wäre in die Geschichte Deutschlands eingegangen. Bezüglich der Russen war es gut, dass Gorbatschow am Ruder war und sich den Frieden wünschte. Letztlich war er ein kluger Denker. Gott sei Dank!

Mich lässt aber auch das Thema Kunst nicht ganz los, liebe Hertha. Es war mir eine Freude, auch dir das Schloss Biesdorf zu zeigen. In allen Räumen konnte man Kunst sehen. Eigentlich erschreckend, da ich Schlösser auch anders in Erinnerung habe. Gediegene italienische Möbel. Alte Schränke aus Frankreich. Große Teppiche aus dem Orient und ein „Sekretär" am Fenster. Selbst deine Frage, ob die Innenräume immer so ausgesehen haben, konnte ich nur schwer beantworten. Ich kannte sie nicht anders.

Vor der großen Restaurierung sah das Schloss fürchterlich aus. Mir war klar, dass damals das Geld fehlte. Es gibt leider keine Bilder oder Gemälde, wie die Denker im 18. Jahrhundert lebten. Meine Vorstellung wird immer von Bildern gestützt, wie zum Beispiel die Wartburg in Eisenach. Das Schloss Friedrichsfelde dagegen besitzt tatsächlich noch Möbelstücke aus der alten Zeit. Da wurde auch das Chaiselongue restauriert. Mit Geldern aus einem Spendenaufruf bekam es seinen alten Glanz wieder. Auch die alten Stühle wurden aufgewertet, um die Besucher in die damalige Zeit zu versetzen. Geschichte hautnah zu erleben, das finde ich absolut spannend. Wie? Das wäre nicht erwähnenswert. Ich meine, auch in Hellersdorf hat Kunst schon einiges in Bewegung gebracht, wurden Ideen und Inspirationen in einem Punkt vereint.

Auch hier wird Kunst erdacht, gefertigt und ausgestellt. Die Kunst ist ein neutraler Spiegel in jedem Bezirk. Sie inspiriert und entfacht leidenschaftliche Funken. Ich bin schon überzeugt, dass die Kunst als ein festes Fundament alle Schichten der Bevölkerung miteinander verbindet. Ich meine, man sollte die Kunst mögen und nicht unterbinden. Sie sollte gefördert werden, da durch sie eine eigene Dynamik entsteht. Sie braucht keinen politischen Halt. Man kann sie nicht verhindern. Ihre Verwandlung findet zu jeder Zeit statt. Das meine ich ernst, denn in sozialen Brennpunkten wie Hellersdorf und Marzahn kann die Kunst ein Bindeglied werden und Gerechtigkeit anziehen, anstatt zu verurteilen oder zu verdrängen. Die Kunst gibt dem Bezirk den Freiraum, um Gelassenheit und Fantasie in Einklang zu bringen, ansonsten könnten Wut und Angst keinen Ausweg finden. Die Gabe des kreativen Denkers sollte anerkannt werden, um nicht neue Wut zu produzieren. Die Wut bestimmt Hass, und Hass ist nicht fähig, Kunst zu entdecken oder die Leidenschaft für sie zu entfachen.

Hertha, ich habe Konrads Brief vor einer Woche erst gelesen. Ich konnte den Brief nach seinem Tod nicht gleich öffnen. Er lag die ganze Zeit auf meinem Schreibtisch, und als ich ihn dann öffnete, war seine Schrift irgendwie verwackelt. Mir kam es so vor, als hätte er es eilig gehabt. Ich fragte mich, wo und wann er ihn geschrieben haben könnte.

Vielleicht auf seinem schönen Balkon? Den mochte er sehr. Er mochte den frühen Morgen, wenn seine Spatzen auf ihn warteten. Viele Denker schliefen um diese Zeit noch. Die Sonne war noch nicht aufgegangen, da streute er schon Vogelfutter ins Futterhäuschen. Es dauerte nicht lange, da kamen die ersten frechen Spatzen angeflogen und pickten wie verrückt, als hätten sie wochenlang nichts zu fressen bekommen. Futterneidisch waren sie und gönnten dem anderen nichts. Und eine Rangordnung gab es nicht.

Konrad beobachtete die Vögel jeden Morgen. Bei einem frisch gebrühten Kaffee saß er in seinem alten Korbsessel auf dem Balkon und ließ es sich gut gehen. Vielleicht waren seine Gedanken ganz nah beim Tod. Vielleicht wollte er mir deshalb einige Zeilen des Abschieds zukommen lassen. Konrads Brief war jedenfalls sehr emotional. Seine Glaubwürdigkeit war ungebrochen, und er zeigte mir, dass er stolz war auf unser Erreichtes. Er schrieb, dass er Gefühle nun besser auseinanderhalten könne. Er hat die Bedeutung der Vergangenheit erkannt, aber auch der Zukunft, die beide nur Illusionen darstellen. Ihm tat es leid, mich damals so oft unterbrochen zu haben, da er mit Spiritualität nicht viel anfangen konnte. Nach reiflicher Überlegung brachte er dann doch Verständnis auf, warum ich die Spiritualität so mochte. Das Hinterfragen hat ihn vor eine große Herausforderung gestellt, der er aber unbedingt gerecht werden wollte. An manchen Tagen hat er eine Kerze angezündet und in Gedanken mit seiner verstorbenen Frau gesprochen. Es berührt mich noch heute, wenn ich die Zeilen lese. Dein Stiefbruder war tatsächlich in der Lage, diese Erfahrung zu verinnerlichen.

Hertha, ich fand das grandios. Er war in sich gekehrt und konnte herausfinden, warum es ihn schmerzte, wenn er an seine verstorbene Frau dachte. Er litt an Depressionen, das spürte ich. Wenn er in seiner Depressionsphase war, wurde er nachdenklich und verschlossen. Aus dem Brief konnte ich herauslesen, dass der Schmerz wie ein Ausrufezeichen auf ihn einwirkte. Er schrieb im Brief, dass der Schmerz ihn sehr belastet hat. Er hat herausfinden wollen, woher der Schmerz kommt. Erst dann hätte er ihn akzeptieren können.

Er hat „akzeptieren" geschrieben, welch ein Wunder. Er sprach es laut im Bad vor seinem Spiegel aus. Jeden Tag tat er das. In seinem Brief liest sich das so einfach, aber es war schwer für ihn, es zuzulassen. Ich empfinde tiefsten Respekt für Konrad. Daher gilt meine Dankbarkeit auch dir, liebe Hertha.

Weißt du, Gefühle zuzulassen, und das im hohen Alter, mag für einen wie Konrad schwer gewesen sein. Mein Vater hat es dagegen nie geschafft, dieses Thema anzusprechen. Für ihn war das oberste Gebot, alles zu verdrängen, was mit Gefühlen zu tun hat. Mutter sprach einfach nicht über so was. Zu keiner Zeit konnte ich mit ihr über meine Gefühle sprechen. Also, was ich will? Wie sich eine Entscheidung anfühlt? Was Verzicht und Gewinn bedeuten? Was ist das Mittelmaß von Geben und Nehmen, von Verständnis und Liebe? Aber das war alles nicht für den Alltag gedacht. Und genau das hätte ich mir als Kind von ihnen gewünscht. Geborgenheit und Trost wollte ich, ohne die großen Erwachsenen daran erinnern zu müssen, dass ein Kind vor ihnen steht und darum bettelt.

Konrad hat das verstanden und mich wie ein Vater begleitet. Ja, wie ein Vater. Er nahm mich ernst. Er hat mich nicht verurteilt, sondern dazu angeregt, auch darüber nachzudenken, wie es meinen Eltern als Kind ergangen ist. Mir wurde bewusst, dass die Frage berechtigt war, wie meine Eltern ihre Kindheit in den langen Jahren des Krieges erlebten, in der Zeit des Umbruchs, als Hunger und Not auf der Tagesordnung geschrieben stand.

Konrad schrieb in seinem Brief, dass ich den Glauben an Vergebung aufgeben soll. Ich soll den innigen Glauben jeden Tag aufrufen, damit die Angst keine Möglichkeit bekommt, die Depression in mir aufzurufen. Was für ein Satz?! Ich musste ihn noch mal lesen. Ich las das, was ich ihm damals so unverblümt vermittelte, damit er seine schlimmen Kriegserfahrungen und die brutale Deportation aus Deutschland verarbeiten konnte. Ich wollte, dass es ihm besser ging. Mehr noch. Ich nahm ihn ernst und meinte zu ihm, dass er diese Zeit jetzt ruhen lassen soll. Er könne die Vergangenheit ohnehin nicht verändern. Es mag schlimm und bitter für ihn gewesen sein, aber heute muss er sein Leben meistern und mehr für sich sorgen.

Der Brief von Konrad machte mir klar, wer ich heute bin. Es kam mir vor, als wäre ich ein ausgebeuteter Knecht, der seine Armseligkeit noch suchen müsse, um zu retten, was er verloren glaubte: Selbstbewusstsein.

Auch wenn der zweite Teil von „Hellersdorf" damals noch beim Lektorat gelegen hat, wollte ich diese Trilogie unbedingt zu Ende bringen, und zwar geprägt von guten Ansätzen. Der eigentliche Grund für den zweiten Teil war, dass meine inneren Verletzungen aus der Kindheit noch nicht ganz verheilt waren. Ich hoffte, mich besser verstehen zu können, wenn ich den zweiten Teil schreibe. Ich finde, das war ein gutes Motiv für mich, um weiterzuleben. Mag sein, dass ich für Konrad auch ein Zeichen setzen wollte. Wie andere ein Mahnmal errichten, so war mein innerer Wunsch, den zweiten Teil von Hellersdorf Konrad zu widmen. Hertha. Sein Brief hat mir viel zu denken gegeben. Erst jetzt wird mir richtig klar, dass Konrad nicht mehr lebt. Unsere gemeinsamen Momente werden für mich dadurch noch kostbarer. Ich habe durch ihn Hellersdorf und Marzahn noch besser kennengelernt. In der Glauchauer Kirche, nicht weit von der Wuhle entfernt, bemerkte ich, dass Konrad seine Liebe zu Gott sehr zögerlich zeigte. Neben seiner

Fröhlichkeit und Offenheit gegenüber anderen Denkern beobachtete ich in seinen Gesichtszügen eine Besonderheit. Ich wusste, dass er lebensbejahende Erfahrungen besaß und immer half, wenn Not am Mann war. Aber du weißt selbst, Hertha. Jeder ist in seinem Film gefangen, und der Film läuft am Tag immer wieder selbstständig weiter, ohne dass wir merken, wie wir uns wehtun.

Hertha. Konrad fehlt mir. In mir schwingt eine harmonische Wellenlänge, aus der die Prophezeiung hervorgeht, den Weg der Heilung weiter zu verfolgen. Ich kann nicht mehr anders handeln. Ich werde dem Gefühl in mir die Anerkennung geben, damit meine Fantasie frei ist. Genauso bin ich in der Lage seine sehr markante Stimme abzurufen. Selbst den vor mir liegenden Brief liest Konrad selbst, als wäre er in mir drin. Wuchtig und massiv hat sein Wesen auf meine Seele gewirkt. Er hat mich reflektiert, so konnte ich meine aufgestaute Wut besser erkennen. Unsere Ausflüge zu Fuß, mit dem Auto oder der Bahn waren sehr wertvoll. Ich erinnere mich häufig daran. Oft berührte er meine Hand, wenn es mir schlecht ging. Hertha, dein Stiefbruder war ein besonders warmherziger Denker, dem ich mein Herz geschenkt habe.

Vor ein paar Wochen kam mein Bescheid von der Rentenversicherung. Ich ließ mir Zeit, den Brief zu öffnen. Ich erinnerte mich an Konrads Worte: „Das Leben geht uneingeschränkt weiter und vergisst die Sekunden und Minuten, die wir erleben." Ich legte den Brief auf den Tisch, zündete eine Kerze an und versuchte ruhig zu bleiben. Ohne Erwartung nahm ich den Augenblick wahr und schenkte mir zum ersten Mal Vertrauen. Ich erhob mich vom Stuhl, zog meine Jacke an und verließ die Wohnung. Ich lief zum Wuhlesteg rüber und beobachtete die drei Pferde auf der Koppel. Den frischen Westwind nahm ich wahr. Ich sah am Himmel Schwalben umherfliegen, hörte Wildgänse, die aufmerksam auf ihren Nachwuchs achteten. Ich fand ihre Art bewundernswert, wie sie ihre Küken beschützten. Mehr noch. Es grenzt fast an ein Wunder, dass sie sich jedes Jahr im Wuhletal paaren und Wochen später kleine Küken aus den Eiern schlüpfen. Woher wissen die Wildgänse, dass es ihre Küken sind, die sie beschützen und füttern müssen? Im gleichen Augenblick wurde mir klar, dass in allen Lebewesen der Erde ein Gen existiert, das den Naturgesetzen folgt. Geburt – Leben – Tod. Das ist die Einheit, in der ich lebe. Ich könnte wohl nie 130 Jahre alt werden. Wie verrückt, wenn das möglich wäre? Was, wenn der Alterungsprozess rückläufig wäre und man sich wieder zum Kind entwickelt?

Ich öffnete jedenfalls erst am nächsten Tag den Brief. Damit habe ich zum ersten Mal mein festgelegtes Muster verlassen. Ich werde ab jetzt Dinge tun, bei denen es mir scheißegal ist, wie andere Denker über mich denken. Ich werde es tun, um mir zu beweisen, dass ich das angelernte Muster meiner Eltern jeder Zeit verlassen kann. Ich brauche mir keine Sorgen zu machen. Die Angst, wenn sie heimlich an meiner Seele kratzt, werde ich nicht mehr bekämpfen, sondern annehmen. Ich werde sie zu meinem Begleiter machen. Ich glaube, Hertha, so könnte mein Leben erträglicher werden, und ich würde damit die Devise der inneren Einkehr beachten.

Konrad meinte zu mir, ich solle mehr Pausen einlegen und auf meine inneren Bedürfnisse eingehen, die mir zeigen, was mir guttut und was nicht. Deshalb möchte ich schreiben. Das geschriebene Wort lenkt mein Gefühl dorthin, wo ein wenig Frieden in mir herrscht. Das Schreiben ist wie Ein- und Ausatmen, ein Zurückziehen in eine Nische der Selbsterkenntnis. Hellersdorf ist so ein Ort, wo die Zukunft nicht endlos das schroffe Land mit Gedanken des Bösen beschleunigt, sondern es vielmehr verlangsamt, um das Gute auf den Straßen niederzulegen.

Neun Wochen sind nun vergangen und der Brief von Konrad liegt immer noch auf meinem Schreibtisch. Ich werde viel Zeit brauchen, um alles zu verstehen, was er zum Ausdruck bringen wollte. Mein Gefühl ist leer, und doch fühlt es sich an, als würde ich den Moment der Einsamkeit jetzt mehr mögen, als vor einem Chor zu stehen, um „Ava Maria" vor eintausend Denkern zu singen. Ich genieße die gefühlte Armut und die Verschwendung von Stolz und

Demut, da ich die Gedanken der Trauer noch unberührt so stehen lassen muss. Wie soll es weitergehen? Mit mir! Mit der Welt! Mit der Natur und mit meinen Weinkrämpfen! Mit meiner Fröhlichkeit! Mit meiner Balance der Geschlossenheit, zu wagen, was ich machen will und auch tun werde.

Ich gebe zu, dass der Brief mir beim Berühren noch mal sein Bild vor Augen führte. Der Ausdruck in seinem Gesicht und die Benennung seiner Angst, die ihn viele Jahre beherrschte, gaben mir oft zu denken. Nicht wegen unseres großen Altersunterschiedes, sondern um zu verstehen, was früher geschehen war, was unsere gemeinsame Geschichte ist und bleibt. Wir wollten beide nicht die Verdrängung anvisieren und kategorisch behaupten, dass alles anders gewesen sei. Wir müssen unsere Geschichte heute akzeptieren.

Hertha, du hast mir recht gegeben, dass Konrad gern den schmerzlichen Punkten ausgewichen ist, wenn es darum ging der Vergangenheit einen Namen zu geben. Aber die Vergangenheit ist nicht mehr da. Sie ist nicht mehr präsent. Alles ist weg und kann nicht mehr mit Farbe aufgefüllt werden. Der Wandel beginnt von Neuem, und das Tag für Tag. Ich habe Konrad gesagt, dass die Vergangenheit eine Illusion ist, von der wir nichts zu erwarten haben außer Angst. Er schmunzelte, stand auf und drückte mich ganz fest an sich.

Hellersdorf ist ein Bezirk, der angeblich nicht bewohnbar ist und in dem deshalb der Ungehorsam voranschreitet. Es gelingt keinem Denker, den Wandel des Stadtteils zu unterbrechen oder ihn gar zu beschleunigen, und zwar in Bezug darauf, sich öffentlich zu Hellersdorf zu bekennen. Nein, das ist kein Ort der Dunkelheit. Junge Bäume lassen die Wurzeln sprießen. Alte Bäume fallen. Neue Wohnhäuser entstehen, Straße um Straße, Gehweg für Gehweg, Etage für Etage. Alte Betonruinen werden abgerissen und Modernes wird hochgezogen. Fünf Etagen. Sieben Etagen. Neun Etagen. Alte Straßen und Hinterhöfe verschwinden. Neue Straßen entstehen sowie Häuser für lichtdurchflutete Wohnungen, Kinder-, Jugend- und Kultureinrichtungen. Das verbrauchte Erdreich verschwindet. Bewegung findet statt. Die Dunkelheit weicht und schon bald, die Zeit vergeht schnell, wohnen Denker in den neuen Häusern und bringen neues Licht ins alte Milieu.

Konrad und ich waren dabei, als in der Cecilienstraße, Ecke Hans-Fallada-Straße eine wilde Wiese verschwand und der Grundstein für elf sechsgeschossige Wohnhäuser gelegt wurde. Heute kann keiner sagen, man könnte die frischen weißen Fassaden dieser Häuser nicht sehen. Die Wuhle ist zum Greifen nahe. Man bedenke, liebe Hertha, dass früher im dicken Gestrüpp viel Unrat lag, sodass die BSR öfter mal diese Flächen reinigen musste. Heute stehen neue Bäume an den Straßenrändern und die Dunkelheit wird des Nachts vom Licht vieler Straßenlaternen durchbrochen. Gardinen hängen bereits vereinzelt an den geputzten Fenstern und die vielen unsauberen Vorgärten wurden mit Pflanzen und hohen Hecken bepflanzt. Sogar ein kleiner Spielplatz in einem der Innenhöfe ist zu sehen. Rosen, Geranien und Tulpen zeigen ihre bunten Farben. Junge Linden und Kastanien geben durch ihr Antlitz neue Hoffnung, dass Hellersdorf weiter wächst.

In den frühen Morgenstunden, es war im Hochsommer und die Sonne schob sich langsam über den Horizont, habe ich im Dickicht scheue Rehe gesehen, die frische Blätter von den Zweigen fraßen. Ein kleines Kitz stand brav an der Seite seiner Mutter. Nur kurz war es mir vergönnt gewesen, dieses Stillleben zu betrachten. Einmal konnte ich ein Handyfoto von einem Reh machen, das wohl drei Jahre alt gewesen sein mag. Ich zeigte es Konrad und meinte zu ihm, das wäre nur in Hellersdorf möglich. Er lächelte und erzählte mir voller Stolz, dass er vor zwei Wochen, auch an einem frühen Morgen, an der Wuhle zwei Waschbären beobachtet hat. Das war eine der vielen Nächte, in denen er schlecht schlafen konnte. Gegen vier Uhr ist er dann an der Wuhle spazieren gegangen und hat dort diese zwei Waschbären entdeckt.

Hertha, ich staune immer wieder, welcher Tierwelt ich in Hellersdorf begegne. Manchmal kreuzt sogar ein frecher Dachs meinen Weg oder ein Eisvogel zieht seine Bahn an der Wuhle. Ein ausgewachsener Fuchs jagt den Stockenten nach und ein Reiher verharrt still im Wasser, bis endlich ein Fisch in seinem Schnabel landet. Selbst die Haubentaucher und Wasserschildkröten verursachen eine helle Aufregung, wenn sie gesehen werden.

Einmal sah ich sogar eine Rotte Wildschweine auf der Suche nach Fressbarem. Aber dass man in Hellersdorf morgens im Frühnebel Rehe beobachten kann, unglaublich. Die Realität zeugt von einer hohen Lebensqualität in Hellersdorf. Doch Bäume und Grünflächen weichen mehr und mehr Wohnhäusern und Supermärkten, das beunruhigt mich schon etwas. Das Wohngebiet verdichtet sich zusehends. Fast überall in Hellersdorf wird gebaut und geplant. Der öffentliche Nahverkehr aber wird wohl weiterhin in einem dornröschenartigen Schlaf verbleiben. Ein paar Buslinien reichen da nicht mehr aus, um die Denker von A nach B zu fahren. Der Straßenverkehr nimmt zu und selbst die noch zweispurigen Straßenbahnlinien werden wohl irgendwann auf eine Spur minimiert. Wo soll das noch hinführen?

Konrad bemerkte zu seinen Lebzeiten sehr kritisch, dass wir schon vor drei, vier Jahren lange mit dem Auto fahren mussten, um von der Eisenacherstraße zum Blumberger Damm zu kommen. Ampeln standen lange auf Rot; der Stau reichte an manchen Tagen bis zur Wuhletalbrücke. Gott sei Dank benutze ich das Auto eher selten. Ich wandere meistens von Hellersdorf nach Köpenick. Konrad war der Weg nach Köpenick zu weit. Uns blieb daher nur der 164er Bus übrig, den wir gern für solche Touren benutzten. Wir fuhren mit diesem Bus dann durch Mahlsdorf, um nach Köpenick zu gelangen. Dabei konnten wir die Umgebung von Mahlsdorf und Köpenick von beiden Seiten betrachten. Überall wurde emsig gebaut. Brachliegende Grundstücke sahen wir aber nur noch selten. Große Flächen, wie die Rieselfelder um Marzahn und Hellersdorf herum, sind heute von Wohnkomplexen zugebaut. Sie stehen verborgen im Grünen, weit weg von den Hauptstraßen. Ich hätte es nicht mitbekommen, wenn ich nicht per Fahrrad am Möwenweg, der auf dem Wuhlewanderweg liegt, vorbeigefahren wäre. Ich staunte immer wieder über die großen Baufortschritte. Am Anfang sah ich nur die vielen Betonplatten der Häuser, und ein paar Monate später waren die ersten Häuser zu sehen. Ich fotografierte sie mit dem Handy, um das Baugeschehen festzuhalten, und zeigte die Aufnahmen Konrad, damit er sich ein Bild machen konnte, was ich gesehen und erlebt hatte.

Meine quälenden Erinnerungen führten mich oft zu einer jungen Denkerin aus Döhringsdorf, die 1984 an der Grenze zwischen Hessen und Eisfeld von meinem Postenführer erschossen wurde. Wir gingen Patrouille am Sechs-Meter-Streifen und sahen sie am letzten Zaun. Es ging rasend schnell: die MP von der Schulter nehmen, durchladen und mit Dauerschuss auf die junge Denkerin feuern. Ich sah den Unterleutnant Pierrot, der links von mir stand, ohnmächtig an. Seine Gesichtszüge waren voller Hass. Er schoss noch auf sie, obwohl sie bereits auf dem Boden lag. Ich riss ihm die MP runter, sodass sie auf dem Kolonnenweg aufschlug. Fassungslos sah ich sie an. Mir wurde sofort klar, dass sie tot war. Plötzlich wurde ein junges Leben ausgelöscht. Einfach so.

Das sind solche Momente, die in mir hochkommen, Hertha, wenn ich im Bus sitze und auf der Straße Gewalt sehe. In dem Augenblick stürzen die Erinnerungen über mich herein und ich kann dagegen nichts tun. Das geschieht ganz schnell. Sie lassen mich nicht los.

Ein ganzes Magazin hat der Unterleutnant Pierrot leergeschossen, damit die junge Frau (Ines, 24 Jahre) auch wirklich nicht davonkommt. Ich hielt Ines in meinen Schoß und handelte so gegen den Befehl des Unterleutnants. Ihr warmes Blut tränkte meine Tarnhose und nässte meinen Oberschenkel. Sie schaute mich noch einen Moment mit Tränen in den Augen an, bis der Tod zu ihr kam. 1984 war das. Fünf Jahre später fiel diese verdammte Mauer. Das Mädchen hätte noch leben können. Aber ein übereifriger Unterleutnant, der Stacheldraht, die KFZ-Sperren, der Grenzsignalzaun, die auf den Wiesen gespannten Signalschnüre, die Wachtürme. Jahre später hatte ich die Gelegenheit, an den Ort zurückzukehren, wo das Mädchen Ines diesen sinnlosen Tod fand. Du musst wissen, Hertha, dass mich dieser Ort des Schreckens ein Leben lang verfolgt hat. Neun Jahre lagen zwischen dem Ereignis und meiner erneuten Ankunft in Lengenfeld unterm Stein. Ich fuhr mit einem Mietwagen von Berlin aus in das schöne Eichsfeld, an den Ort, wo meine damalige Kompanie der Grenztruppen stationiert war. Ich erinnere mich gut daran, als die junge Ines in meinen Armen starb, denn da schlugen gerade die Kirchenglocken auf dem Hülfensberg. Sie gaben mir das Gefühl von Frieden, wenn sie stets zur vollen Stunde läuteten. Das Werratal warf das Echo des Glockenklangs zurück.

Als ich das Dorf Geismar erreichte, stellte ich den Wagen auf einem Parkplatz ab und lief vier Kilometer zum Hülfensberg. Am Fuß des Berges stand ein Hinweisschild, wohin es zum Kloster Hülfensberg geht. Ich wusste bis zu dem Zeitpunkt nicht, dass dort oben überhaupt ein Kloster existiert. Zu DDR-Zeiten wurde alles geheim gehalten. Und da der Wald den Berg dicht umschloss, konnte man das Kloster nicht gut einsehen. An diesem Tag konnte ich schon während meines Aufstieges die Kirchenspitze sehen, an der bei Nacht sogar das Ziffernblatt der Kirchenuhr beleuchtet war. Auf dem ausgedehnten Plateau vom Hülfensberg stand die schöne Bonifatius-Kapelle, die mächtige Erlöserkirche St. Salvator und das Franziskaner-Kloster aus

Holz und mit einem Strohdach, in dem die sechs Brüder der katholischen Gemeinde seit 30 Jahren lebten. Sie kannten die Grenze nur als einen Ort der Unterdrückung und des Verzichts. Laut ihrer Geschichtsschreibung existiert ihre Bruderschaft seit Mitte des 18. Jahrhunderts. Das eigentliche Symbol dieses Franziskanerklosters ist das Konrad-Martin-Kreuz. Es war für mich immer ein festes Symbol, vor allem in dem Bewusstsein, dass ich nie allein auf Streife war.

Endlich, liebe Hertha, konnte ich an dem Tag dem Kreuz von fast 19 Metern Höhe ganz nahe sein. Ich berührte es mit meinen Händen und wusste, dass ich angekommen war. Als ich mir die Kirche in aller Ruhe anschaute, kam ich mir klein vor, besonders in Hinblick auf die gewaltige Turmspitze. Mir war nie bewusst, dass so ein altes und vor allem großes Bauwerk hinter dichten Buchen stand und darauf wartete, Wanderer und Pilger willkommen zu heißen.

Natürlich ist es mir gelungen mit der Bruderschaft des Ordens zu sprechen, um deine Frage zu beantworten. In der Zeit meiner Anwesenheit wohnten vier Brüder im Kloster: Bruder Bernard. Bruder Wolfram. Bruder Herold und Bruder Bernd. Die anderen Brüder hatte andere Gemeinden zu betreuen, die in Eichsfeld weit im Land verteilt sind. Bruder Bernd beobachtete mich von allen Seiten, als würde ich ein außerirdischer Denker sein, der hier nicht

171

sein durfte. Egal ob im Speiseraum oder im Andachtsraum, stets war ich im Blick seiner Neugier, seiner Fürsorge und Hilfe.

Meinen Aufenthalt auf dem Hülfensberg hatte ich für eine Woche geplant. Eine Woche des Ankommens. Eine Woche der Stille. Und eine Woche der Aufarbeitung und des Abschiednehmens. Mir war auch klar, dass ich an den Ort gehen musste, wo die junge Ines in meinen Armen gestorben war. Am dritten Tag war ich nach dem Abendgottesdienst in der Lage Bruder Bernd zu erzählen, was vor vielen Jahren an der Grenze geschah. Als ich es ihm berichtet hatte, bat er mich, mit ihm in der Kapelle zu beten. Ich habe es nicht gleich verstanden, aber ich ließ es zu. Am Altar zündete Bruder Bernd eine weiße Kerze an. Ich hörte seine Gebete. Seine Stimme war warm. Sie ging mir unter die Haut. Dann wurde es mir spürbar leichter und ich konnte nach langer Zeit wieder frei atmen. Es mag sicher eigenartig klingen, aber ich dachte daran, wann ich mich je so frei gefühlt habe.

Am vierten Tag wollte ich einfach im Jetzt bleiben. Es schmeckte alles süß. War das etwa ein „Heiliger Tag"? Bruder Bernd sprach mit mir wie ein Denker, den ich seit vielen Jahren bereits kannte. Er entzündete mehrere Kerzen, im Gedenken an die Verstorbenen, die mir früher ganz nahe waren. Mit jeder Kerze spürte ich eine innere Befreiung. Ich begriff, dass ich die Vergangenheit akzeptieren muss. Und trotzdem hätte ich die Vergangenheit gern korrigiert. Bruder Bernd wusste vom Tod der jungen Frau aus Mühlhausen. Am nächsten Tag, also einen Tag vor meiner Abreise aus dem Kloster, erzählte er mir, dass der ehemalige Unterleutnant Pierrot sich vor neun Jahren in Hildebrandshausen das Leben genommen hat. Seine Ehe ging zu Bruch, und die Last, die er trug, schien für ihn unerträglich gewesen zu sein. Hochverschuldet fand er keine Anstellung mehr und frönte letztlich dem Alkohol. In Erfurt sprach das Landgericht ihn für den Mord an der jungen Frau schuldig und wandelte das Urteil in eine Bewährungsstrafe um. Das brach ihm das Genick, er wurde später zum Hartz-IV-Empfänger. Bruder Bernd erinnerte sich an die Beerdigungsfeier der Familie. Da erfuhr Bruder Bernd von der Schwester des Unterleutnants, was mit diesem nach 1984 geschah. Hertha, als ich die Geschichte hörte, ging es mir danach nicht gut. Na ja, in all den Jahren habe ich ohnehin keinen Gedanken an diesen Denker verschwendet. Ich habe ihn gehasst, das gebe ich ehrlich zu. Die junge Frau würde heute noch leben, wenn er keinen Schuss abgefeuert hätte. Selbst dann, und da bin ich überzeugt, wäre der Unterleutnant vom Offiziersstab gelobt worden.

Bruder Bernd ahnte schon, dass ich der zweite Denker an diesem Tag war, der Zeuge des Mordes an der jungen Frau wurde. Meiner Bitte, das Grab dieser Denkerin Ines zu besuchen, folgte er und begleitete mich. 24 Jahre ist Ines

173

geworden, mehr war ihr nicht vergönnt. Es tat mir leid, dass
ich nicht eingreifen konnte. Ich höre noch die lauten Geräusche der Maschinenpistole und fühle mich wieder wie
gelähmt. Es schmerzt mich immer noch. Die damalige
Kompanie und die Orte Hildebrandshausen, Lengenfeld
unterm Stein standen unter Schock. Kein Soldat wagte einen Witz. Viele standen unter Tränen und wussten nicht,
wie es nun weitergehen sollte. Es gab drei Soldaten, die es
nicht schafften, das Drama in der Kompanie zu überstehen.
Sie nahmen sich das Leben. Auch damit kamen wir alle
nicht klar.

„Du lebst", meinte Bruder Bernd zu mir. „Es gibt einen
guten Grund dafür, dass du weiterleben darfst. Gott hat
dich auserwählt, das Leben auf einer anderen Art zu erleben. Der wahre Sinn des Lebens beginnt im Jetzt und hier
vor dem Altar dieser Kirche. Es macht keinen Sinn, sich
stets an die schlimmen Ereignisse zu erinnern und sich
Vorwürfe zu machen. Es macht keinen Sinn zu versuchen,
die Vergangenheit neu zu interpretieren, um die Erinnerung lebendig zu halten."

Für mich hatte sich eine neue Tür geöffnet, weil sich die
tödliche geschlossen hat. Das hat mir geholfen, das Ganze
zu verstehen. Bruder Bernds heilige Botschaft hielt lange
Zeit in mir an. Als ich die Heimfahrt antrat, überlegte ich,
was er mir damit sagen wollte. Und dann wurde mir klar,
dass ich mein Leben tatsächlich anders betrachten sollte.

Eigentlich ist meine Geschichte noch nicht ganz zu Ende, Hertha. Das Leben ging natürlich weiter. Ich konnte das Ende meiner Armeezeit mit gemischten Gefühlen hinter mir lassen. Als ich zu Hause meine Zukunft neu organisieren musste, stand meine Scheidung auf dem Programm. Aber das Leben wartet nicht auf Dinge, die man nicht mag, die einen krank machen. Ich traf beim Tanzen in Karlshorst rein zufällig meine Denkerin, die ich ein halbes Jahr später heiratete. Ich gründete mit ihr die zweite Familie und wurde stolzer Vater eines Jungen. Endlich fing für mich ein neues Leben an. Das war wie ein Wunder.

Auch du gehörst zu dem Wunder, Hertha, denn wir lernten uns kennen. Die Geschichte wird nie aufhören, glaube ich, solange wir leben. Heute denke ich, dass alles so gewollt war. Zum Beispiel das Buchprojekt „Hellersdorf", bei dem in Kürze der dritte Teil erscheinen wird. Auch du wirst uns weiter begleiten. Und um deine Frage zu beantworten: Ja, ich musste an den Ort des Verbrechens an der jungen Frau Ines gehen, um mir noch mal vor Augen zu halten, was dort vor Jahren geschehen war. Mir kam es vor, als würde ich den abgegebenen Schuss noch riechen können. Es war, als hörte ich erneut den Schall über den Tälern von Eichsfeld und den Hilferuf. Und als mir dieser Schrei ins Gedächtnis kam, fiel mir ein, dass es an dem Tag regnete und windig war. Es schien auch beim Aufsuchen des Ortes keine Sonne. Ich war erleichtert, als ich auf dem fast

175

zugewachsenen Kolonnenweg stand und es bewölkt blieb, um tieftraurige Stimmung in mir nachzuvollziehen.

Wenn ich auf dem Wolkenhain stehe und über die hektische Stadt schaue, dann sind meine Gedanken oft in Eichsfeld. Ich muss dir ehrlich sagen, dass ich in Eichsfeld verliebt bin. Es ist ein schönes Stück Land. Die Natur und seine verwunschenen Pfade in den Wäldern fordern mich auf, loszulassen. Dort kann ich tief durchatmen. Es duftet nach Holunder, Lindenblüten und Kiefernbäume, wo die alten Baumrinden sich leicht aus den Verkrustungen öffnen, um ihr Harz freizugeben. Es ist ein streng katholisch geprägter Landstrich, wo jedes Jahr Tausende zum Hülfensberg wandern. Christis Lebensphilosophie hat Meilensteine hierhergetragen. Ich mag diese Bruderschaft, denn ihre Gültigkeit und ihre freiwillige Hingabe, die Liebe weiter zu reichen, ist ein Geschenk, das ich nicht missen möchte. In Wahrheit aber sah ich dort ein Stück meines Elends, und das wollte ich einfach nicht mehr zulassen. Das Böse durfte nicht weiter in mir regieren.

Die Brüder hatten für alles Verständnis und gaben mir ohne viele Worte ein festes Fundament, damit ich meine Schuld abtragen konnte. „Ständige Schuldzuweisungen heben die Vergangenheit nicht auf, sondern verstärken sie noch", meinte Bruder Bernd, als er mir eine Tasse Kaffee eingoss und in meine Augen schaute. Es lag nicht an mir, dass diese junge Frau gestorben ist. Das DDR-System war brutal und ein Ausweichen nicht möglich. Der Befehlsgehorsam in der Armee hat bei mir unsichtbare Spuren hinterlassen, weil ich letztlich einen sehr hohen Preis bezahlen musste. Bruder Bernd war der festen Überzeugung, dass Hunderte von Grenzsoldaten den gleichen Preis bezahlt haben.

Ich erinnere mich, dass ich im Juni 1984 vom Kompaniechef über die Geburt meines zweiten Sohnes informiert wurde – da war er bereits sechs Wochen alt. Es traf mich wie ein Schlag. Meine damalige Frau musste sonst was gedacht haben, weshalb ich mich nicht eher gemeldet habe. Zwei Tage Sonderurlaub bekam ich. Genau genommen waren es aber nur 10 Stunden, die ich in Berlin bei meiner Familie sein durfte, denn der Rest der zwei Tage galt der Hin- und Rückfahrt. Die Züge waren eben auch damals schon bekannt für ihre Unpünktlichkeit und Ausfälle. Heute hat sich dahingehend wenig verändert, nur dass die Informationstafeln moderner geworden sind.

Das Leben geht weiter, Hertha. Aus der Geschichte von damals gibt es Brüche und Neuanfänge, die diese Zeit brückenartig verbinden. Die Zeit nagt an mir, auch wenn ich es ablehne, dass die Weisheit mehr und mehr meinen Geist umarmt. Das Älterwerden bringt neue Bilder zum Vorschein. Die Verbindung zu meinem Sohn bringt eine wuchtige Erinnerung zum Vorschein, die wir beide nie aufgearbeitet haben. Es fehlt an Vertrauen. Diese Veränderung erzeugt einen leeren Raum, in der keine Bedingung gestellt werden kann. Sie ist im jetzigen Prozess zu finden und gedeiht an allen Fronten der Emotionen, in denen ich mich oft befand. Ich gebe meinem Kind nicht die Schuld, und als Mutter deiner Kinder solltest du das wissen. Aber es wäre sicher einfacher für alle. Doch die Realität sieht anders aus. Unser Sohn unterbricht deshalb nicht seinen Willen frei zu leben. Er wird immer so leben wollen.

Als ich meine erste Familie verließ (mein Gott, das würde ich heute anders machen), habe ich vieles aus Unwissenheit getan. Erst Jahre später konnte ich ein Fazit ziehen, das mich beruhigt hat und mir Antworten auf all meine Fragen gab. Psychologen in der DDR kannte ich nicht, wenn es sie denn überhaupt gab, und wenn ja, war die psychologische Verarbeitung solche Ereignisse bei den Grenztruppen offenbar verpönt. Es wurde geschwiegen. Dafür hatte ich unterschrieben, einen Eid abgeben, ohne Wenn und Aber.

Die Drohungen waren deutlich genug. Ich suchte mir Arbeit und fand sie. Vollzeit, als wäre nie was gewesen. Es war auch nie was gewesen. Ich musste unterschreiben, dass die Staatsgrenze eine grüne Grenze ist, wo man mit Denkern ohne Visum am Grenzsignalzaun eine Zigarette rauchen durfte, um sie dann nett aufzufordern, zurück in die DDR zu gehen. An der innerdeutschen Grenze wurde nie geschossen, so die offizielle Lesart im Politbüro. Harmonie

178

pur. Im Nachhinein ein grauenvoller Gedanke, den ich viele Jahre mit mir herumtrug.

Hertha. Es ist wahr, dass ich mit diesen Erlebnissen in einen normalen Alltag zurückkehren und allen Denkern sagen musste, dass es mir gut geht. Verängstigt reagierte ich auf all die Dinge, die ich zu jeder Minute nur diffus wahrnahm. Alles war gelöscht in mir. Ich suchte das Lachen in mir und fand es nicht.

Das Leben in Hellersdorf ein wenig zu genießen, gelang mir eher im Frühling als an nasskalten Wintertagen. Es war in dem Augenblick ein Gefühl in mir, als könnte ich Bäume ausreißen. Wobei mir das gelingen könnte, da all die Bäume am Kienberg flache Wurzeln haben und schon bei einer kleinen Brise umzustürzen drohen. Die Schicht Muttererde auf dem Kienberg ist dünn und steinig, sodass das Wurzelwerk nicht sehr tief ins Erdreich eindringen kann. Der Untergrund besteht aus Schutt und Trümmersteinen, und zwar aus der Zeit als Marzahn/Hellersdorf gebaut wurde. Zusätzlich kam noch der Lehm aus den Baugruben, der den Kienberg abdichtete. Leider waren die süßen Momente, um die Natur zu inhalieren und auf meiner Haut zu spüren, arg wenig. Meine Haut war feucht und klamm, da mich Weinkrämpfe oft überkamen. Ich verarbeitete das innere Leid und ahnte dabei nicht, dass ein Vorwärtskommen für mich nicht möglich war. Der liebe Gott, wo immer der sich auch

179

versteckt hielt, hat meinen Namen nie erwähnt und den Himmel über mir stets verhangen.

Mir wurde bewusst, dass die Gassen einer leeren Stadt mir keinen Schutz boten und die Stadttore verschlossen blieben. Ich suchte einen Ausweg, um das lachende Schiff zu erreichen, das im Hafen der Gefühle bald abzulegen drohte. Durch List und Ehrlichkeit konnte ich ihn erreichen und mich mit meinem Hab und Gut retten. Vorn an der Reling war das Rampenlicht, das meine Position bestimmen sollte, erloschen. Und meine Hände begannen zu zittern, als ich bemerkte, dass der Wellengang in mir heftiger wurde. Mein Taschentuch aus Papier verbrannte im Sonnenlicht. Verloren kam ich mir vor. Ich gab darauf acht, dass die aufziehenden dunklen Wolken mich verschonten, damit ich die Lebenskrise überstehen konnte. Ich wollte mich hinter einem abgesoffenen Wrack verstecken. Es war wie ein Geschenk, als das vermoderte Holz einer alten Ruine am Kiel auftauchte und ich von Weitem den keimenden Blumensamen auf der Reling sah. Ich spürte ganz spontan eine innere Aufrichtigkeit, die sich dem ungleichmäßigen Rhythmus meiner Atmung anglich und mir baldigen Schmerz androhte. Ich berührte die Blume, als ob ich ahnte, dass sie mir helfen würde. Wie ein Wunder überströmten mich wilde Gedanken. Ich befand mich plötzlich im Hinterhof auf einer Parkbank, um Rast zu machen. Die Eile ließ mich in Sekundenschnelle los. Ich gab nur acht auf

Dinge, die noch unscheinbar in mir wucherten, von denen ich wusste, dass es die Schmerzen sind, die immer wieder meine Vergangenheit schürten. Ich nahm die Blume zur Hand, roch an der Blüte und wusste, dass es mich gibt, dass ich jener bin, der die Welt allein bereist hat.

Hertha, es war nicht gewollt, dass ich im Kindesalter auf einer Parkbank sitzen sollte, um anzukommen. Stets wurden mir Pflichten auferlegt. Ich hatte in meinem Elternhaus einem strengen Tagesablauf zu folgen. Das sollte mir den Anschein von Harmonie geben. Ich glaubte daran. Meine Jugend verlief genauso. Frühzeitig musste ich einen Job annehmen, der meine Freiheit einschränkte. Zwei Lehrjahre hatte ich überstanden, die Berufsschule absolviert und den Wehrdienst hinter mir gelassen. Die Wende nahte, und zur gleichen Zeit stand die Treuhand da und entließ alle Denker, die vorher noch Arbeit hatten. Millionen Denker standen auf der Straße. Die DDR-Fahnen wurden gesenkt. Trauer und Ohnmacht hielt die Städte in Atem. Die Straßenzüge waren grau und die vielen Läden geschlossen. Der Ostwind ließ etwas nach. Ich sah, wohin meine Reise ging. Ich lernte erneut und arbeitete später am Flughafen – Tausende Flugzeuge starteten und landeten vor meinen Augen. Ich prüfte das Gepäck derer, die was im Schilde führten. Rauschgift und Geld kamen in Mengen zum Vorschein, bis dem Arbeitgeber auch mein Job zu teuer wurde. Man wollte die Lohnkosten drücken und beschenkte uns mit einem

Lebewohl. Eine Woche später, ich weiß es noch gut, sollten in einer Berufsschule Pflegehelfer ausgebildet werden. Was für ein Glück ich hatte, dass in diesem Moment ein Denker absprang. Zwölf lange Jahre begleitete ich seitdem alte Denker, pflegte sie, schaute in ihre Augen und wusste sofort, was sie drückte und wo ihr Schmerz lag. Ich gab ihnen den Trost, der ihnen im Kindesalter fehlte, und hielt ihre Hand, um ihnen zu zeigen, dass es auch noch eine Welt ohne Angst gab. Oh, ich konnte ihre Seelen berühren.

Konrads Welt blieb mir bis zum Schluss offen, frei und ohne Bewertung. Seine immer wiederkehrende Angst war begründet. Du sollst wissen, Hertha, dass in Marzahn die braunen Denker ihren Weg gehen, um uns zu zeigen, wie stark sie sind, wenn sie laut brüllen dürfen. Unbehagen und Unwohlsein überkam Konrad, wenn er sie sah.

Vor nicht allzu langer Zeit erlebten wir beide die braune Garde in Marzahn, wie sie ihre Wut gegenüber Flüchtlingen demonstrierten. Wir sahen ihre von Fremdenhass geprägten Plakate und Fahnen, mit denen sie an den Flüchtlingsheimen vorbeizogen. Ich hatte Verständnis für Konrads Gefühlswallungen, denn er wurde vor siebzig Jahren verurteilt und aus Deutschland ausgewiesen. Dass er sich erneut bedroht und ausgegrenzt fühlte, lag daher auf der Hand. Kein Wunder, denn seine jüdische Gemeinde wurde oft attackiert. Eure Familie ist ein gutes Beispiel dafür, wie die

Menschen in Nazideutschland leben mussten. Hertha, ich hätte nie mit euch tauschen wollen. Unter ständiger Lebensgefahr zu arbeiten und den Alltag zu meistern, braucht viel Selbstdisziplin. Wer aus Deutschland nicht fliehen konnte, wurde ins KZ gebracht. Konrad hatte eine Menge Fotografien über diese Zeit. Ich sah auf den Bildern die verzweifelten und angsterfüllten Gesichter vieler Familien. Schon die Vorstellung, dass es Denker gab, die einen Befehl formulierten, um Juden zu ermorden, macht mich heute noch fassungslos. Das Töten von Juden wurde legalisiert, als „Endlösung" bezeichnet und letztlich industriell betrieben. Eine perfide Ausrottungsmaschinerie. Schon der Gedanke lässt mich frieren. Konrads war stolz darauf, ein Jude zu sein. Das spürte ich. Am Anfang scheute er sich ein wenig, damit in die Öffentlichkeit zu gehen. Später, als die Linkspartei den Bürgermeisterposten in Marzahn übernahm, bezog er öffentlich Stellung dazu und dass er mit der braunen Garde nicht einverstanden sei. Endlich machte die Politik deutlich, in welche Richtung es gehen würde. Er fühlte sich von ihnen verstanden. Während eines Bürgerfestes auf dem Altlandsberger Platz entdeckte Konrad einen Stand der Linkspartei, wo er sofort mit den roten Denkern ins Gespräch kam. Konrad und ich vertraten fast die gleiche politische Meinung in Bezug auf den neuen Status der Linken gegenüber der ehemaligen SED. Ich kann mit dem Begriff Sozialismus schwer umgehen. Es gab nie einen

183

Sozialismus in Deutschland, und die Demokratie wurde nicht gefördert in der ehemaligen DDR, auch wenn Honecker jeden Tag im Neuen Deutschland verkündete, dass der Sozialismus stärker würde. Massenhafte Ausweisungen von politisch Andersdenkenden gab es, nur um dafür Westmark zu erhalten. Das hat mit Sozialismus nichts zu tun. Ich verstand diese Art von Politik nicht. Warum durfte ein Denker in der DDR nicht anderer Meinung sein? Das Ergebnis war die Verhaftung von politisch Andersdenkenden. Geheime Gerichtsprozesse und lebenslange Gefängnisstrafen waren die Folgen. Wer Glück hatte, der wurde durch den Westen freigekauft und die DDR-Regierung bekam für ihre dreckige Politik auch noch West-Geld überwiesen. Was ist das für ein Sozialismus? Der eigentliche Sinn blieb mir verborgen. Ebenso verstand ich nicht, warum eine Mauer inmitten von Berlin errichtet werden musste. Um das Ausbluten der DDR zu verhindern? Diese Frage zu stellen, war nie erlaubt. Freiheit ist aber Teil einer Demokratie, die der Sozialismus gut vertragen hätte, wenn die oberen Denker tatsächlich eine gerechte soziale Politik gemacht hätten. Heute ist jede Partei in Deutschland im Wandel und versucht zu retten, was zu retten ist. Jeder politische Denker in der Regierung arbeitet auf Zeit, denn man will ja die Arbeitsjahre als Beamter hinter sich lassen, um schließlich mit fünfzig einen schönen Lebensabend zu genießen. Das Konto ist dann gut gefüllt, denn sie brauchten ja auch nie in das Sozialsystem einzahlen. Warum nicht? Auf die Frage bekam ich nie eine richtige Antwort. Warum auch? Zugleich wächst die Unzufriedenheit im Volk rasant an. Und manche Denker, die in die alten Bundesländer kommen und dort wohnen, fühlen sich in einer neuen Abhängigkeit. Sie werden nicht ernst genommen. Ihre Sorgen und Ängste nehmen zu und führen zu Ohnmacht, die letztlich kein Bezirk in Berlin braucht.

„Mit dem Anzünden von Flüchtlingsheimen werden Grenzen überschritten", Konrad und ich lasen das mal in einer Tageszeitung. Ist das nur in Hellersdorf und Marzahn so? Nein, Hertha! Das ist ein generelles Problem bei uns. Egal in welchem Bundesland das vorkommt. Es gibt stets eine gute Seite, also jene Denker, die Vernunft und Hoffnung an den Tag legen, und hassgesteuerte Denker, die Unfrieden und Hass im Volk schüren. Das ist Fakt. Überall wird Angst gesät. Man sollte diese hasserfüllten Denker ernst nehmen.

Junge Denker, die gerade die Schule verlassen, ob mit Abschluss oder ohne, auf die sollte man achtgeben. Wir, die erwachsenen Denker sollten ihnen Sicherheit und Vertrauen schenken. Wir sollten sie ernst nehmen, wenn es ihnen nicht gut geht, egal welche Probleme ihnen am Herzen liegen. Ein Wegschauen ist für deren Zukunft sehr gefährlich. Manche Politiker in der Regierung sollten sich öfter mal unter das Volk mischen und das Gespräch mit anderen Denkern suchen, statt vor der Presse Phrasen zu dreschen. Im respektvollen Miteinander bekämen die jungen Denker so eine feste Grundlage für ihr Leben. So könnte ich mir eine lebendige Demokratie in unserem Staat vorstellen.

Wann bekommen wir zum Beispiel eine Regierung, die keine Waffen mehr produzieren lässt, die keine Waffen mehr in Kriegsgebiete versendet? Wann beginnt die eigentliche Hilfe für die Dritte Welt? Wann setzen wir endlich all die Präsidenten, Könige und Kanzler ab, die Krieg wollen statt Frieden? Ich meinte zu Konrad, dass wir Menschen aufpassen müssten, nicht noch mal einen Hitler zu bekommen.

Ich weiß, dass Konrad nicht dein leiblicher Bruder war. Und doch fühlte ich, dass ihr beide eine Menge Gemeinsamkeiten habt. Ihr wusstet innerlich, dass der Frieden für alle Länder auf der Erde eine große Bedeutung hat. Ich mochte daher auch seine Art und Weise, wie er die ernsthaften Probleme im Alltag anging. Nie wurde er wütend. Er war stets bei sich, wenn es darum ging, einen fairen Dialog zu führen. Das macht schon was aus, wenn ein reifer Denker wie Konrad nicht destruktiv diskutiert, sondern auf Augenhöhe. Er suchte ständig Lösungsansätze und baute eine Verbindung zu seinem Gegenüber auf, egal aus welchem Land er kam und welchen Beruf er ausübte. Für mich war Konrad wie ein Vater. Er war warmherzig und hatte für mich Verständnis. Durch ihn lebte ich wieder gern. Er war da und gab, ohne dass ich was einforderte.

Verständnis ist ein Wort, das in seiner Bedeutung selten wahrhaftig gebraucht wird. Die Gedanken am anderen Ende einer Stadt werden nicht gebraucht, da kein Denker sich aufbäumt und dagegen ist. Die Himmelsrichtungen waren noch verschwommen, da die Bilder, die das Böse in sich trugen, noch auf der Mauerkante zu sehen waren. Daher gab ich acht, dass die bösen Blicke mich nicht trafen und zu einem Glauben auffordern konnten, der einer Illusion gleichkäme. Gemächlich sah ich zu, wie die großen Tore hinter mir verschlossen wurden, da die Sicherheit von Macht und Gier zu keiner Zeit ein Garant dafür war, meinen persönlichen Namen aufzuspüren, um mir zu drohen. Und doch lebte die Unsicherheit und breitete sich langsam auf dem Feld aus. Alles könnte enträtselt und entnommen werden, damit sich der Geist vom Bösen befreien kann. Und doch schien es vergebens, dass ich die Grenzen meiner Nervosität überschritten und erneut über das nachgedacht habe, was die Vergangenheit vergessen hat. Ich sollte es bleiben lassen, die vergangene Zeit weiterhin zu betrachten. Vielleicht wäre es gut, überhaupt alles so zu belassen, um dem Verständnis einen neuen Input zu geben.

Dein Konrad freute sich immer sehr über meine neu gemalten Aquarelle. Da seine Freude echt war, zeigte ich sie ihm auch gern. Er nahm sich Zeit und ließ beim Betrachten seine Gedanken ins Bild einfließen. 120 Bilder wollte ich noch malen und dann den Pinsel aus der Hand legen. Er war fassungslos. Er bedauerte es, dass ich danach mit dem Malen aufhören wollte. Ich würde eine große Chance vergeben, ein besonderer Maler zu werden, meinte er.

Es berührt mich, wenn ich daran denke, wie er diesen Satz sagte: besonnen, ruhig und tief in sich bleibend. Wenn ich ein Aquarell fertig hatte und Konrad es für künstlerisch wertvoll befand, haderte ich immer mit mir. Das Schreiben ging mir da besser von der Hand. Das Verlangen zu schreiben wurde stärker und stärker. Malen und Schreiben, das ging nicht. Eins davon würde immer zu kurz kommen. Halbe Geschichten, unfertige Bilder. Bücher, die nie fertiggestellt würden. Schon dieser Gedanke war für mich ein Groll, mit dem ich nicht leben wollte. Als ich das letzte Aquarell fertig hatte, fiel es mir nicht schwer, die vielen Farbtuben zu entsorgen. Papier und Pinsel, Schalen und Fächer, Federn und Schaber – all das steckte ich in eine Tüte und brachte es zum Müll. Endlich nicht mehr mit anderen kreativen Denkern ins Duell gehen müssen, das war ein schönes Gefühl. Es tat mir sichtlich gut, als normaler Denker in eine Ausstellung gehen zu können, um mir die fremden Werke anzusehen. Endlich konnte ich meine innere Ruhe finden.

Hertha, du kannst mir vertrauen, ich befasse mich intensiv mit geschriebenen Texten und empfinde manchmal sogar das, was ich schreibe. Vielleicht ist es ein Weg, mich näher zu betrachten. Vielleicht ist es ein Weg, wo die winzige Substanz einer zurückgebliebenen Wahrheit auf mich wartet. Denn falls sie auf mich wartet, könnte ich mich neu entdecken. Jedes Fragment eines Satzes müsste sich in mir widerspiegeln, damit ich erkenne, dass der begonnene Prozess einer Wandlung gleichkommt.

Als Kind wusste ich nicht, was Freiheit wirklich bedeutet, denn ich fühlte mich in Freiheit. Im Kindesalter fragt man nicht, was morgen geschieht, wenn man eine Stunde später aufsteht, um den Tag zu begrüßen. Was wäre, wenn ich morgen nicht zum Arzt fahre, sondern mich anders entscheide? Was wäre gewesen, wenn meine Mutter einen anderen Mann geheiratet hätte? Das sind Fragen, denen ich früher gern nachgegangen wäre.

Als erwachsener Denker ist das Denksystem überlastet und die Gedanken kreisen um die Zukunft. Jeder Gedanke wird in der modernen Zeit analysiert. Und man rätselt, was geschehen könnte, falls ich morgen den ganzen Tag verschlafen würde. Eine ungerechte Frage, finde ich. Dennoch befasste ich mich mit dieser Frage fast jeden Tag, um zu ergründen, woher meine innere Wut kommt. Ich fand bisher keinen Ansatz. Daher werde ich die verloren geglaubten Inseln, von denen ich früher dachte, deren Fantasie würde mich retten, erneut aufsuchen, um die Fragen zu beantworten. Denn sie geben mir Gewissheit und sind eine Bereicherung, die Vernunft in mir abzufedern, die früher durch

Vaters Strenge fast gänzlich zerstört wurde. Ich sollte stolz auf mich sein, die Ebenen meines ich's zu erkennen. Damit meine ich, endlich mal nein zu Dingen zu sagen, die mir nicht guttun, sondern mich krank machen. Und ich sollte dort ja sagen, wo ich mein Lachen finde. Das waren stets die Kleinigkeiten im Leben, die ich früher übersah, um letztlich den anderen Denkern gerecht zu werden.

Die Züge fahren vom selben Bahnsteig. Ich weiß aber heute, dass meine Zuglänge kürzer geworden ist. Im Kindesalter hatte der Zug 28 Waggons und düste mit 150 Sachen durch die Gegend. Heute hat mein Zug wahrscheinlich nur noch 4 Waggons und fährt durch Hellersdorf mit 30 Kilometer pro Stunde. Das könnte mir genügen, um mein Leben zu begreifen.

Vater missachtete mich als Kind und nahm auf meine Gefühle keine Rücksicht. In meiner Jugend schrieb ich zum Beispiel diverse Texte. Im Schreibtischfach lagen unzählige Gedichte und warteten nur darauf, dass man sie las.

„Und das nennst du Gedichte? Das ist purer Unsinn!", sagte Vater streng, akkurat und Angst machend. Eines Tages war das Schreibtischfach dann leer. Für mich ein echter Schock, dass all die vielen Textseiten verschwunden waren. Mutter hatte sie aus dem Papierkorb genommen und verbrannt. Hertha, das sind alte Verletzungen, die schlecht heilen. Schorf bildet sich und die Wunden vernarben. In der heutigen Zeit ist es ein Geschenk, mit dem Schreiben das damalige Geschehen zu verarbeiten. Es motiviert mich, die Ereignisse meines Lebens, die von Lieblosigkeit und Gewalt geprägt waren, wie ein Puzzle zusammenzusetzen. Glaube mir, Hertha, ich hege keinen Groll mehr gegen meinen verstorbenen Vater und ich verurteile ihn auch nicht. Ich versuche, beim Schreiben neutral zu bleiben, auch wenn mir das nicht immer gelingt. Doch das Schreiben gibt mir ein Gefühl von Sicherheit.

Der innere Schmerz begann sich irgendwann in mir anzukündigen. Es war ein eigenartiges Gefühl, den Moment erkannt zu haben, als ich die Ereignisse in meiner Kindheit begriffen hatte. Durch diese ungeahnte Erkenntnis nahm ich eine Ebene wahr, die ich nie zuvor fühlen durfte. Wie sollte es weitergehen? Die Antwort gab ich mir selbst.

Hellersdorf prägt Tag für Tag unerklärbare Visionen von Ideen und Gedanken in mir. Veränderungen begründen, warum ich hier nicht fort möchte. Der Zuzug von Denkern aus aller Welt beginnt Fahrt aufzunehmen. Neue Wohngebiete öffnen ihre Pforten, und die Gelassenheit, die daraus resultiert, macht etwas mit mir, sodass ich den kreativen Prozess weiter begleite. An allen Ecken und Kanten bricht ein leises Spektakel auf, von dem ich annehmen darf, es will etwas verändern. Egal welche politischen Strömungen sich in der Gesellschaft auftun. Egal wie stark die braune Kraft in den Straßen wütet, um ihre Ziele zu erreichen. Egal wie sehr das Geld die Welt regiert. Egal wie schnell die Denker der Welt zum Knecht oder Bettler werden und welche Unruhen und Drohungen in den Revolverzeitungen über Hellersdorf verkündet werden. Es wird zu jeder Zeit die Gerechtigkeit und der soziale Frieden im Fokus stehen, weil ich denke, dass der Alltag stets das ehrliche Stimmungsbild wiedergibt. Respekt zu zeigen, ist eine oft angetroffene Äußerung der in Hellersdorf lebenden Denker.

Konrad misstraute mir, wenn ich davon sprach, dass die Lebensgeschichte eines jeden Denkers bereits feststeht. Geburt und Tod sind uns gegeben. Wir können daran nichts ändern, nur akzeptieren. 1930 wurde Konrad geboren. Ich meinte zu ihm, dass das so festgelegt war. Es sollte so sein, dass zwei unterschiedliche Geschlechter sich in die Augen schauten, sich verliebten und neues Leben schufen. Konrad lächelte. Er nahm die Gedanken auf und dachte darüber nach, statt sich mit seiner Angst zu beschäftigen. Das Gute daran war, dass die Bekanntschaft mit Konrad kein Zufall war.

Die Geschichte ist dir bekannt, liebe Hertha. Unsere Trilogie über Hellersdorf ist mit Konrad und durch ihn entstanden. Wir lernten uns kennen. Das war eine enorme Bereicherung, von der wir beide profitierten, aus der eine Freundschaft entstand. Je mehr wir uns mit dem Thema Hellersdorf befassten, desto mehr fanden wir heraus, was ein Bezirk nach außen hin repräsentiert. Erstaunlich war, dass wir überhaupt über Hellersdorf zu schreiben begannen. Schon die Idee, ein Buch zu schreiben, fand ich grandios. Ich bin überzeugt, dass die Trilogie die Sinnsuche nach uns selbst verstärkt hat.

Unbeeindruckt nahm ich die latente Welt um mich herum wahr. Mir war es wichtig, unsere Charakterzüge richtig zu beschreiben. Die Kindheit gehörte selbstverständlich dazu, denn ohne diese Zeit wären wir nicht die, die wir sind. Unsere Basis war das innere Kind. Du blickst etwas verwirrt, Hertha. Du zweifelst daran, dass ein inneres Kind in uns lebt? Ich denke, dass deine Zweifel irgendwie berechtigt sind, da du dich wahrscheinlich wenig mit dir selbst beschäftigt hast. Konrad schüttelte darüber auch immer den Kopf. Aber gerade die Ablehnung dieses Themas hat zur Folge, dass die Angst dich erreicht. Du weißt instinktiv, was Gut und Böse für dich bedeuten. Deine innere Stimme sagt dir, dass du das Gute magst und das Böse ablehnst, und das in Sekundenschnelle, ganz spontan, ohne lange zu überlegen. Und warum lehnst du das Böse spontan ab? Weil in dir eine ehrliche Entscheidung getroffen wurde, die dich letztendlich daran erinnert, dass du für dich selbst sorgen kannst. Falls du dich aber ignorierst und dein Gefühl von dir abgelehnt wird, dann wird die Angst dich beherrschen. Und deshalb sprechen unsere Eltern ungern über Gefühle. Bedenke, nur wenn man über seine Gefühle spricht, fällt es einem leichter, schwere Entscheidungen zu treffen. Oder du lässt dein Bauchgefühl entscheiden. Die Entscheidung, den dritten Teil von Hellersdorf zu schreiben, fiel mir jedenfalls nicht schwer. Das innere Kind in dir wollte das Buch fertigstellen. Ich sage dir auch, warum es so entschieden hat. Es war die fehlende Angst. Auch in mir ruhte der Teil, der sich mit der Wut beschäftigte, um die Angst zu füttern. Hätten wir das Buch aber nicht fertiggestellt, wäre in mir Leid entstanden, und Leid sucht Schuld, von der ich genau weiß, dass ich sie in meiner Umgebung suchen muss.

Konrad beschäftigte sich viel mit seinem Leid, weil er mit den Gedanken in der Vergangenheit blieb. Seine Gedanken waren irgendwie vergiftet und hatten nichts mehr mit der Zukunft zu tun. Oft sprach er davon, das Buch nicht mehr zu wollen, da es sowieso keiner lesen würde. Zweifel kamen in ihm hoch. Wir beiden hatten daher immer einen Konflikt auszufechten. Ich war nämlich der festen Überzeugung, dass das Buch „Hellersdorf" gedruckt werden sollte. Denn wie sollte man sonst herausfinden, ob es Anklang findet. Glaube mir, Hertha. Diesen Konflikt mussten wir öfter austragen, da Konrad mehr die Angst in sich schürte, als mir zu vertrauen. Mein Selbstwertgefühl war zu diesem Zeitpunkt nicht sehr groß, trotzdem wollte ich das Buch veröffentlichen. Ich bin stolz, trotz bitterer Widerstände, diesen Weg mit dir, liebe Hertha, zu Ende gegangen zu sein.

Wenn ich mit der S-Bahn in den Bahnhof Biesdorf einfuhr, fiel mir an manchen Tagen das Schloss Biesdorf ein. Als das Schloss noch nicht restauriert worden war, bin ich gern mit dem Fahrrad im Park durch eine schöne Baumallee gefahren. Am Ende dieser Baumallee ließ ich das Fahrrad stehen und ging gemütlich am Schloss vorbei, um nachzuempfinden, wie man in der damaligen Zeit dort gelebt hat. Ich stellte mir viele barocke Pferdekutschen am Eingang vor. Die farbenprächtigen Kleider aus Seide, die mit Fransen und hohen Stehkragen ausgestattet waren, gaben mir im Traum ein Gefühl, dass deren Welt noch in Ordnung gewesen war. Heute, in der modernen Zeit, sind die neuen Schlossherren aufgeklärter. Sie hegen die Hoffnung, mit dem Schloss viel Geld zu verdienen. Daher verfolgen sie ein anderes Ziel, als nur Besucher zum Kaffee trinken anzulocken. Zu Jubiläen werden politische Prominenzen empfangen, um ihnen die Kunst der kreativen Denker aus allen Landesteilen zu zeigen. Aber auch der Besuch der Räume im Inneren des Schlosses ist für viele ein willkommener Anlass. Man soll betrachten, berühren, bestaunen und angetan berichten, und das in einem sehr schönen Ambiente. Alles ist heute modern gehalten und besitzt dennoch einen Hauch von Nostalgie. Das kann man gut sehen, wenn man die Treppe zum Eingang hinaufgeht und die beiden Seiten der geschwungenen Geländer berührt. Helligkeit prägt jeden Raum in alle Himmelsrichtungen. Dort sind auch die Kunstwerke ausgestellt. Für mich stellt sich die Frage, wer oder was will gesehen werden? Das Kunstwerk oder der kreative Denker?

Hertha, es ist nachvollziehbar, dass die kreativen Denker jahrelang an ihren kostbaren Werken gearbeitet haben, damit sie einmal Geld einbringen. Die Galerien an sich sind große Bühnen. Das Kunstwerk einerseits und der kreative Denker andererseits – eine gewaltige Dominanz. Ich meine, Hertha, wehe es gelänge die Fratze der Dominanz beiseite zu lassen, dann würde man die Kunstwerke verstehen. Der kreative Denker ist stets gewillt, eine außergewöhnliche Kunst der Öffentlichkeit zu bieten. Sie muss hochwertig sein, außergewöhnlich fremd und schräg empfunden werden. Die Kunstwerke müssen etwas nie Dagewesenes offenbaren, um einen Schock auszulösen. Bedenke, Hertha, die Renovierungskosten von Schloss Biesdorf verschlangen mehrere Millionen Euro. Das muss mit besonderer Kunst wieder reingeholt werden. Andere Kunsthäuser in Hellersdorf und Marzahn kämpfen dagegen um das nackte Überleben und stellen diverse Projektanträge, um an Ausschreibungen heranzukommen. In Hellersdorf sind Galerien rar, sodass jedes Haus kämpfen muss, um eine gewisse Aufmerksamkeit zu erhalten. Und Presseabteilungen, die dafür da sind bestimmte Veranstaltungen in der Öffentlichkeit anzupreisen, sind zu teuer. Die führenden Denker der Kulturhäuser behelfen sich deshalb mit billigen dreiseitigen

196

Flyern, die entweder in den öffentlichen Häusern im Bezirk ausgelegt werden oder den mühseligen Weg in die Briefkästen finden. Begehrt und immer wieder neu entdeckt ist das Internet, um die kulturellen Botschaften in Windeseile zu verbreiten. Ob beides den Erfolg verspricht, kann ich aus eigener Erfahrung nur mit nein beantworten.

Hertha, ein kreativer Denker zu sein, ist ja in Ordnung, aber von seiner Kunst zu leben, ist ein riskantes Unterfangen. Man muss also gut überlegen, den Schritt in diese Art von Selbstständigkeit zu wagen. Und ein Studium in der Kunst anzufangen, mag jeder für sich entscheiden. Ich war glücklich, es nicht getan zu haben.

Nach Jahren wurde endlich im Senat entschieden, dass das Kulturforum in Hellersdorf renoviert werden soll. Lange politische Gespräche und Verhandlungen waren dem vorausgegangen. Ein schwieriges Unterfangen konnte beendet werden. Dann stand das erste Baugerüst. Auch das Theater am Park, nicht weit vom Schloss Biesdorf gelegen, kämpft ums Überleben. Der bereits stillgelegte geräumige Saal wartete auf seine Instandsetzung. Irgendwann werde ich, hoffentlich noch zu meinen Lebenszeiten, den roten Vorhang sehen, der die Bühne frei macht. Wo kein Vorhang mehr hochgezogen wird, ist das schöne ehemalige Kino Sojus in Marzahn.

Ja, Hertha, wir haben nicht viele Kulturhäuser, aber selbst diese wenigen Häuser ließ man „verkommen". Ein anderes Wort kann ich dafür nicht finden, denn es gab zu keiner Zeit den ernsthaften Willen in der Politik, die Galerie in der Marzahner Promenade und das Kino Sojus zu retten. Das Schloss Biesdorf im neuen Glanz zu sehen wäre ein Beweis dafür, dass alles machbar ist. Die heutigen „Könige" denken sicher, dass die Stadtteile Hellersdorf und Marzahn keine Kultur brauchen. Aber weit gefehlt. Hellersdorf und Marzahn sind gewachsen. Ihre Denker wollen Kultur genießen, sie erleben und nicht mit der S-Bahn in der Stadt fahren, weil dort die Theaterhäuser, Museen und Bars zu jeder Tageszeit ihre Türen offen haben. Für Konrad war das wirklich bitter, dass man in der Marzahner Promenade ein Prachthaus mit einer Galerie einfach abgerissen hat. Großflächige Fenster überragten die schön geschnittene Galerie über zwei Etagen, sodass viel Licht hineinströmen konnte. Heute befindet sich dort eine Wiese und man kann nur erahnen, dass man dort vor Jahren noch wunderschöne Ausstellungen gefeiert und bejubelt hat. Solche Galerien gab es nur in Marzahn. Eine Freundin von mir hat mal dort ausgestellt. Ich werde den Moment nicht vergessen, wie ihre Aquarelle in der Sonne strahlten und die Farben so herrlich hervorstachen.

Es gibt zwar noch eine Galerie auf der gleichen Promenade, aber die entzieht sich einem Vergleich. Hertha, ich kann dir nur ein Foto zeigen, wie solch ein Prachtstück von Galerie wirklich aussieht. Ein wahrhaft großer Unterschied.

Die Kunst in jedem Stadtbezirk fest zu integrieren macht mir einige Sorgen, denn so mancher Politiker scheint nicht zu verstehen, dass die Kunst ein wichtiges Bindeglied zwischen einzelnen Volksgruppen darstellt. Unbemerkt werden die Räumlichkeiten in den Stadtteilen teurer. Ich habe den Eindruck, dass bereits jeder fünfte Denker in der Stadt sich der Kunst widmet. Als ich mit dem Malen anfing, lernte ich die „Alte Börse" in Marzahn kennen. In der Mitte von Marzahn liegt ein ehemaliges Fabrikgelände: Baracken und kleine Werkshallen. Dort lernte ich junge Denker kennen, die vor ihren eigens angelegten Gärten Stahlfiguren aus Schrott zusammenschweißten. Ausgediente Wohnwagen fungierten ihnen als Unterkunft. Im Gespräch kam heraus, dass sie sich keine Miete leisten konnten und dankbar waren, in Marzahn ein Domizil gefunden zu haben. Das hat mich ein wenig abgeschreckt, denn diesen Weg wollte ich auf gar keinen Fall gehen.

Kleine Konzerte oder Bierfeste fanden an manchen Tagen in der „Alten Börse" statt. Große Lagerfeuer mit lauter undefinierbarer Musik gaben den Bewohnern Anlass, sich bei der Polizei zu beschweren. „Ruhestörung" nennt man das in Amtsdeutsch. Für mich ist das nachvollziehbar. Die Nachtruhe muss eingehalten werden. Wahrscheinlich wussten die Bewohner aber nicht, dass die dort arbeitenden kreativen Denker einen ganz anderen Tagesrhythmus hatten. Dort geht der Tag um fünf Uhr morgens zu Ende. Dagegen ist nichts zu sagen. Die jugendlichen kreativen Denker müssen ihren Weg selbst finden, um Erfahrungen zu sammeln. Aber das ist nicht nur in Marzahn so üblich. Ich sage dazu: „Es ist das pure Leben, wo Licht und Schatten sich treffen."

Überall gab es große Industriegrundstücke in den Städten, die heute brachliegen. Die Treuhand ließ sie damals abwickeln und verramschte das Inventar. Hauptsache sie bekamen den Grund und Boden. Später wollten die Denker alles aufarbeiten, um zu erfahren, wie die DDR das arbeitende Volk in Lohn und Brot brachte. Jeder zweite Betrieb war von heute auf morgen überflüssig. Die Denker wurden auf die Straße gesetzt und der „Sintflut" übergeben. Heute wundern sich die Denker aus den alten Bundesländern, warum die Armut in den neuen Bundesländern immer noch um sich greift und die Wut weiter ansteigt.

Hertha, als die Wende kam, entstand ein tiefer Graben zwischen Ost und West. Die sozialistische Ideologie war für mich etwas Besonderes, etwas Solides, Utopisches. Ich hielt die rote Fahne nach oben, wenn es zur Parade ging. Ich erkannte aber auch, dass der Sozialismus nur eine Fassade für Denker aus allen Himmelsrichtungen, die kritisieren wollten. Und Kritik war schädlich. Sie wurde plötzlich zur Gefahr. Die einen mussten die Unterdrückung aufrechterhalten, um die untergebenen Denker (das arbeitende Volk) in Schach zu halten. Die Frage war nur, wie lange das gut gehen würde. Ich höre noch den Satz von Honecker im Palast der Republik, dass auch in hundert Jahren noch die Mauer stehen würde. Um dieses Krebsgeschwür zu heilen, musste man die Wunde offenlegen – die Mauer einreißen.

Hertha, die Wende war für mich eine einschneidende, dramatische Zeit, die ich erst mal verarbeiten musste. Die Jahre vergingen. Heute kann ich dir nicht mal genau zeigen, wo die Mauer gestanden hat. Vereinzelt kann man noch Teile davon sehen. Die Wunde ist fast verheilt, denn moderne Häuser sind entstanden, neue Straßen und viel Grün. Die junge Generation geht bereits einen anderen Weg als wir Alten. Heute entdecken die kreativen Denker, die sich der Kunst verschreiben, die alten verkommenen Arsenale für sich und errichten ihre Ateliers dort ein. Ruinen sind es. Vergessene Grundstücke. Verwahrlost. Die Zeit nagt an ihnen. Und doch werden sie genutzt. Ich denke da an den Bezirk Lichtenberg mit der „Kunstfabrik HBB55" oder an die „Alte Gießerei Berlin", wo die Kunst als Handwerk Fuß fassen konnte. Auch in den Reinbeckhallen in Schöneweide hat sich die Kunst etabliert. Ob mit Erfolg, das wird die Zeit zeigen.

Ich könnte dir noch viele andere Standorte in Berlin zeigen, wo die Kunst beheimatet ist, Hertha. Trotzdem muss die Kunst immerzu kämpfen, um sichtbar zu bleiben. Die Konkurrenz ist hart und erfordert starke Ellenbogen, um sich zu behaupten. Der Markt ist heiß umkämpft, wenn es um eine Ausstellung geht. Ich verließ damals das Gelände der „Alten Börse", ohne einen Anhaltspunkt zu haben, dass man mich dort haben wollte. Mein Gefühl war, dass sie unter sich bleiben wollten, und das respektierte ich. Zugegeben, die Einnahmen waren der „Alten Börse" ebenso wichtig wie die Aufmerksamkeit. Die Gewerbemieten möchten jeden Monat beglichen werden – mit oder ohne Kunst. Vor gut einem halben Jahr fuhr ich mit dem Fahrrad noch mal an der „Alten Börse" vorbei. Die Stille war ohrenbetäubend. Die ausgedienten Bauwagen sind mittlerweile verschwunden und die ehemaligen Beete konnte ich nur noch erahnen. Vereinzelte Bänke standen vor einem geschlossenen Café. Rechts daneben war noch eine aktive Brauerei im kleinen Stil, die im Innenhof mit bunten Fahnen auf sich aufmerksam machte.

Der Winter in Hellersdorf ist milder geworden, wie überall. Der Regen bleibt aus und der Übergang vom Sommer zum Herbst vollzieht sich nahezu übergangslos. Die Temperaturen sinken nur leicht und die Blätter der Bäume beginnen schnell zu welken. Der Kienberg fröstelte ein bisschen bei Nacht, wenn es Vollmond ist.

Wenn ich früher einen Abendspaziergang unternahm, musste ich mir an manchen Tagen eine Jacke überziehen, um nicht zu frieren. Erst dann wusste ich, dass der Herbst an die Tür klopfte. Und darüber war ich froh, denn vierzehn Wochen anhaltende Hitze und Sonne waren zu viel des Guten. Konrad suchte die Schuld dafür im veränderten Klima, extrem heiße Sommer und trockene, milde Winter. Ich distanzierte mich davon. Meine Meinung ist: „Der CO_2-Ausstoß hat keine großen Auswirkungen auf das Klima. Klimaveränderungen hat es in der Geschichte unseres Planeten schon immer gegeben. Für mich ist das eine Panikmache." Ich meinte zu Konrad, dass die Planeten in unserem Universum ihre Positionen nicht verändern. Was aber, wenn doch, wenn die Klimaveränderungen nicht hausgemacht sind, sondern von einer veränderten Position unseres Planeten stammen? Es würde ausreichen, wenn sich ihr Winkel zur Sonne verändert. Hertha, es liegt auf der Hand, dass auch unser Himmelskörper im Weltall in Bewegung ist und sein Umlauf um die Sonne unverändert ist. Aber ein Prozent Veränderung in seiner Schrägachse zur Sonne würde genügen, damit er klimatechnisch außer Kontrolle gerät. Auch wir Menschen tragen eine erhebliche Mitschuld an den Klimaveränderungen. Schau dir die Autoindustrie an, Hertha. Das beste Beispiel: VW und Daimler haben die Abgase ihrer Dieselmotoren manipuliert und behaupten, es sei alles in Ordnung. Es geht letztlich ums Geld. Nord- und Südpol werden weiterhin abschmelzen und andere Gegenden auf dem Erdball werden kälter, und irgendwann wird in Afrika oder in Lateinamerika der erste Schnee fallen. Die Veränderung des Klimas ist nicht mehr zu stoppen. Vor Millionen von Jahren war in Europa eine Eiszeit und hinterließ großartige Veränderungen in der Natur. Wo früher das Meer war, sehen wir heute die Alpen oder die Märkische Schweiz. Fast jedes Gebirge lag unter Wasser und es schwammen Fische, die keiner kannte. Also, was soll das ewige Gejammer über den Klimaschutz? Selbst die Elektroautos werden das Szenario nicht stoppen, der nächste heiße Sommer kommt bestimmt.

Und was hat das mit Hellersdorf zu tun? Die jungen Birken am Kienberg, die vor zwei Jahren eingepflanzt wurden, geben uns ein ernsthaftes Zeichen, dass das immer tieferliegende Grundwasser immer weniger an ihre Wurzeln gelangt. Und doch ignorieren wir den erbärmlichen Zustand der jungen Birken. Konrad und ich sahen genau hin und riefen beim Landschaftsgartenamt an, um ihnen mitzuteilen, dass die jungen Bäume Wasser brauchen. Aber was Entscheidendes hat sich nie getan.

Seitdem der Wolkenhain auf dem Kienberg seine Pracht als Bauwerk offenbarte, war es mir eine Freude, ihn dir zu zeigen. Ich führte dich auch an den Ort, wo ich Konrad zum ersten Mal traf. Auf der Terrasse konnten wir einen weiten Blick über Marzahn werfen. Bei klarer Sicht sahen wir die Ahrensfelder Berge. In der Ferne erkannten wir den Funkturm. Die frische Brise dort oben gab uns das Gefühl, frei zu sein. Bei einer Tasse Kaffee konnten wir über Dinge sprechen, die uns auf dem Herzen lagen. Konrad wusste stets, wann es mir nicht gut ging und wir reden mussten. Er hatte recht, mich zum Sprechen aufzufordern, wenn ich mich still zurückziehen wollte. Sein intensives Nachfragen machte Sinn, denn so erfuhr er, was mich beschäftigte. Zum ersten Mal gab ich dem nach und versuchte, das Gefühl der Angst in mir zu beschreiben.

Hertha, ich habe nie gelernt, über mich zu sprechen, und schon gar nicht über meine Gefühle. Ich nahm die Verletzungen als Kind, Jugendlicher, Grenzer, Ehemann, Vater und als erwachsener Denker einfach hin. Ich ließ mir alles gefallen und leistete keinen Widerstand. Hauptsache nicht auffallen, das genügte mir. Und ich wollte nie im Rampenlicht stehen. Wenn ich eine Idee hatte, wurde sie von anderen Denkern genutzt. Seit ich vor zwanzig Jahren mit dem Rauchen aufgehört habe, ging es mir tatsächlich besser. Du musst wissen, dass ich früher gern geraucht habe. Nach dem Frühstück zwei Zigaretten, das war nicht selten. An manchen Tagen rauchte ich mehr als zwei Schachteln. Auf die Dauer wäre das nicht gut gegangen, das wusste ich.

Auf deiner Frage, wann ich genau aufgehört habe, brauche ich nicht lange zu überlegen. Der 40. Geburtstag stand bei mir auf dem Plan. Einen Tag zuvor reinigte ich mein Auto und entfernte alle Aschereste mit einem Staubsauger. Zu Hause entsorgte ich die vielen Aschenbecher und Feuerzeuge. Die angebrochenen Zigarettenschachteln warf ich in den Mülleimer. Meinen Geburtstag feierte ich dann bereits ohne Zigaretten. An den darauffolgenden Tagen spürte ich komischerweise kein Verlangen nach einer Zigarette. Nach Wochen erst hat mich der Reizhusten losgelassen, meine Atmung wurde gleichmäßiger, die Fingerspitzen verloren das Nikotinbraun und ich nahm den Geschmack einer Apfelsine oder einer Ananas wieder intensiver wahr. Ich konnte wieder besser riechen, und das nach über zwanzig Jahren. Gelassen sehe ich seitdem die Raucher vor den Kneipen und Cafés stehen. Hertha, selbst einen Pfefferminztee genieße ich nun anders als vorher.

Vor etwa zehn Jahren lernte ich bei einem Aufenthalt in der Klinik für anthroposophische Medizin eine junge Denkerin mit dem schönen Namen **Magdalena** kennen. Sie pflegte ihr langes dunkelblondes Haar – kämmte es oft, damit es glatt auf ihren Schultern lag. Ich fand es seltsam, dass sie es immer wieder bürstete, obwohl es doch längst akkurat gekämmt war. Der Altersunterschied zwischen uns beiden war äußerlich gesehen kaum erwähnenswert. Unser Gesprächsstoff bezog sich komischerweise auf Bücher, die wir im Lesezimmer der Klinik ergatterten.

Eines Tages weckte ein langes Buchregal unsere Neugierde. Ich konnte nicht anders als mir auf der Suche nach Theodor Storm die Bücher genauer anzuschauen. Ich fand den Schriftsteller auf Anhieb, nahm ein Buch von ihm in die Hand und begann zu lesen. Magdalena schaute zu mir und fragte mich, was das für ein Buch sei.

„Theodor Storm", meinte ich zu ihr. Sie war sofort begeistert und davon angetan, als ich ihr sagte, dass ich Theodor Storm sehr mag. Hertha, wenn du Bücher magst, solltest du dir ein Buch von Theodor Storm kaufen. Er schreibt sanft und bewusst emotional, freudig, ganz nah am Geschehen. Seine Sätze erzeugen Ruhe in mir. Ich mag die Zeit des 18. Jahrhunderts, wo noch Droschken unterwegs waren, schwarzer Tee in den Nachmittagsstunden getrunken und die gefüllte Keksdose gereicht wurde. Ich versetze mich dann immer gern gedanklich in diese Zeit.

Nach einer Weile sprach Magdalena von ihrer Mutter, die in Weimar wohnt. Zwar sei ihre Mutter bereits Rentnerin, dennoch male sie täglich in ihrem Atelier. Seit über vierzig Jahren ist sie als Künstlerin in der Stadt unterwegs. Natürlich erzählte ich auch etwas von mir, denn wir hatten in der Klinik jede Menge Zeit. Magdalena hörte mir gut zu, als ich von meiner Mutter erzählte, beispielsweise von der Zeit in Hangelsberg nach dem Zweiten Weltkrieg. Ich freute mich nicht, als Magdalena ein Heftchen aus ihrer Handtasche nahm und mitschrieb, was ich zu ihr sagte. Mir war deshalb ein bisschen unbehaglich. Ich fragte sie, warum sie das tat. Magdalena strahlte mich an, während sie sagte, dass sie meine Wortwahl schön fände. Für sie klangen meine Beschreibungen wohltuend. Sie meinte, ich wäre eigentlich ein begabter Erzähler. Leider gab sie nur wenig von sich preis. Mir war zwar nur ihr Vorname bekannt, da aber die Schwester der Klinik ihren Familiennamen aufrief, um ihre Tabletten für den Abend zu holen, wusste ich nun ihren vollständigen Namen: Magdalena Körner. Hertha, du ahnst sicher schon, was ich mit den Namen machen wollte. Richtig! Ich gab ihren Namen ohne Sinn und Verstand bei Google ein und siehe da, ich fand jede Menge Informationen über Magdalena Körner. Sie ist eine angesehene Lyrikerin, die bereits mehrere Gedichtbände veröffentlicht hat. Viele Jahre lebte sie zuvor in Lateinamerika und schrieb die ersten Texte in Prosa. Ihr Wohnort Weimar passte zu ihrer Arbeit als Lyrikerin.

Ich fand es schade, wenn sie bei einer Tasse Kaffee sofort nach ihren Zigaretten griff, um zu rauchen. Sie drehte sich ihre Zigaretten, die sie dann gierig anzündete und den Rauch tief inhalierte. Komischerweise hat sie nie richtig zugehört, wenn ich über die Kunst sprach. Wenn sie mit ihrer Zigarette beschäftigt war, hatte sie kein Ohr mehr für was anderes. Sie wirkte auf mich sehr nervös und roch stets nach Rauch. Mit ihrer schönen dunkelblauen Bluse und der schwarzen Leinenhose wirkte sie auf mich tatsächlich wie eine Künstlerin. Und wenn sie mit ihrer Zigarette fertig war, holte sie einen Kamm heraus und kämmte wieder ihr langes Haar. Es war ein schöner Samstagnachmittag. Wir durften die Klinik für zwei Tage verlassen. Die Ärzte nannten das: „Belastungswochenende". Da Magdalena in Weimar lebte und nicht gewillt war, zu ihrer Mutter zu fahren, fragte sie mich höflich, ob ich was dagegen hätte, wenn sie bei mir bleiben könnte, auch über Nacht. Mit dem Bus und der S-Bahn kamen wir bei mir in Hellersdorf an. Sie staunte nicht schlecht, als wir vor meinem Haus standen.

„Total im Grünen", meinte sie.

Ich machte für uns Kaffee und deutete an, dass es mir gut geht. Mich warnte meine innere Stimme, sie nicht zu berühren. Magdalene spürte meine Ablehnung und tat es mir gleich. Ich musste darüber schmunzeln. Dennoch, sie war ehrlich und das schätzte ich an ihr. Und doch musste ich achtgeben, dass wir uns nicht näherkamen. Abstand nehmen und das ansprechen, was mit dem Alltag oder mit der Kunst des Zusammenlebens zu tun hat. Ich zog mich zurück und begann im Arbeitszimmer zu malen. Sie ging derweil am Kienberg spazieren. Abends aßen wir etwas und waren froh, den Tag friedvoll überstanden zu haben. Sie schlief im Wohnzimmer auf dem langen Sofa. Ich dagegen ging ins Schlafzimmer, wo ich fast dreißig Seiten von Theodor Storm las, bevor ich einschlief. Beim Frühstück wechselten wir ein paar Worte, die aber nicht für einen richtigen Dialog reichten. Ich wollte meine Ruhe haben. Kein Gespräch mehr anzufangen, war mir schon wichtig, um die Stille zu genießen. Am Sonntag gegen achtzehn Uhr sind wir beide dann wieder in die Klinik zurückgefahren. Sie wirkte auf mich reserviert. Später sogar ablehnend, als wir von der S-Bahn in den 134er Bus umstiegen. Natürlich gab es einen Grund für meine Ablehnung ihr gegenüber. Es gab eine Situation auf dem Balkon. Sie stand vom Stuhl auf und wollte an die Blumen, um verwelkte Blüten abzupflücken, als ich plötzlich neben ihr stand, um das Gleiche zu machen. Wir schauten uns in die Augen. Ich sah ihren weichen Mund und die zarten Augen. Ihr langes Haar legte sie verlegen hinter ihr rechtes Ohr. Sie berührte leicht meine linke Hand, zog sie zurück und berührte mich erneut. Was sollte ich machen? Ich bekam Angst, ihren Händedruck zu erwidern. Mir war klar, dass ich mich nicht verlieben wollte. Ich hatte genug mit mir selbst zu tun. Vater war kurz zuvor gestorben, ich musste zusehen, dass meine Mutter diese Krise einigermaßen überstand. Da war wirklich keine Zeit, um mich zu verlieben. Die Last, die ich trug, war schwer genug. Liebesgefühle waren nicht aktuell. Chaos und Stress hatten sich in meine Seele gegraben. Und letztlich war ich froh, dass die Situation auf dem Balkon mit Magdalena vorbei war. Sie war es nicht gewohnt, einen Korb zu bekommen. Das sagte sie mir, als wir uns verabschiedeten.

Ich habe nie bereut, dass Magdalena nach Weimar zurückgefahren ist und ich ihr auf dem Bahnhof Heerstraße noch alles Gute und Liebe wünschte. Sechs Wochen reichen eben nicht aus, um sich intensiv kennenzulernen. Selbst eine Freundschaft war da fehl am Platz. Sie schrieb mir noch einen Brief, der drei Tage nach unserer Abreise aus der Klinik in meinem Briefkasten lag. Ich sah den Brief. Ich sah ihre Schrift, den Absender und meinen Namen. Dann ging ich zum Müllplatz, zerriss den ungeöffneten Brief und ließ die Papierstreifen einzeln in den Papiercontainer fallen.

Ich weiß, Hertha, ich hätte ihn öffnen sollen, um ihr eine Antwort zu geben. Aber was sollte ich schreiben? Ich hatte nichts in mir, was ich ihr geben konnte. Viele Jahre später widmete ich ihr ein Buch. Ich wollte ihr damit trotzdem meine Dankbarkeit zeigen. Das Buch müsste eigentlich bei ihr angekommen sein, aber eine Antwort blieb aus. Im Vorfeld ahnte ich schon, dass Magdalena nicht zurückschreiben würde, denn sie war verletzt. Wenn ich am Kienberg auf einer Parkbank sitze, denke ich oft über sie nach. Ich glaube, dass sie trotz allem ein gutes Herz hat. In ihr war eine Liebe vorhanden, die sie versteckt hielt. Ich spürte an ihrem Lachen und den besonderen Blicken, dass ihre kindliche Neugier lebendig war. So zum Beispiel als sie in meinem Arbeitszimmer die vielen Aquarelle ansah, die ich gemalt hatte. Sie war überrascht, wie viele Ideen hinter den Motiven steckten.

An einer Anlegestelle in Gatow standen wir an der Hafenmauer. Kleine Boote und Jachten schipperten in den Hafen rein und raus. Die Möwen flogen elegant über unsere Köpfe hinweg. Ihnen zuzusehen, machte uns beiden

Freude. Das Geschrei der Möwen zeigte, dass sie sich wohl-fühlten. Bei Sonnenschein und leichtem Wind konnten wir beide die Havel beobachten, wie sich die Wellen im Wind brachen. Magdalenas Augen funkelten plötzlich. Ich wusste sofort, dass sie sich in mich verliebt hatte. Aber sie ließ es nicht zu. Schade, dass ihre Mutter ihr offenbar nicht beige-bracht hatte, dass die Liebe viele Wunder bewirken kann, wenn man sie zulässt. Sie verneinte sie aber kategorisch, in-dem sie den Weg der Kunst beschritt, um Anerkennung zu bekommen, die sie als Kind nicht bekommen hatte.

Mehr als vierzig Jahre hat ihre Mutter gebraucht, eine anerkannte Künstlerin in Weimar zu werden. Hohe Aus-zeichnungen und andere Ehrungen bekam sie für ihr künst-lerisches Schaffen. All das konnte man auf ihrer Internet-seite lesen. Hertha, du kannst auf den Internetseiten der Künstler deren Leben und Schaffen nachverfolgen. Für sie sind Lob und Ehrung ein stiller Triumph. Sich darüber zu identifizieren, ist für so manchen Künstler die einzige Mög-lichkeit der Auseinandersetzung mit der Kunst und dem Leben. Magdalenas Mutter konnte ihr nicht sagen, dass sie ihre Tochter liebte. Sie war nicht in der Lage, die innige Liebe nachzuempfinden. Zu erfahren, dass das Muttergefühl zur Tochter zu einem Glücksmoment werden kann. Da ihre Mutter vor dieser Liebe Angst hatte, ging sie wei-terhin den Weg der Verdrängung. Die sture Verleugnung der Liebe war für sie eine Option, an der sie festhielt.

Mein Vater wurde erst emotional, als er spürte, dass sein Leben zu Ende ging. Es ist schon seltsam, dass manche Denker erst im hohen Alter die Liebe in sich entdecken. Anders kann ich die plötzliche Wendung meines Vaters nicht verstehen, als er sagte, dass er mich liebt. Vater lag bereits im Krankenhaus am Tropf, da ahnte er, dass mit ihm was nicht stimmt. Wir verabschiedeten uns an dem Tag wie immer. Doch diesmal bat er mich, noch mal zurückzukommen. Die Krankenzimmertür stand noch offen, als ich ihn fragte, was es noch gebe. Ich sollte meinem jüngeren Bruder sagen, dass er ihn stets geliebt hat. Ich staunte nicht schlecht, denn es war nie seine Art, so zu sprechen. Als ich bejahte, richtete er sich im Bett etwas auf, schaute mir in die Augen und nahm meine Hand: „Auch dich mein Junge habe ich sehr lieb."

Hertha, manche Dinge werden erst sehr spät ausgesprochen. Für manche Kinder zu spät. Für mich war das im Nachhinein ein kleiner Trost. Magdalena ging dagegen den einsamen Weg. Ein Weg, sich in der Kunst widerzuspiegeln, ohne sich umzuschauen, wer neben ihr steht. Sie buhlte weiterhin um Anerkennung, in dem sie besser werden wollte als ihre Mutter.

Hertha, Magdalena hat leider vergebens auf Anerkennung durch ihre Mutter gewartet. Ihre Mutter ging wie sie unbeirrt ihren steinigen Weg und kämpfte um künstlerische Anerkennung. Ich war nicht sehr überrascht, dass Magdalena nur unter großer Anstrengung Orte für Lesungen ihrer Gedichtbände gefunden hat. Nach den Lesungen, erzählte sie mir voller Stolz, gehe sie ins Atelier, weil das Malen genauso wichtig für sie sei. Sie erzählte mir auch, dass sie vor einem Jahr neunzehn Ausstellungen organisiert habe. Sie hoffte insgeheim, dass ihre Mutter es bemerken und ihr sagen würde, wie stolz sie auf ihre Tochter sei. Ich ließ ihr die Hoffnung.

Bei solchen Gedanken habe ich innere Schmerzen, Hertha. Ich meine, früher wollte ich mit aller Kraft die Anerkennung meiner Eltern. Ich bekam sie nicht. Ich gab mir die größte Mühe, um in der Oberschule die Fächer Betragen und Mathematik mit einer Zwei abzuschließen. Als ich das erreicht hatte, ignorierten meine Eltern das einfach, indem sie zur Tagesordnung übergingen. Ein Lob, ein nettes Wort oder was anderes war nicht drin. Somit hatte ich auch Verständnis für Magdalena. Unsere „Alten Denker" waren nicht in der Lage, uns das Gefühl zu geben, wünschenswert oder willkommen zu sein. Magdalena sah mich verdutzt an, als ich ihr das sagte.

Ich glaube, Hertha, sie hat nicht verstanden, dass ich damit zum Ausdruck bringen wollte, dass in unseren Eltern die Liebe für ihre Kinder fehlte. Ich betrachte die Dinge von damals heute anders und lege keinen Wert mehr auf irgendeine Anerkennung. Ich werde mich nicht mehr selbst richten, nicht mehr über mich und andere Denker urteilen.

Ich habe kein Bock mehr, mein Ego zu bedienen. Es wird ohnehin nie zufrieden sein und immer wieder neue Ängste in mir schüren. Um auf das Buch zurückzukommen: Konrad und ich fragten uns, ob es den Denkern in Hellersdorf und Marzahn gefallen würde. Erst spät erkannten wir, dass es eine Trilogie werden würde, weil unsere Geschichten nicht alle in den ersten und zweiten Teil hineinpassten. Ich war daher der festen Überzeugung, dass wir daraus eine Trilogie machen sollten. Die Denker draußen würden das akzeptieren und entscheiden, ob es ein Erfolg wird. Selbst wenn die Trilogie ein Misserfolg würde und unbemerkt von der öffentlichen Bühne verschwände, wäre es legitim. Konrad und ich würden keinen Einfluss darauf nehmen, welchen Weg diese Geschichten einschlagen.

Hertha, unter dem Strich war es mir von Anfang an egal, wie das Buch in der Gesellschaft aufgenommen wird. Wir haben das Buch mit der Maßgabe geschrieben, unsere ehrlichen Gefühle darzulegen. Und nicht nur das. Beim Schreiben konnte ich mich mit meinen Gefühlen auseinandersetzen. Ich lernte, sie einzuschätzen und zu akzeptieren, wurde hellhöriger und sensibler.

Konrad fühlte sich von Tag zu Tag sicherer, und als er die fertig geschriebenen Seiten las und die erlebten Geschichten nachträglich noch mal ausführlich durchging, war er äußerst zufrieden mit sich und unserer Arbeit. Hertha, es gab Situationen im Leben von Konrad, die er gut behalten hatte. Zum Beispiel die Momente mit den Kindern in einem Kindergarten in den Gärten der Welt prägten sich mir tief ein. Die Berührung der Kinder im Alter von vier Jahren entzückte ihn so sehr, dass er tagelang nur davon sprach. Als Konrad noch lebte, wollte ich das im Buch genauso wiedergeben, wollte jeden Zug seines Charakters offenlegen und für jeden Denker sichtbar machen. Ich wollte zeigen, dass Konrad als Jude ein Denker von vielen ist. Mir war es in dem Augenblick unwichtig, woher seine Wurzeln stammten und welche Ansichten er über die Welt hatte. Er war ein Hellersdorfer und mochte gern an diesem Ort sein, wo sich die Natur im Einklang befanden. Er war es, der mir die Schildkröte im Wuhleteich gezeigt hat. Und die wild über unseren Köpfen fliegenden Schwalben mit ihrem Gesang von Freiheit waren unvergesslich. Fast jeden Tag standen wir auf dem Wuhlesteg und beobachteten die Wildgänse mit ihren Jungen, die ihre Umwelt begutachteten. Selbst auf der Obststreuwiese spielten viele Stieglitze und erhaschten die Körner der Pflanzen, die dort blühten. Das war auch ein Grund, liebe Hertha, dass wir damals auf die Idee kamen, ein zweites Buch über Hellersdorf zu schreiben. Wir wollten zeigen, wo wir wohnen, wo die Gerüche von Jasmin und wilden Mohnblumen zu finden sind, wo Hühner in den Gärten ihre Eier legen und der Hahn morgens die Sonne begrüßt. Besonders fiel mir auf, dass ich mit Konrad viele Gemeinsamkeiten hatte. Unser Augenmerk richtete sich stets auf die Jahreszeiten. Wir nahmen an, es würde in dem Jahr ein eiskalter Winter werden und auch der Sommer würde sich nicht an die Naturgesetze halten. Doch der Winter blieb warm und der Sommer steckte in der Hitze fest, wo selbst die feuchten Maisfelder zu trockenen Wüsten wurden.

Meine Mutter mochte den Frühling, und Konrad ließ es sich nicht nehmen, an den Blüten der Blumen zu riechen, um festzustellen, dass er noch lebte. Frühjahrsblumen wie Adonisröschen, Bärlauch, Windröschen, Gänseblümchen, Krokus, Lerchensporn, Milzkraut, Winterling oder das Schneeglöckchen wollen beachtet werden. Eine große Anziehungskraft übten auf uns die Bäume in Hellersdorf aus, die in stattlicher Anzahl (noch) wachsen dürfen. Sie zu berühren, ist für mich eine besondere Art der Beruhigung, wo ich schnell vergessen kann, was noch vor einer Minute für mich aktuell war.

Die Rinde als Schutz lässt nicht zu, dass der Baum sich schnell erwärmt. Jeder Baum ist in der Lage seine innere Temperatur zu regulieren, um das Wachstum nicht in Gefahr zu bringen. Hertha, für mich sind Bäume Wesen, die mir meine innere Unruhe nehmen. Sie leiten mich und geben mir ein Zeichen, dass sie ihren Frieden mit mir teilen. Mehr noch. Sie geben mir Schutz durch ihren Schatten und behüten den Mutterboden vor Austrocknung. Jeder Samen ist bereit, mit Hilfe von Wärme und Licht zu keimen, damit aus einem Zweig ein Ast wird und aus jedem Trieb ein Blatt. Ja, für unsere Trilogie haben wir unseren Stadtteil mit seinen Jahreszeiten sehr genau beobachtet. Heute bin ich dankbar, dass wir die Idee mit dem Buch in die Tat umgesetzt haben, Hertha. Wenn man bedenkt, wie viele Gespräche wir deshalb hatten, besonders in Bezug auf unsere Vergangenheit und wie wir mit unserer Angst umgehen.

Ich hörte Konrad immer gut zu und konnte doch nur ein Bruchteil Verständnis aufbringen für den tragischen Verlust seiner Familie im Krieg. Ich war in der Lage, die Angst von Konrad zu verstehen. Erstaunlich fand ich, dass Konrad in seiner Hoffnungslosigkeit Verständnis für andere Denker aufbrachte. Uns beiden war klar, dass die Angst unser Leben bestimmt. Auch die Vorstellung, dass der Tod eine Gefahr darstellt, ist im hohen Alter nicht mehr relevant. Ich sprach mit Konrad sehr offen über den Tod. Er hatte keine Angst, über den Tod zu sprechen, das sagte er mir mal. Das gefiel mir. Nun weiß ich nicht, wie du, Hertha, über den Tod denkst. Wie deine Antwort auch gewesen wäre, der Tod ist keine Illusion. Denn wenn der Tod einen berührt, braucht man nicht mehr über ihn nachdenken. Dann herrscht nur Stille. Daher ist der Tod für mich ein Konstrukt von leeren Gedanken, aus denen sich kein wirklicher Sinn ergibt. Ist man noch jung, ist der Tod weit weg. Ist man alt, wartet der Tod darauf, das Schicksal desjenigen zu erfüllen. Beides können wir nicht beeinflussen.

Möge daher der freie Wille uns die Fähigkeit geben, unsere Gesundheit zu erhalten. Denn damit geben wir zu, dass der Tod zum Leben dazu gehört. Die Ängste von Konrad waren deshalb berechtigt, weil er sie nicht akzeptiert hat.

Hertha, vertraue meinem im jahrelangen Selbststudium erworbenen Wissen. Jetzt beginne ich zu verstehen, was es heißt, ein „Christ" zu sein, wenn die „Gläubigen Denker" davon sprechen, dass Gott die Erde erschuf und die „Atheisten" davon überzeugt sind, dass es keinen Gott gibt.

Ich fühlte früher einen Widerspruch in mir, den ich bei einem der vielen Gottesdienste erfuhr. Die christlichen Denker verteilen ihre barmherzige Güte aus vollen Händen. Aber es gibt auch eine andere Seite in ihnen. Unbedacht lebt in ihnen eine versteckte Wut, die ihre Seelen ins Chaos führt. Zwischen der herrlichen Güte und der aufbrausenden Wut weilt ein Phänomen, vor dem man sich in acht nehmen sollte. Das ist der Hass, denn der Hass entsteht immer dann, wenn keiner von beiden Teilen reden will. Hass braucht Schweigen. Und Schweigen heißt, dass die unterdrückte Wut irgendwann mal herausbricht.

Hertha, gern würde ich dir recht geben, dass die Christen ein friedlich sind. Aber das ist nur ein Teil der Wahrheit. Die Geschichte der Christen ist von blutigen Kriegen, Ablässen, Hexenverbrennungen und Folter gekennzeichnet. Das ist Fakt. So rief zum Beispiel Papst Urban II. am 27.

November 1095 die Christen auf der Synode von Clermont zum Kreuzzug in das „Heilige Land" auf. Urban II. forderte, die dort ansässigen Muslime zu vertreiben und in Jerusalem die heiligen Stätten der Christen in Besitz zu nehmen. Wer nicht gehorsam war, dem drohte die Verbannung oder der Tod.

Ich meine, das sind Dinge, die mich immer wieder beschäftigen, wenn es darum geht, sich frei über Gott und den Glauben zu äußern. Dürfen nicht beide Denksysteme auf der Welt existieren? Der Atheist ist kein böser Denker, den man in die Hölle schicken muss, damit er sich seiner Schuld bewusst wird. Der Schuld ist es egal, ob ein christlicher Denker oder ein Atheist den Armen Brot und Wurst gibt.

Hertha, ich war Gott sei Dank mit Konrad darüber einig, armen Kindern, deren Eltern sich keine warme Mahlzeit leisten können, in der Arche zu helfen. In einer Anzeige der Berliner Zeitung konnten wir es nachlesen. Viermal waren wir in der Arche und konnten uns davon überzeugen, wie die finanzielle Hilfe und die Sachspenden den Kindern geholfen haben. Es gab Essen, Schulbücher und Spielzeug, wovon viele Kinder nur träumen.

Ich habe es nie gemocht, wenn ein Pfarrer von der Empore auf die Sünder herabsah und den mahnenden Finger erhob. Alles soll friedlich und heilig wirken und jeden Denker ins Gebet einbeziehen. Rechts neben der Empore in einer Kirche in Marzahn steht ein Altar aus Mahagoniholz.

Zwei leuchtende Kerzen spenden Licht und ich sehe die freudigen Gesichter der gläubigen Denker. Aber der Schein trügt. Oft stehen die Zeichen vor dem Altar nicht auf himmelhochjauchzend, nein, die christlichen Brüder und Denker sind vom Arbeitsalltag geschafft und gereizt. Manch ein Denker kommt gerade von seinem Zweitjob zur Messe und will eigentlich nur nach Hause und die Beine auf den Tisch legen. Der Griff zur Bibel muss nicht sein, wenn es nicht verlangt wird. Sie hören den Pfarrer nicht mehr richtig zu und geben keine Zeichen, dass sie die Predigt jemals verstanden hätten. Ich sah in ihre Augen und kann dir sagen, liebe Hertha, der Schlaf kam leise in die Stuhlreihen und hat jeden müden Denker erfasst. Und plötzlich wurde der Gottesdienst zur Entspannungsoase, die nach neunzig Minuten zu Ende ging.

Dem Volk in Hellersdorf und Marzahn würde es guttun, wenn in ihre Kirchen der technische Fortschritt Einzug hielte. Ich denke, dass die Bibel digitalisiert werden sollte. Auch die Anzeigetafeln an den Wänden der Kirchen könnten digitalisiert werden, um die Psalmennummern anzuzeigen. Na ja, irgendwann wird der christliche Alltag durch digitale Gottesdienste per WhatsApp ergänzt. Dann bekommt jeder moderne Christ den Segen des Pfarrers per Monitor. Die Kirchenglocken müsste man sich dann in Gedanken vorstellen, oder man öffnet auf seinem Smartphone ein Programm, das die Kirchenglocken erklingen lässt. Ich weiß, dass das heute noch die Grenzen des Vorstellbaren überschreitet, aber der Tag wird kommen, liebe Hertha.

Wie viele Kirchen müssen in der Zukunft wohl geschlossen werden? Die christlichen Denker kehren ihnen mehr und mehr den Rücken zu. Die Gründe sind vielfältig und die Austritte hoch. Aber immer noch wird der Atheist dafür verantwortlich gemacht, dass der innere Zugang zu Gott angeblich verschüttet ist. Kann man das einfach so hinnehmen, Hertha? Die Atheisten tragen genauso viel Schuld am Elend dieser Welt wie die gläubigen Menschen. Beide Seiten basteln sich ihre eigene Welt, die es aber in der Realität nicht gibt. Sie sollten ihre Hausaufgaben ernst nehmen und sie machen. Die Frau sollte beispielsweise im katholischen Bistum gleichberechtigt in der Ausübung eines Pfarramts sein. Und man sollte in Rom endlich Ehen zwischen Priestern und Priesterinnen gestatten. Was kann daran so schwierig sein? Kann der Papst das nicht durchsetzen? Wohin will die Kirche gehen und was ist das Ziel ihrer Politik? Ich stellte diese Frage mal dem Pfarrer einer katholischen Kirche. Ich meine, wenn der Tag kommt, da die AFD die Macht im Land übernimmt und keine Kirche mehr zum Gottesdienst lädt – wäre das nicht grauenhaft?

Wenn du denkst, Hertha, das sei nur in Hellersdorf möglich, dann muss ich dich enttäuschen. In ganz Deutschland, oh nein, in ganz Europa hat sich der Virus des Smartphones unters Volk gemischt. Schau dich um oder geh mit mir auf den Alexanderplatz, dann wirst du sehen, dass ich recht habe. Die Smartphone-Träger nehmen ihre Umwelt gar nicht mehr wahr. Alles um sie herum ist unwichtig geworden. Und dass die Industrie das steuert, daran besteht für mich kein Zweifel.

Man möchte verhindern, dass die Gemeinschaft sich daran bindet. Es schadet der Zukunft und der Gesundheit, von einer wirklichen Kommunikation ganz zu schweigen. Ja, von allen Seiten der Gesellschaft werden wir Menschen manipuliert, damit wir keine Proteste organisieren. Kein Aufruhr, keine Demonstrationen, Aufstände und Gewaltaktionen. Der Staat würde gern alles verbieten. Und hinter vorgehaltener Hand werden Pläne geschmiedet zur vollständigen Kontrolle der Menschen. Mord und Kindesmissbrauch werden auf allen Sendern im Stundentakt bis ins kleinste Detail dokumentiert. Die journalistischen Denker nennen das „live dabei sein". Das bringt die richtigen Einschaltquoten. Alles andere darf ruhig unter den Tisch fallen.

Hertha, die weltpolitische Bühne ist verseucht. Schau dir die Regierungen an. Sie beschließen fast jeden Monat einen noch höheren Rüstungsetat, natürlich im Namen des Volkes. Was für ein Schwachsinn? Ein Irrsinn, der nicht ohne Folgen bleiben kann. Warum wählen wir alle vier Jahre diese Schauspieler, wo wir von vorn herein wissen, dass sie Gesetze gegen uns verabschieden: „Im Namen des Volkes". Ich bin mir ganz sicher, dass sich kein Hellersdorfer oder Marzahner Krieg wünscht. Zwei Weltkriege haben gezeigt, dass ein dritter unser Untergang wäre.

Konrad und ich sind für eine Politik der Solidarität. Würde man die militärischen Ausgaben auf null setzen, wäre es möglich, jedem Hartz-IV-Denker Arbeit zu geben. Ich meine, jeder Denker ist doch für irgendwas begabt. Ich kenne viele Denker, die gern Kinder betreuen würden, aber zu Hause sitzen, weil ihnen das Geld für eine Ausbildung zum Erzieher oder Lehrer fehlt. Ich traf einen alten Schulfreund, der mit sich selbst nichts anzufangen wusste. Auf meine Frage, was er gern arbeiten würde, antwortete er sofort, dass er ein Lokführer sein möchte. Abitur hatte er, doch die letzten vier Monate hatte er nur Rasen gemäht. Oh, was für eine Zukunft?

Schau dir die Länder genau an. In allen Regierungen sitzen krankhafte Kreaturen und fällen Entscheidungen, ohne das Volk einzubeziehen. Wer will denn Krieg? Wer will sich erschießen lassen? Wer will wieder Konzentrationslager, in denen Andersdenkende umgebracht werden? Ich kenne keinen, der so was möchte.

Schau nur zurück. Vor mehr als dreißig Jahren stand eine Mauer in Berlin. Sie wurde von einem kranken Denker ausgedacht. Ulbricht war davon überzeugt, dass durch eine gut gesicherte Mauer sein Volk beschützt werden könnte. Aber vor wem wollte Ulbricht und später Honecker die Menschen in der DDR beschützen? Nein, sie waren einfach nicht in der Lage, den ganzen Weltprozess zu überschauen. Schau dir den amerikanischen Präsidenten an. Auf der ganzen Welt stiftet er Unruhe, führt zahllose Kriege und rechtfertigt das vor den amerikanischen Menschen mit der Notwendigkeit des militärischen Schutzes. Gott sei Dank leben Denker auf dieser Welt, die den Frieden wollen. Sie übernehmen Verantwortung, ohne einem zerstörerischen Motiv nachzugehen. Sie möchten die Freiheit und das demokratische Gut weiter in die Welt hinaustragen. Was ist daran verwerflich, liebe Hertha? Ich finde, dass es mehr solche Denker geben sollte. Ich denke dabei an Tenzin Gyatso, den gegenwärtigen Dalai-Lama. Wovor sollte man sich bei ihm wohl in acht nehmen, wenn er seinen Anspruch auf ein von China unabhängiges Tibet kundtut? Warum respektieren die chinesischen Denker in der Regierung Tibet nicht als eigenständigen Staat? Wie lange soll so eine Auseinandersetzung um Macht, Land und Einfluss noch gehen? Ist Tibet nun ein Teil von China oder nicht? Eine Antwort darauf habe ich noch nicht gefunden.

Zu Konrad sagte ich, dass es dabei nur um Macht ginge. Jeder beschreitet einen Weg, den er für richtig hält. Die beiden Völker werden nicht gefragt. Ich kann jedenfalls nicht nachvollziehen, dass Menschen für solche Ansprüche geopfert werden und leiden müssen. Konrad konnte nicht verstehen, dass ein einziger Denker ein ganzes Land regiert, und das oftmals ohne Augenmaß. Da werden mit einem

Federstrich Kriegserklärungen unterschrieben, nur weil ein Staat oder mehrere eine andere Meinung zu bestimmten Problemen hat. Für mich sind das kranke Kreaturen, die nur Unheil und Hass streuen. Und immer wieder werden diese „Typen" neu gewählt. Dann werden die Menschen in Hellersdorf sich wieder fragen: „Was hat uns die große Bundestagswahl gebracht? Nichts!" Eine vernünftige Antwort gibt es nicht. Und die AfD ist weiterhin eine große Gefahr.

Hertha, auch in deinem Land regiert ein sehr kranker Denker. Wie ein kleines Kind benimmt er sich im Kongress und betrügt die Menschen, nur um noch mal regieren zu dürfen. Er ist ein ausgeprägter Narzisst, und das mit dreiundsiebzig Lebensjahren. Aber bei euch kann man sich ja mit großen Geldbeträgen den Posten eines Präsidenten erkaufen, und gebildet muss man auch nicht unbedingt sein. Zumindest kommen mir der jetzige und der damals gegen den Irak kriegführende Präsident so vor. Beide haben die Welt erheblich in Gefahr gebracht.

Hertha, du staunst über meine Worte, aber das ist die Realität. Die Denker, die an den Reglern der Macht drehen, wollen ihre Macht auf keinen Fall verlieren. Schon als kleiner Junge war mir der Grund der Berliner Mauer nicht klar. Wie kann man einem anderen deutschen Denker verbieten, die westlichen Stadtteile zu besuchen? Westberlin und Ostberlin sind ganz Berlin. Ulbrichts Grenze war etwas, das keiner haben musste und wollte. Familien wurden getrennt, Freunde konnten sich nicht besuchen. Was war das für eine grausame Politik auf deutschem Boden? Und nun steht irgendwo in den USA ein Präsident vor seinem Volk und versucht, es für dumm zu verkaufen. Wobei er nur seine Dummheit präsentiert und sich überall in der Welt lächerlich macht. Er schaffe Frieden, sagt er. Und er habe einen Friedensplan für Israel, Palästina und die ganze Welt.

Hertha, mich widern solche neurotischen Denker an. Ihre Lügen werden zur Wahrheit umgewandelt, denn sie glauben wirklich, die Welt zu retten. Was für Wahnvorstellungen müssen in deren Köpfen existieren?

Ich lebe zwar auch in einem Land, wo genug kranke Denker über mich entscheiden wollen, aber ich lehne sie ab. Sie wollten mich überzeugen. Sie erbrachten sinnlose Beweise, dass die Welt, die ich sehe, tatsächlich da ist. Aber diese Welt sehe ich nicht. Und ich will sie nicht sehen. Die Welt um mich herum hat ihre eigene Dynamik des Vorankommens. Sie kann nichts bezwecken, was mein Leben bereichern oder retten könnte.

Ich meine, dass ich es mit den Jahren nicht erleben werde, mit der Tram 10 von Hellersdorf nach Mariendorf zu gelangen, ist völlig klar. Ich werde es auch nicht mehr erleben, dass eine U-Bahnlinie von Alexanderplatz nach Weißensee gebaut wird. Ich werde es ebenso nicht erleben, dass eine Straßenbahn von Hellersdorf nach Schöneweide durchfährt, um nach Adlershof zu gelangen. Nur ich selbst kann in meiner Welt ein wenig Realität wahrnehmen. Die Realität aber ist nur in mir zu finden, da ich meine Neugierde jeden Tag neu entwerfe, um mein Überleben zu garantieren.

Dies alles geschieht, während die Welt sich unverändert dreht. Der Himmel zieht sich zu und der aufbrausende Wind fegt durch die Bäume. Das geschieht, um die Resonanz der Musik des Friedens zu verändern, die gebleichten Gesichter zu erhellen, den Gaslaternen ihre Sorgen abzunehmen, das Schulterklopfen mit noch mehr lobenden Worten zu unterstützen, in den Augen die Angst zu lesen, Verständnis an sich heranzulassen. Im Moment, da die Langeweile die Dehnung mag, wird das Leben sich verändern. Sie kriecht um den Hals und gibt den Takt wie ein Sekundenzeiger an. Es wird geschehen, und weil der Tag die Welt umarmt, geschieht es weiterhin.

Ich akzeptiere diese Welt, weil sie mir hilft, mich zu begreifen. Es geschieht, egal wo mein zu Hause ist und mit welchen inneren Widerständen ich das Problem angehe. Der abwägende Prozess wird sich nicht verändern, auch wenn ich den ständigen Kampf jeden Tag aufs Neue verliere. Mir scheint, dass die Zeit perverse Denker hervorbringt, die mir sagen, ohne Gefühle wäre ich besser dran. Vielleicht sollte ich ein Automat sein, mit einem Ein- und Ausschalter? Da müsste ich mich an einem Freitag ohne Sonne still hinter einen Schrank verstecken. Und dann gebe es auch einen Sonntag, der mit Regen anfängt, um mir zu sagen, dass ich die Traurigkeit einladen müsste, um den fetten Kuchen zu verdrücken. Bald wird es dann Montag sein oder Mittwoch, wo ich lächeln darf, da in Thüringen im Landtag ein Ministerpräsident gewählt wurde, der von der AFD unterstützt wurde. Ich sollte mich freuen, dass die Politik in den neuen Bundesländern eine sichere Zukunft hat.

Oh ja, liebe Hertha, die linke Partei wirft ihre Blumensträuße bereits auf den Boden, da ihre Wut über den Wahlausgang im Thüringer Landtag schwer wiegt. Jetzt den Schuldigen zu suchen, würde zu weit gehen. Lieber mit dem Finger in eine andere Richtung zeigen, dabei ist alles hausgemacht. Hätte man die neuen Bundesbürger beim Bau eines gemeinsamen Schiffes ernst genommen, würde dieses Schiff heute noch in ruhigem Fahrwasser schwimmen. Aber so sind die Denker im Parlament. Sie sind alle erstaunt, dass die braune Garde wieder in ihren Stuhlreihen sitzt und neue Fäden spinnt, wie man ein Volk (ver)führt. Auch in Hellersdorf und Marzahn sehe ich die braunen Denker, die gerne bestimmen würden, wer krank und wer gesund ist. Warten wir es ab. Das alles macht mir Sorgen. Ich brauche nur mir dir zum Kulturforum Hellersdorf zu gehen, liebe Hertha. Was siehst du da? Eine Ruine und weiter nichts. Die Blumenhalle aus der Zeit der IGA steht im Wind und keiner weiß, was damit geschehen soll. Ist das die

Politik fürs Volk? Ich glaube nicht. Hellersdorf kann nicht stillstehen. Es wird mir nicht gelingen, den Straßenverkehr um den Bezirk herumzuleiten, nur um Ruhe zu bekommen. Die Lebensader dieses Stadtteils ist notwendig für andere Bezirke geworden. Nur so ist es möglich eine Veränderung zu beobachten, die mir hilft, den Protest anzunehmen, der aus mir herausfiltert.

Konrad konnte mir nicht verzeihen. Er war immer leicht erregt, wenn ich von meiner Entscheidung sprach, dass ich keine weiteren Ausstellungen machen würde. Zum letzten Mal hingen meine Bilder im Kulturforum in Hellersdorf. Im Vorfeld nahm die dortige Presse mich ein wenig ernst und berichtete von dieser Ausstellung. Der Saal füllte sich und ich sah sehr viele Denker, die meine Bilder anschauten. Zum ersten Mal war ich in der Lage, großformatige Leinwände zu zeigen. Konrad kannte die Leinwände noch nicht, war aber davon begeistert. Ich weiß noch, wie er einen Stuhl aus dem Nachbarraum holte, sich setzte und sie betrachtete. Die Situation war merkwürdig. Ich ahnte ja nicht, dass Konrad sie wirklich mochte. Aber das ging mir auch bei den anderen Denkern so.

Zu Konrad hatte ich eine Beziehung aufgebaut und konnte ihm sagen, dass ich nicht mehr malen wollte. Er sollte auch bedenken, dass ich nicht gerade die schönsten Erfahrungen auf Ausstellungen gemacht hatte. Das Interesse war gering. Es war so gering, dass die ausgestellten Bilder sogar schon vor Ausstellungsende abgehangen und in eine Abstellkammer gestellt wurden.

Mag sein, Hertha, dass ich mich irre, nur weil meine Gedanken das Chaos mögen. Aber wenn ich eine Entscheidung treffe, ziehe ich sie bis zum Ende durch. Denn nur so werde ich Herr meiner Angst. Natürlich werde ich meine Neigungen in der Kunst weiter verfolgen. Ich schreibe jetzt Texte, versuche die Dinge zu beschreiben, die mir was bedeuten. Nur so bin ich in der Lage, den Denkern zu zeigen, was ich mag und was nicht.

Als meine Entscheidung feststand, zeigte mir Konrad einen Vogel, bestellte sich ein Taxi und verließ den Raum. Wochenlang herrschte zwischen uns Funkstille. Du sagtest, dass dein Stiefbruder stur sein kann. Das muss ich etwas revidieren, denn nach drei Wochen klingelte mein Telefon und Konrad fragte mich, ob ich Lust zu einer Dampferfahrt auf dem Müggelsee hätte. Völlig überrascht sagte ich zu. Als wir uns an dem verabredeten Tag trafen, umarmte mich Konrad herzlich. Wir waren beide erleichtert, dass unsere stille Zeit vorüber war. So konnte ich Konrad auch mal von einer anderen Seite kennenlernen. Ich werde diesen Augenblick nicht so schnell vergessen. Auch wenn er immer noch der Meinung gewesen war, dass ich mit dem Malen nicht aufhören soll, so respektierte er zumindest meine Entscheidung. Auch du hast anfangs nicht verstanden, warum ich mit dem Malen aufgehört habe. In mir herrschte ein fester Zeitplan, von dem ich mich nicht entfernen wollte. Glaube mir, in meiner Zeit des Malens wollte ich herausfinden, ob ich eine bildnerische Sprache umsetzen konnte. Leider war mir das aber nicht möglich, denn die Dozentinnen in der Volkshochschule erkannten meine Ziele nicht, oder wollten sie nicht erkennen. Als ich im Unterricht meine Naivität ablegte und meinem eigenen Malstil nachging, schloss eine Dozentin ihre Augen und übte ihren arrogant dominanten Tanz. Sie ignorierte, was ich zeichnete. Die Bilder aller Teilnehmer wurden eingehend analysiert. Als meine Bilder zur Analyse standen, war der Unterricht zu Ende. Am fünften Lehrgangstag habe ich dann meine Sachen mit der Entschuldigung gepackt, dass ihr Rücken zwar sehr ansprechend aussehen würde, ich aber genug hätte ihn weiter anzuschauen. Zwischenzeitlich räumte ich mein privates Atelier um. Die vielen Farbtuben und leeren Aquarellbögen steckte ich in blaue Mülltüten. Hunderte Pinselstiele und Farbtöpfe musste ich entsorgen, um endlich Herr der Lage zu werden. Zwölf Mülltüten, darin lag meine Vergangenheit. Sie waren schwer, manche begannen zu reißen.

Ja, die Zeit war gekommen, diesen Schritt zu wagen. Während der Renovierung meines Ateliers gab es schon einige Herausforderungen – zum Beispiel die alte Tapete von den Wänden zu bekommen. Sie blieb so zäh an der Wand haften, als ob sie mich mögen würde. Der alte Fußbodenbelag lachte mich zum letzten Mal an, bevor ich mit Kraft und Schweiß auch diesen entfernte, um schließlich sauber und akkurat Laminat zu verlegen. Zehn lange Tage habe ich im Zimmer gestanden und neue Bahnen blaue Tapete eingestrichen und an die Wand geklebt. Als dies getan war, kamen pünktlich ein Schrank, eine Vitrine, ein Regal und ein großflächiger Schreibtisch aus richtigem Holz. Wenn ich das Arbeitszimmer heute betrete, liebe Hertha, findest du dort keine Malutensilien mehr, nur noch meinen Computer zum Schreiben.

Sicher hast du recht. Ich weiß schon, was ich will. Ich hatte auch einen Lebensplan. Aber man kann eben nicht jeden Plan in die Tat umsetzen, und hat man das Gefühl, dass er schief geht, muss man auch loslassen können. Ich habe jedenfalls bis heute nicht bereut, mit dem Malen aufgehört zu haben. Wenn ich Lust und Muse habe, gehe ich zu Ausstellungen, sonst nicht. Dabei bin ich, und es ist wirklich so, Hertha, total entspannt.

Ja, für mich war es spannend zu beobachten, wie die begabte Brunhilde Horn nervös auf der Bühne stand, um ihrer Laudatio zuzuhören, die ihr Schaffen würdigte. Der sehr ungepflegte Kurator Herr Lind kam eilig zur Bühne und hielt seine Rede. Ich hörte bereits nach dem zweiten Satz nicht mehr zu. Als „der hohe Gesang einer bebilderten Schöpfung und Wiedergeburt" wurde Brunhilde beschrieben. Schon in ihrer Kindheit hatte sie zu malen begonnen.

„Eine so kreative Denkerin zum heutigen Zeitpunkt in der Galerie begrüßen zu dürfen", so der Kurator, „ist Gold wert." Er betrachtete ihre Werke an den Wänden und verließ dann den Saal. Im Internet lobte Brunhilde ihre Kunst natürlich auch selbst. Sie verglich sich mit Camille Claudel. Das ging mir dann doch zu weit, denn ein Vergleich mit so einer Ikone gehört sich nicht. Natürlich stand auf ihrer Internetseite auch, wo sie überall schon ausgestellt hat und wo noch Ausstellungen geplant waren. Kunstmarkttermine standen ebenso auf dem Programm. Ein Siegel, das den dritten Platz in einem Wettbewerb bestätigte, war in dunklem Rot unterstrichen. Aber ihr reichte es nicht aus, sich nur damit ins Rampenlicht zu stellen. Rezensionen von Kunden folgten:

„Ihre Bilder sind hervorragend. Immer wieder gern."

„Eine Künstlerin, die Vincent van Gogh überragt."

Hertha, hier werde ich einen Punkt machen, denn es ist unerträglich, so was zu lesen. Sie präsentiert sich, als könnten andere Künstler ihr nicht das Wasser reichen.

Nein, Hertha, ich bin nicht neidisch oder gar bösartig. Das bestimmt nicht! Ich erwähne es, um dir klar zu machen, dass diese Sorte von kreativen Denkern sich das Recht herausnehmen zu beurteilen, was Kunst ist und was nicht. Wer darf sich ein Künstler nennen oder wer ist ein Lump mit leeren Taschen? Seit meiner frühesten Kindheit habe ich die Überheblichkeit der erwachsenen Denker

234

nicht geduldet. Sie sind nicht in der Lage zu teilen. Dass sie ihren eigenen Berufsstatus beschmutzen, in dem sie immer behaupten, ein großes Genie zu sein, da kann ich nur sagen: „Nehmt Abstand von solchen eingebildeten Denkern."

Hertha, als Pizzafahrer erfahre ich meine Welt jeden Tag anders und begreife umso mehr, dass in jedem Denker in Hellersdorf sich ein unentdecktes Talent verbirgt. Ich traf mal einen gewissen Bernd Cornelius, der in seinem Flur Holzmasken in vielen Formen an den Wänden hängen hatte. Er war Witwer, Anfang siebzig.

„Selbst angefertigt, selbst bemalt", meinte er stolz. Ich mochte jede einzelne Holzmaske, weil auch jede so verschieden in Form und Farbe war. Ausstellen würde er sie nicht, nachdem sie ihn mehrmals höflich aber bestimmt abgelehnt hatten.

Ursula Kern, eine Denkerin aus Gotha. Sie ist 67 Jahre alt und lebt seit neunzehn Jahren in Hellersdorf. Sie liebt die Natur und arbeitete ehrenamtlich eine Zeit lang in der Kirche, um Obdachlosen zu helfen, die im Winter keinen Schlafplatz fanden. Früher hat sie im Ministerium für Gesundheit gearbeitet. Die Wende kam, dann wurde sie vom Senat als Sachbearbeiterin übernommen und durfte vor vier Jahren in den Ruhestand gehen. Sie knüpft aus purer Leidenschaft wunderschöne Teppiche, die sich am englischen Stil orientieren. Was für ein kostbarer Schatz hat sich da in ihrem Arbeitszimmer über die Jahre angesammelt. Neunundsechzig Teppiche hat sie bislang geknüpft. Sie wäre imstande eine besonders wertvolle Ausstellung zu organisieren, um die aufwendigen Teppiche vorzustellen. Kein Denker aus der Kunstszene hat aber ernsthaftes Interesse gezeigt. Aus der Verwaltung der Kultur hieß es damals, die Teppiche wären von der Qualität her sehr schlecht gearbeitet, daher würde man eine Ausstellung nicht empfehlen. Ich fuhr deshalb Wochen später mit der S-Bahn nach Neukölln, um einen alten Hasen aufzuspüren, der sich mit Webteppichen aller Art auskannte. Ich wurde fündig. Erol Djazayeri, grau und gepflegtes Haar. Sein Alter war schwer einzuschätzen. Er kam aus Istanbul und lebte schon über dreißig Jahre in Berlin. Ich bat ihn, Ursula mal aufzusuchen. Und tatsächlich fuhr er mit seinem schwarzen Daimler drei Wochen später zu Ursula Kern nach Hellersdorf. Er wurde neugierig, als ich ihm beim Treffen die vielen Farbfotos der Webteppiche gezeigt hatte.

Ursula Kern begrüßte ihn bei seiner Ankunft herzlich. Sie tranken einen Schwarztee zusammen und plauderten über Webteppiche. Sie zeigte ihm daraufhin ihre Arbeiten. Herr Djazayeri war sofort begeistert von den teils gewebten, teils geknüpften Teppichen und kaufte ihr spontan fünf Teppiche ab. Beim Abschied meinte er zu mir, dass Ursula eine seltene Begabung hätte. Er würde gern wiederkommen, um weitere Teppiche zu kaufen.

Hertha, die Denker in Hellersdorf sind unscheinbar, so scheint es mir zumindest. Sie sind unverwechselbar. Es mag sein, dass die vielen Hochhäuser einen kalten Eindruck machen, aber die Wohnungen selbst sind gut geschnitten, geräumig und gemütlich. Konrad lernte eine Wohnung in einem dieser Hochhäuser erst kennen, als wir zu Besuch bei einer hochbetagten Denkerin waren. Ich erwähne das nur, weil diese 85 Jahre alte Frau eine sehr schöne Sammlung von uralten Briefmarken ihres verstorbenen Mannes besaß. Zum Beispiel hatte die Erstausgabe der „Hedwig von Paulitz", so ihr Name, einen besonderen Wert. Mit alten Wappen auf Briefmarken aus der Kaiserzeit konnte sie Konrad glücklich machen. Sie blieben einen langen Abend zusammen, schauten sich Briefmarken an und erzählten sich Geschichten aus ihrer Zeit. Ich dagegen musste an dem Tag nach Hause fahren, um ein Paket von der Post abzuholen. Eine Buchsendung über „Hellersdorf" war gekommen.

Hertha, die Kunst ist immer noch ein mühseliges Geschäft. Zur Jahrhundertwende war die Kunstszene etwas überschaubarer. Trotzdem gab es Denker, wie Tischler oder Handwerker, die für Kunstobjekte kein Geld aufbringen konnten. Und so ist das heute auch. Das Geld sitzt nicht mehr so locker in der Tasche. Wobei die Szene auf dem Kunstmarkt hart umworben ist. Jeder kreative Denker möchte gern auf der Siegertreppe stehen und die Gelassenheit erfahren, die man braucht, um Kunst entstehen zu las-

237

sen. Doch die Not ist groß und nicht jeder kreative Denker kann von seinen Werken leben.

Ich kenne im Prenzlauer Berg eine Straße, wo über sechzig kreative Kunst-Denker in einem Hinterhaus arbeiten und gleichzeitig auch wohnen. Sie arbeiten dort wie besessen, um irgendwie an Geld zu kommen. Alles, was du dir beruflich vorstellen kannst, ist in dem Altbau vertreten: ein Schmied, eine Holzwerkstatt, Galerien mit Ateliers, ein Hutmacher, Bildhauer, ein Münzpräger, ein Goldschmied, drei Schriftsteller, ein Regenschirmhersteller, ein Polsterer, ein Schauspieler mit eigenem Theater und eine Märchenerzählerin. Ich entdeckte sie durch Zufall und war begeistert von deren Freundlichkeit.

Die Märchenerzählerin Bhakati ist viele Jahre durch die Welt gereist, kannte sich mit überlieferten Märchen aus und hat sie an Kinder weitergegeben. Darunter waren Märchen aus Persien, aus der Mongolei und dem alten China. Bhakati ist eine sehr weise Denkerin, die den Zweiten Weltkrieg erlebt hat. Sie weiß, was Bitterkeit und Hass aus einem Denker machen können. Konrad und ich hatten die Möglichkeit, zu einer ihrer Märchenstunden im Mosaik Stadtteilbüro zu gehen. 19:30 Uhr öffnete sie das Märchenbuch und streichelte besonnen darüber hinweg. Sie strahlte absolute Ruhe aus, als ob Magie den Raum verkleiden würde.

In dem Märchen ging es um einen Bauern, der eine Ziege, einen Hahn und einen Hund besaß. Als der Bauer kein Geld mehr hatte, um seine Tiere zu ernähren, musste er sie veräußern. Mit dem Geld wollte er seine hohen Schulden begleichen. Die Ziege kam zu einem Tischler, der in einem Dorf lebte. Sie gab ihm die begehrte Ziegenmilch. Der Hahn kam über Umwege in einen Hühnerstall. Eines Tages stand plötzlich eine schöne Henne vor dem Gatter und bat um Eintritt auf das Gehöft. Der Bauer öffnete das Tor und ließ sie rein. Die Henne war gegenüber dem Hahn anfangs sehr reserviert. Nach einer Weile aber setzte sie ihre ganze Verführungskunst ein, doch es geschah nichts. Drei Jahre gingen ins Land, doch zwischen Hahn und Henne passierte nichts. Da entdeckte der Bauer auf seinem Kartoffelfeld eines Tages einen abgemagerten Hund. Er überlegte nicht lange und nahm ihn mit auf seinen Hof. Er legte den Hund unmittelbar am Hühnerstall auf eine Bank. Der Hund schlief tagelang. Der Hahn drehte seinen Kopf, schaute auf den Hund und erkannte ihn sofort.

„Kikeriki, kikeriki, das ist Hokhido, das ist Hokhido!", schrie der Hahn und flog wild im Stall umher. Er konnte sich kaum beruhigen, bis die Henne auf ihn zukam und fragte, was los sei. Darauf meinte der Hahn, dass er den Hund kenne. Er habe viele Jahre mit ihm auf einem Bauernhof gelebt, der verkauft werden musste. Nun habe er sich gefreut, ihn wiederzusehen. Die Henne verstand die Freude des Hahns. Als der vor lauter Freude die Henne besprang, dauerte es nicht lange, dass die Henne drei Eier ins

Gehege legte. Eines Tages liefen dann drei Küken im Hühnerstall umher. Der Hund hatte indes auf der Bank seinen Lieblingsplatz entdeckt. Die Küken liefen jeden Tag zu ihm, um sich unter seinem Fell zu wärmen. So hütete er sie, bis sie ausgewachsen waren. Die Henne war darüber so glücklich, dass sie eines Tages zufrieden den Bauernhof verließ. Sie hatte erfahren, dass auf dem verkauften Bauernhof noch eine Ziege lebt. Die Henne lief alle Bauernhöfe in der Umgebung ab, um sie zu finden.

Eines Tages hörte sie eine Ziege auf einem Feld meckern. Sie lief zu der Stelle und nahm die Ziege mit nach Hause. Der Hund Hokhido begrüßte die Ankömmlinge. Von dem Tage an wussten der Hahn, die Henne, die drei Hühner, die Ziege und der Hund Hokhido, dass sie dem Bauern beim Geldverdienen helfen müssen, damit ihr Zuhause erhalten bleibt. Am Montag verkaufte der Bauer auf dem Markt die Eier, am Dienstag die Ziegenmilch, am Mittwoch den Ziegenkäse. Und immer, wenn neue Küken da waren, konnte der Bauer auch am Donnerstag Eier verkaufen. Das ging bis an sein Lebensende ...

An dieser Stelle wurde ich beim Zuhören unterbrochen, denn Konrad musste unbedingt zur Toilette. Trotzdem mochte ich das Märchen, da die erwähnten Tiere dem Bauern am Ende helfen konnten, indem die Ziege Milch produzierte und die Hühner Eier legten. Das gefiel mir. Ich war an dem Abend sehr glücklich und schaute aus dem

Fenster. Es war bereits dunkel, ich konnte Bhakati in die Augen schauen. Sie schenkte uns Gästen Zeit, um anzukommen. Ich spürte in mir das pulsierende Leben auf dem Nachhauseweg. Das Licht in den Wohnungen strahlte Wärme aus, eine angenehm friedliche Wärme.

Natürlich gibt es kleine Kunstinseln, in denen sich die Heimat widerspiegelt. Hellersdorf hat diese Inseln, und sie haben ihre Daseinsberechtigung. Da gibt es das Café Cornelsen, nicht weit von den Gärten der Welt gelegen. Ich bin früher gern ins Café gegangen, habe einen Kaffee getrunken und ein Stück Mohnkuchen gegessen. Er war selbst gebacken, das gefiel mir. Auch die Bilder im Raum gaben mir das Gefühl, zu Hause zu sein. Ich kenne das Café seit vielen Jahren, deshalb habe ich es dir auch gezeigt, liebe Hertha. Erinnerst du dich an den netten Denker, der uns bediente? Auch er lobte den selbst gebackenen Käsekuchen. Zu Recht, wie ich finde. Das Kunst-Café hat etwas an sich, doch wir beide konnten nicht gleich definieren, was uns anzog. Die in Reihe aufgehängten Bilder zeigten einen kleinen Ausschnitt von verschiedenen Maltechniken. Die Bilder wirkten sehr emotional auf uns. Es waren Bilder aus der Wendezeit. Die Motive standen im Zusammenhang mit dem Mauerfall und den Denkern, die in den Westen strömten. Das Brandenburger Tor und viele Beobachtungstürme wurden gemalt. Denker in Uniform, Stacheldraht, KFZ-

Sperren und Kolonnenwege entdeckte ich auf den Bildern. Ich erinnerte mich sofort, wie die friedliche Revolution über die Bühne ging. Für mich ist das Wort „Revolution" ein zu großes Wort. Jedes Jahr im November werden Denker vom Staat ausgezeichnet, die sich angeblich große Verdienste für diese sogenannte Revolution erworben haben. Eine Denkerin kommt leider nur selten vor. Aber eine wie Ramona Still hätte es wahrlich verdient. Sie war damals Anfang dreißig und suchte nach dem Geschrei von verlassenen Kindern in den Häusern vom Prenzlauer Berg. Sie ging von Haus zu Haus und holte mit ihrer gleichaltrigen Freundin Kerstin all die Kinder aus den Wohnungen, deren Eltern in den Westen abgewandert waren. Ramona erzählte mir viele Jahre später, als wir uns zufällig auf einem Markt trafen und ich sie fragte, wie viele Kinderleben sie gerettet hat, dass es neunzig Kinder waren. Ich blieb fassungslos vor einem der vielen Obststände stehen. Ich konnte nicht glauben, was sie zur Wende alles erlebt hatte.

Hertha, eigentlich wäre es die Sache wert, mehr über Ramona zu schreiben. Ich hege großen Respekt für sie und bedaure, dass sie schweigsam geblieben ist und kein anderer Denker auf sie aufmerksam wurde. Denn später hat sie viele Mütter und Kinder wieder zusammengeführt. Jugendämter zeigten damals ihre Bereitschaft, die Familienzusammenführung voranzutreiben. Viele Mütter, die über Ungarn nach Westdeutschland geflüchtet waren, konnten nach monatelanger Trennung ihre Kinder wieder glücklich in die Arme nehmen.

Hertha, du schüttelst mit dem Kopf. Ich habe auch nie verstanden, wie man mit den eigenen Kindern in einem Trabant nach Ungarn flüchten kann. Kalt war es im Oktober an der ungarischen Grenze. Nachttemperaturen unter null Grad waren keine Seltenheit. Heute stehen andere Denker vor mir und regieren diesen Staat. Sie wurden von uns gewählt. Doch machen sie alles richtig? Ich glaube nicht. Ich sagte dir, Hertha, dass ich Angst verspüre vor einem neuen Krieg. Jeder pocht auf sein Recht und greift nach einer Waffe, um seine Meinung und seinen angeblichen Machtanspruch zu verteidigen.

Mit der Kunst streben die Denker nach Macht, und die habe ich im Schloss Biesdorf besonders gespürt. Kunst zu zeigen, damit bin ich einverstanden. Sie zu missbrauchen dagegen nicht, denn das bereitet mir Sorgen. Ich hatte den Eindruck, dass manche kreative Denker, die die Leitung eines Kulturhauses übernahmen, einen speziellen Weg gehen mussten, um in der Öffentlichkeit aufzufallen. Großartige Veranstaltungen haben den Anspruch, mit großen Lettern auf Plakaten das anzukündigen, was dem Künstler besonders wichtig ist. Ich verstehe sehr gut, dass sie sich in der Öffentlichkeit großspurig, frech und arrogant benehmen, um zum Beispiel in der Berliner Zeitung oder gar im RBB erwähnt zu werden. Konrad zeigte Verständnis dafür. Er versuchte damals, mit einer Angestellten ins Gespräch zu kommen. Er wollte wissen, wie und wann das Schloss erbaut wurde. Wie viele Ausstellungen im Jahr geplant werden und an welchen Kunstrichtungen die kreativen Denker sich hier im Schloss orientieren. Die Denkerin am Tresen sortierte ihre verschiedenen Flyer und schenkte uns nicht gleich die Aufmerksamkeit, die ein höfliches Verhalten ausmacht. Konrad stellte seine Frage ein zweites Mal. Gelangweilt schaute sie zu ihm rüber und sagte, dass sie kein Bock für ein Gespräch hätte. Ihr sei es wichtiger, den großen Denker im Auge zu behalten, der gerade hier ausstellte. Wir sind augenblicklich gegangen. Selbst der ausstellende Denker Harald Panitz wollte mit uns nicht ins Gespräch kommen.

„Oh mein Gott, auf so eine Art von Gespräch habe ich keine Lust. Kaufen sie ein Bild oder lassen sie mich in Ruhe", sagte er. Diese Aussage hatte gesessen, liebe Hertha. Ich staunte nicht schlecht, wie arrogant und frech man uns abgefertigt hatte. Aus seiner Vita konnte man herauslesen, dass er mit all seinen Gästen so umsprang, und das, obwohl er mit Auszeichnungen und Ehrungen hoch dekoriert war.

Um den Narzissmus kennenzulernen, würden die im Schloss Biesdorf ausstellenden Denker aber schon ausreichen. Dort tummeln sich viele Möchte-Gern-Denker, die angeblich sehr wichtige Dinge ausstellen und sich erlauben, über andere Denker zu urteilen. Hertha! Konrad und ich haben das Schloss später gemieden und sind zu keiner Ausstellung mehr gegangen. Es ist eben eine andere Welt, die für den normalen Denker ungeeignet ist. Diese Welt gehört mir nicht. Als ich noch gemalt habe und meine Bilder in den Kulturhäusern Berlins öffentlich machte, fühlte ich mich nicht wie ein Möchte-Gern-Künstler. Ich war ein Denker, der eine Sprache für seine Farben suchte, um sein inneres ICH zum Ausdruck zu bringen. Denn dadurch gelang es mir, den Prozess der Veränderung weiter zu gehen.

Die Machtkämpfe gerade in der Kunstszene sind immer wieder erlebbar, auch wenn ich sie damals vermeiden wollte, als ich meine Bilder der Öffentlichkeit zeigte. Schon deshalb sagte ich niemandem, dass ich auch ein kreativer Denker sei, der gern malte. Während meiner Tätigkeit als Pfleger war ich stets gewillt, den Arbeitsprozess mit anderen Denkern zu teilen. Auch da hatte ich keine Ambitionen auf Macht. Ich absolvierte mit Erfolg in einer Pflegeschule als Wohngruppenfachkraft das Fach „Demenz" und war dadurch in der Lage, die Abläufe einer Wohngemeinschaft zu organisieren und zu überblicken. Ich ahnte bereits bei der Beobachtung von demenzkranken Denkern, dass etwas nicht stimmig sein konnte, wenn sich ihre Aggressivität steigerte. Ich durfte mehrere Pfleger im Team führen, um die Arbeitsatmosphäre in der WG erträglicher zu machen. So gelang es mir, eine gute Atmosphäre zu schaffen und einen ehrlichen Dialog zwischen den Denkern der WG zu ermöglichen. Wir konnten Dinge aussprechen, die einen störten, und Dinge verändern, die den Tagesablauf ins Stocken brachten. Ich benutzte meine gute Ausbildung und Stellung als Teamleiter, indem ich anderen zeigte, wie man Anteil nahm. Hatte ein Denker eine gute Idee hinsichtlich der Pflege, habe ich sie angenommen. Ich habe zugehört, überlegt, nachgedacht und gefordert. Alles ist mir natürlich nicht gelungen, da es auch Denker gab, die sich nicht anpassen wollten. Sie mussten immer wieder den normalen Alltag behindern, indem sie ständig zu Arbeiten aufgefordert werden mussten, zum Beispiel zur Küchenarbeit, zur Betreuung oder um mit den Patienten Spaziergänge zu unternehmen. Hertha, es gab auch eine Denkerin, die ihre Position als Pflegerin ausnutzte, indem sie eine gebrechliche Denkerin auf ihrem Toilettenstuhl lange Zeit sitzen ließ. Die Geschichte passierte als ich ein Praktikum in einem ganz normalen Pflegedienst absolvierte. Durch Zufall kam ich einer dortigen Pflegerin auf die Schliche, als ich trotz meines freien Tages in die Einrichtung ging. Ich wollte nach etwas suchen, da hörte ich ein leises Stöhnen aus einem der drei Zimmer, in dem sich die Demenzkranken tagsüber aufhielten. Ich öffnete eine Tür und sah eine alte geschwächte Denkerin zusammengesackt auf dem Toilettenstuhl sitzen. Ich nahm sie sofort in die Arme und brachte sie ins Bett, das gleich nebenan stand. Die Umrisse des Toilettenstuhls waren blutunterlaufen und tief in ihr Gesäß gedrückt. Wir nennen das in der Fachsprache einen „Dekubitus im dritten Grad". Sie tat mir sehr leid. Ich musste weinen, dabei drückte ich sie herzlich an mich. Der Trost bekam ihr gut. Sie fühlte sich in Sicherheit. Ihre Angst verflog und sie begann sich langsam zu erholen. Ich holte ihr ein Glas Pfefferminztee aus der Küche und cremte anschließend ihr Gesäß mit einer wirksamen Salbe ein.

Die fast neunjährige Arbeit in dieser WG gefiel mir sehr. Ich lernte eine Generation der Zwanzigerjahre kennen. Es war die Generation von Konrad. Zwischen dem Ersten und Zweiten Weltkrieg geboren erzählten mir die alten Denker, wie sie in dieser Zeit leben mussten. Die Prägungen aus ihrer Kindheit konnte ich spüren. Auch wenn sie an Demenz erkrankt waren, konnten sie mit diesem Schicksal gut umgehen. Sie hatten ja keine andere Wahl als in der Welt des inneren Kindes zu leben. Diese Welt bot ihnen Schutz vor Verletzungen.

Ich denke, aus dieser Zeit heraus entwickelte sich eine Dankbarkeit in mir, die ich gern abgeben wollte. Konrad war der ideale Denker, dem ich die Dankbarkeit geben wollte. Auch nach seinem Tod hatte ich dieses Verlangen. Das war auch mein Motiv, dass ich vor einem Jahr ein Gedichtband geschrieben habe. Mein erster Gedichtband. Das innere Kind in mir wollte, dass sich jede Zeile ausführlich mit dem Wind auseinandersetzt. Die Freude darauf gab mir

Kraft, viel Kraft. Dieser Idee ging aber eine Sache voraus, Hertha. Ich wollte damit einen symbolischen Grabstein gedanklich herrichten, um das Buch letztlich auf das Grab von Konrad zu legen. Ich spürte den Glauben in mir. Ich nahm ihn wahr. Es war wie eine süßliche Strömung, den verstorbenen Konrad weiterhin als meinen Freund und Wegbegleiter anzusehen.

Als mein Vater 2011 starb, konnte ich die Leitfigur in mir nicht wahrnehmen. Es löste sich in mir alles auf und die Gedanken flogen davon. Es gab kein Nachdenken über die Dinge, die ich damals in der Kindheit als wichtig empfand. Die alten Weisheiten waren verschwunden. Selbst die alten Fotoaufnahmen aus meiner Schulzeit empfand ich widernatürlich fremd, obwohl ich drauf abgebildet war. Auch heute steht der Glaube in mir stets auf sehr wackligen Füßen. Ich muss schauen, dass mich meine Gedanken nicht in die Depression führen.

Du solltest wissen, Hertha, dass in meiner Familie über Gefühle nie gesprochen wurde. Sie wurden ignoriert, konnten nicht ausgelebt werden. Und das hatte Folgen für mich. Selbst wenn ich heute über meine Gefühle sprechen möchte, schäme ich mich etwas. Und diese Scham macht mir Angst, weil ich dann zugeben müsste, dass es mir nicht gut geht. Lieber würde ich das verneinen, um Konflikte zu vermeiden. Aber ich habe es immer bejaht. Glaube mir, ich habe nie gelernt, Dinge abzulehnen, die nicht gut für mich waren. Die Eltern-Generation wollte nur Gehorsam. Jeder Befehl musste ausgeführt werden. Das war früher so üblich. Was Vater sagte, war Gesetz, und wer dem nicht Folge leistete, bekam seine harte Hand zu spüren.

Konrad kam aus dieser Generation und wusste nur zu gut, warum ich mit dem Malen aufhören wollte. Ich packte alle Malsachen in Mülltüten und brachte sie zur Mülltonne, die am nächsten Tag von der Müllabfuhr abgeholt wurden. Ich fühlte mich frei, endlich kein kreativer Denker mehr zu sein, sondern ein normaler Denker, der in Hellersdorf lebt und die Jahreszeiten genießt.

Ich habe auch gern mit Konrad über Religion gesprochen. Wir wollten beide wissen, was die Predigt des Pfarrers in uns auslösen würde. Ja, Hertha, in Hellersdorf gibt es tatsächlich Kirchen und gläubige Christen, die ihr Wohnumfeld mögen. Ich weiß aus guter Quelle, dass die Strukturen in der Gemeinde gut vernetzt sind. Das Café auf Rädern ist ein Beispiel dafür, wie eine Gemeinschaft mit positiven Impulsen bereichert werden kann. An einem U-Bahnhof in Hellersdorf standen am Ausgang zwei christlich eingestellte Denkerinnen und lächelten den ankommenden Denkern zu, die auf dem Weg nach Hause waren. Elfriede und Hanelore, zwei ehrenamtliche Denker, die für ihre Kirche arbeiteten. Sie begrüßten jeden, der den Bahnhof betrat oder verließ. Manche Denker liefen einfach an ihnen vorbei,

ohne Notiz von dem Café auf Rädern zu nehmen. Ich beobachte nämlich gern das Geschehen. Bei Sonnenschein
stand ich zum Beispiel mit dem Fahrrad am Wegrand und
beobachtete einen älteren Denker im Alter von vielleicht
siebzig Jahren, wie er auf einen mit Blumen gedeckten
Tisch zuging. Er nahm die Einladung von Elfriede und Hanelore an, setzte sich auf einen Stuhl und sprach mit ihnen.
So erfuhren die beiden Denkerinnen, dass der ältere Denker hohe Mietschulden hatte. Ein Problem, das die Generation der 20er-Jahre auch kannte. Elfriede und Hanelore
konnten ihm ein wenig helfen, indem sie ihm das Gefühl
gaben, nicht allein zu sein.

Hertha, das sind Geschichten aus dem Leben. Ich habe
Elfriede und Hanelore zugehört. Sie wollten ernsthaft was
bewegen und standen hinter ihrer Sache. Mein Respekt! Ich
würde mir wünschen, dass es mehr solche Denker gibt, die
über ihren Tellerrand schauen.

Jeden Dienstagabend war ein Treffen in der Gemeinde
angesetzt, um solche Probleme wie Mietschulden zu klären.
Das war ein runder Tisch, an dem mehrere Denker aus der
Stadtverwaltung, den Vereinen und öffentlichen Trägern
saßen, um zu erörtern, wie man Hilfe gewähren kann. Aus
den gewonnenen Informationen wurden Lösung erarbeitet.
Der Pfarrer stellte die Räume zur Verfügung, nahm direk-
ten Einfluss und bot tatkräftige Hilfe an, um diesem älteren
Denker Bernd Kowalke Mietschulden auch in Zukunft zu

ersparen. Rentner zu sein, ist in Bezug auf Mietschulden besonders für die mit wenig Einkünften sehr problematisch. Die christliche Gemeinde will helfen, und diese Solidarität gefiel mir.

Es war Hochsommer, als ich einige Gemeindemitglieder der Glauchauer Kirche beobachtete, wie sie im „Christlichen Garten" ein musikalisches Programm einübten. Ich muss dazu sagen, liebe Hertha, dass gerade dieser Tag ein besonderer war. „Glaube und Religion" war das Motto in den Gärten der Welt. Ein schönes Thema, das mich anzog, bei dem ich dabei sein wollte. Na, jedenfalls übten zwei Christen gerade ein Lied ein. Ich hörte die Klänge der Klangschalen von einem Band mit. Als die beiden Christen ihre Stimmen übers Mikrofon abstimmten, tauchten plötzlich hinter einer dichten Hecke zwei Denker auf. Manfred und Gerald – zwei Musiker, die mit Leib und Seele mit ihren Klangschalen Musik machten.

Ein Tag zuvor rief Torsten an, ein guter Freund von mir, und fragte, ob ich Lust hätte, mit ihm in die Gärten der Welt zu gehen. Ein offener Gospeltag mit spiritueller Musik. Torstens Freude war groß, als ich zusagte. Im Polizeidienst ist es nicht einfach, mal einen Tag in der Woche frei zu bekommen. Natürlich freute ich mich auf ihn. Ich wollte ihm alles auf dem Gelände zeigen und ihm auch Hellersdorf näherbringen.

Der Tag war für mich wie eine göttliche Fügung. Als ich mit Torsten zum „Christlichen Garten" ging, um ihm zu zeigen, wo und wie die Psalmen der Bibel als Letter aufgestellt wurden, hörten wir Pfarrer Mohnhäuser über ein Mikrofon sprechen. Seine kurzen Ausführungen endeten in einem Gebet.

Das Gebet schallte über die Beete und Hecken, als Manfred und Gerald mit den Klangschalen anfingen zu spielen. Weiche Töne erklangen über die Lautsprecherboxen. Der Wind streifte über die hohen Hecken, die den „Christlichen Garten" umzäunten und ihnen Schutz gaben. In der Mitte des Gartens floss ein Wasserrinnsal über einen Marmorstein. Leises Rauschen begleitete die Musik, sodass man die Einheit der Elemente fühlen konnte. Ein schöner Augenblick entstand, der mir unvergesslich blieb. Meine Gedanken schweiften ab. Ich wollte ein Kind sein, das auf einer Wiese mit einem Ball spielt. Der Traum begann in mir seine Reise.

Am Wegrand stand meine Mutter, die in ihren Händen einen großen Blumenstrauß hielt. Ihre Haare flogen im Wind umher. Ihre Augen strahlten und ich dachte, sie müsste imstande sein, die Vergangenheit zu vergessen – nur für eine Minute. Aber dann sah ich, wie meine Mutter weinte und sich hinkniete. Sie faltete ihre Hände, als ob sie zum ersten Mal Buße tat.

Meine Gedanken kehrten in die Gärten der Welt zurück. Ich hörte wieder die Musik. Meine Mutter und du, Hertha, ihr wurdet im gleichen Jahr geboren, wobei sie nicht mehr lebt und du neben mir sitzt und zuhörst, was ich dir erzähle.

Der Blumenstrauß vor ihren Füßen ist schnell verwelkt. Die hellgelbe Farbe der Blüten ist fast erloschen. Braun und dunkel sieht das Blattwerk aus. Mir ging es nicht gut, als Mutter sich auf dem Boden schmerzvoll krümmte und laut meinen Namen rief. Sie schrie immer lauter. So laut, dass der Himmel sich über mir verdunkelte und es Nacht wurde. Dann verschwand sie aus meinem Traum. Ihr Schicksal war besiegelt. Sie konnte mich loslassen.

Dein Schicksal, Hertha, lässt sich Zeit und schenkt dir pure Lebenszeit. Eigentlich kannst du dankbar sein, dass du die Kraft besessen hast, die lange Reise von Amerika nach Berlin zu machen. Ich bin erstaunt, dass du immer noch so rüstig bist, als würdest du gerade mal sechzig sein. Mein Respekt. Vielleicht liegt es an dem warmen Klima bei dir zu Hause? Bemerkenswert ist, dass du deinem Bruder Konrad die letzte Ehre erwiesen hast, schließlich kostet die Reise nach Europa 'ne Menge Geld.

Meine Mutter war in den letzten Monaten vor ihrem Tod gesundheitlich sehr angeschlagen. Das Treppensteigen fiel ihr schwer, sie musste auf den Fahrstuhl ausweichen. Im Nachhinein bin ich erleichtert, dass sie in einem Krankenhaus gestorben ist. Sie war nicht einsam, denn wir waren alle bei ihr. Ihr Wunsch ging in Erfüllung, als der Tod ins Krankenzimmer kam und sie umarmte. Ja, alles stimmte, als ihr Herzschlag nach 85 Jahren aufhörte zu schlagen.

Hertha, ich bin manchmal erstaunt, mit welcher Leichtigkeit der Tod einen Körper umspannt, ohne Schmerz zu erzeugen. Es wäre meiner Mutter sicher recht, wenn ich schreibe, dass sie sich in Hellersdorf wohlgefühlt hat. Die Entscheidung, vom Prenzlauer Berg nach Hellersdorf zu ziehen, war vor zwanzig Jahren goldrichtig. Als Vater noch lebte, wussten meine alten Denker bereits, dass dies ihre letzte Wohnung sein würde. Und sie hatten den größten Garten der Welt vor ihrer Haustür – die Gärten der Welt.

Um nun auf das eigentliche Thema zurückzukommen, das kleine Konzert im „Christlichen Garten" war an dem Tag ein Geschenk. Torsten und ich waren fasziniert von den weichen Klängen der Klangschalen. Der nasse Marmorboden unter meinen Füßen vibrierte leicht und ich spürte, dass mein inneres Kind sich mit mir freute. Einer der beiden Denker war mit einem langen graugrünen Umhang bekleidet, berührte mit seinen Händen das Metall der Schale und schaute mir oft in die Augen, während der andere Denker seine Augen geschlossen hielt und versunken auf mich wirkte. Torsten, der in sich gekehrt neben mir auf einem Stein saß, nahm ich nicht mehr wahr. Das Musikstück hielt mich in Atem, und ich als ich auf dem Nullpunkt angekommen war, konnte ich mit Leichtigkeit alles um mich herum ignorieren. Dann endete die Musik und Pfarrer Mohnhäuser übernahm das Wort. Er erzählte, wie Gott der HERR die Welt erschuf. Ich hörte zu und versuchte, die

Geschehnisse zu akzeptieren. Seine andächtige Stimme umgarnte die anwesenden Gäste. Er suchte ihre Augen und wollte erfahren, wie ihre Gefühle sind. Das war ein seltsamer Moment. Plötzlich war keine Angst mehr in mir. Auch bei den Gästen spürte ich keine Angst. Alle waren bereit, anzukommen. Er betonte fast feinfühlig in seinem biblischen Text, dass die Liebe die stärkste Kraft sei und uns führen würde. Nur sie wäre imstande, eine Umarmung zuzulassen. Torsten war nicht religiös, er verstand nur wenig davon, was Pfarrer Mohnhäuser zum Ausdruck bringen wollte. Und doch war er für die Liebe offen. Sie sei ihm so wichtig wie jedem von uns. Doch nicht überall in unserer Gesellschaft widerspiegelt sich das. Auch in Hellersdorf sehe ich mir die Denker genau an, die letztendlich zu überleben versuchen. Das ist die untere Ebene von Denkern, die wir alle gern übersehen.

Ein gehbehinderter Denker mit einem Rollator wollte zum Beispiel mal eine Straße überqueren. Er stand hilflos am Bürgersteig und hatte Angst vor den schnell fahrenden Autos. Ich fragte ihn, ob ich ihm helfen soll die Straße zu überqueren. Als wir beide auf der anderen Straßenseite ankamen, lächelte er ein wenig und bedankte sich.

Das meine ich, Hertha. Die Welt ist eine Ego-Welt geworden und präsentiert sich so, als gehöre sie dem Ego. Aber das ist auch meine Welt, in der ich leben muss. Die Ellenbogengesellschaft formiert sich neu und gestaltet jeden Tag die Gesellschaft aufs Neue. Wir sollten achtgeben, dass keine Gegenströmung die Liebe angehen kann. Es wäre von Nöten, die armen und kranken Denker wahrzunehmen, die dringend unsere Hilfe brauchen. Wenn wir die Armut beseitigen könnten, wäre der Nutzen enorm, weil wir nur gewinnen können. Denn die Armut verfügt über die Angst, die wir nicht sehen. Und weil wir sie nicht sehen, verdrängen wir sie und spielen eines Tages wieder Krieg. Die Geschichte hat es schon zigmal bewiesen. Zwei Weltkriege und mehrere Dutzend kleine Kriege müssten doch eigentlich ausreichen, um das Problem der Konflikte zu erkennen. Aber, das tut es nicht.

Ich freue mich, dass du es so ähnlich siehst, Hertha. Ja, die Liebe lindert tatsächlich den Kummer vieler Denker und schafft Vertrauen. Dass du so denkst wie ich, dafür möchte ich dich herzlich umarmen.

Von daher möchte ich mit meiner Geschichte im „Christlichen Garten" fortfahren, denn die beiden Klangschalenspieler auf dem Podest taten alles, um die Zuschauer mit ihrer Musik zu verzaubern. Der innere Stress baute sich in wenigen Sekunden in mir ab. In der harmonischen Musik lag eine unglaubliche Leidenschaft. Sie waren feinfühlig und sprengten fast das Universum. Die nie aufhörenden Klänge inspirierten mich zu einem neuen Gedicht. Und wenn ich ehrlich bin, ich wollte diese sensiblen Töne einfangen, um mich an ihnen für den nächsten Tag zu nähren.

Ich fühlte mich wie ein kleines Kind, das im Garten umhertollt. Ich bildete mir ein, die Tropfen des Wassers mit den Fingern berühren zu können, um ihnen Namen zu geben. Ich sah die sanften Wellen des Wassers über den Marmorstein gleiten und meine Begierde auffangen. Ein Traum entfaltete sich in mir.

Wasser fiel in die Tiefe. Ich senkte meine Hand hinein und spürte das kühle Nass. Dann spürte ich die Flosse eines Fisches, zwar nur kurz, doch war es ein Augenblick, der mein Herz erwärmte. Meine Haut wurde trocken und brüchig. Sie überzog sich mit einem gelblichen Seidenstoff und ließ kein Tageslicht durch, sodass ich mein Gesicht im Wasser nicht mehr sehen konnte. Es dunkelte, meine Wut legte sich. Ich stärkte den verloren geglaubten Gedanken mit Fantasie und ließ die Stille zu. Die rasselnde Muschelkette, die meinen schmalen Hals vor der Demut bewahrte, machte mich mutiger, offener, sogar etwas fröhlicher.

Ich sah eine neue Welt. Die innere Gelassenheit ruhte in mir. Der Horizont begann rötlich zu flimmern, und als ich das letzte SOS freigab, ahnte ich, dass mein Lebensende noch nicht kommen war. So wurde ich tollkühn und suchte die Schuld in einer Welt, die eigentlich in mir existierte. Dämonen tauchten auf. Sie lauerten an Straßenecken, um mir zu zeigen, dass sie mächtig waren und Angst schüren konnten. Pferde, die über Kopfsteinpflaster galoppierten, ließen mich aufhorchen. Möwen kreischen vor Freude am Himmel. Ein Fohlen fraß auf kargem Feld das wenige Gras. Die Weide wartete auf Regen. Ich springe ins Gebüsch. Butterblumen sind nahe bei mir, auch rote

Mohnblumen. Ich komme mir vor wie ein vertrockneter Baum, der nie wieder blüht.

Hertha, das war der Moment, da die Vergänglichkeit einen besonderen Stellenwert in deinem Herz einnahm. Daher schweig einige Minuten und lass meine Traumbeschreibung auf dich wirken. Konrad meinte, dass ich schreiben könne und ein Schriftsteller in mir stecke. Aber das stimmt nicht. Das sind die Empfindungen eines Freundes, nicht die eines Schriftstellers. Für mich sind es nur Worte, die eine Sprache suchen und meine Verletzungen widerspiegeln. Ich meine, was ich in dem Augenblick empfand, war eine Idee, von der ich glaubte, sie würde nie in Worte umgewandelt werden können. Sie würde nicht mir gehören, und das denke ich tatsächlich.

Meine Aquarelle, die nun zu Hause rumliegen und darauf warten, dass ich sie in ein heißes Wasserbad lege; habe ich sie überhaupt gemalt? Oder sind sie das unreale Abbild einer Vergangenheit, die ich gar nicht erlebt habe? Mein Gesicht ist versteinert, ich will das Lachen vermeiden. Das Malen hat aufgehört. Aber ich kann nicht nur schreiben, um eine Tragödie aufzuarbeiten, meine Tragödie. Ich bin kein Denker, der in Hellersdorf wohnt und nach den Sternen greift, die es gar nicht gibt. Ich habe versucht, durch das Schreiben die Wahrheit meines Lebens zu finden. Dabei spielt es keine Rolle, wo ich mich aufhalte. Hellersdorf ist nur ein Ort innerhalb einer Großstadt.

Der Ansatz für das Positive schließt auch das Negative ein. Beides gehört zusammen. Selbst wenn die Traurigkeit den Tag bestimmt, folgt stets ein Lachen. Es gibt kein Wenn und Aber, keine Alternative, um zu sagen, dass Hartz-IV der Grund für die Armut in Hellersdorf ist. Dieses Argument ergibt keinen Sinn. Es gibt nur das zurück, was die Angst in einem erzeugt. Das eigene Spiegelbild wird dabei nicht siegen. Dazu muss man auch hinter den Spiegel schauen, um zu erfahren, wo die Wahrheit liegt. Und die Wahrheit heißt: Man muss die Armut ernst nehmen. Jeder Denker, der sich in den unsicheren Gefilden des sozialen Netzes verfängt, muss das ändern können. Das Mitsprecherecht sollte die führende Rolle in der Gesellschaft einnehmen. Und die Solidarität würde ich an jeden Tisch einladen, um die Sorgen der Denker aufzufangen.

Hertha, es nützt keinem, mit erhobenem Finger durch die Welt zu laufen und gleichzeitig auf Facebook schöne Urlaubsbilder von den Malediven zu zeigen, wenn manche Politiker nicht verstehen, dass es wichtiger ist, die Probleme im Kiez anzuprangern und Veränderungen anzustreben. Aber nein, da spielen Kinder und Jugendliche jahrelang auf einem unbeleuchteten Platz Fußball. Wenn es dunkel wird, müssen sie aufhören. Sie beginnen im Internet ein visuelles Spiel, das zumeist ohne Fantasie ausgetragen wird. In den Sommermonaten würde das noch gehen, da es erst gegen 22:00 Uhr dunkel wird, aber ab Oktober/November ist das nicht mehr möglich. Den Politikern geht das aber am Arsch vorbei, solange keine Wahlen vor der Tür stehen. Kurz vor den Wahlen kommen sie aus ihren Schneckenhäusern raus und entdecken die Welt neu. Dann wird diskutiert, wie wichtig ihre Politik ist, wie wichtig sie plötzlich sind, ob nun wegen eines neuen Supermarkts oder einer geplanten Kindertagesstätte.

Hertha, das hat für mich einen echt bitteren Nachgeschmack. Sie tun so, als würde der Bau des Supermarkts oder einer Schule in Mahlsdorf allein von ihnen abhängen. Hochtrabend stellen sie sich vor das Mikrofon und halten langweilige Reden, die keinen interessieren. Wenn man sie aber zu unangenehmen Dingen anspricht, verweisen sie ganz freundlich auf ihren Zeitmangel. Altes Lied. Früher war das auch schon so. Wenn man den roten Denkern sagte, dass ihre Sozialpolitik nicht wirklich funktioniert, dann wurde man beäugt und ins Visier genommen. Widerrede war verboten. Kein Wunder, dass bei manchen Wählern Frust aufkommt und Politiker abgewählt werden. Da hilf es auch nicht, im Internet auf andere zu schimpfen und bei denen die Schuld für die verpatzte Wahl zu suchen.

Hertha, wer verloren hat, wird immer Dreck auf andere Denker werfen. Leider ist das so in der Politik. Mit Hellersdorf hat das nichts zu tun. Das ist ein bundesweites Phänomen. Diese Tatsache wird gern verdrängt. Honecker wollte auch nicht wahrhaben, dass seine DDR auf den Abgrund zusteuert. Er glaubte, den Sozialismus für alle Ewigkeit in Deutschland etabliert zu haben. Aber die Wahrheit sah anders aus. Meinungsäußerungen waren nicht erwünscht. Andere Denkmodelle passten nicht ins System. Sie erfanden das Schönreden. Sie wollten alles besser machen und auf morgen verschieben, um Zeit zu gewinnen. Letztendlich sollte es keine Probleme geben.

Und heute, Hertha? Gibt es heute im neuen Deutschland etwa keine Probleme, zum Beispiel in der Migration, oder bilden wir uns das alles nur ein? Dass uns der Überblick über die Flüchtlinge in Deutschland schon längst verloren gegangen ist, vermuten viele. Zugeben will es aber keiner. Für den Normalbürger, der mit den Flüchtlingen leben muss, liegt es auf der Hand. Doch warum müssen gerade die Flüchtlinge in Wohngebiete ziehen, wo Armut und Arbeitslosigkeit ohnehin schon sehr hoch sind?

Hertha, leider sind diese hausgemachten Probleme gutes Futter für die braunen Chaoten, die dann behaupten, dass die Flüchtlinge an der Arbeitslosigkeit schuld sind. Von der Regierungsseite ist aber angeblich alles in Ordnung. Es gibt keine Altersarmut, keine hohe Arbeitslosigkeit und keine braune Gefahr auf den Straßen. Überall herrscht Frieden. Gott lebt und wird dafür sorgen, dass der Frieden überall ankommt. Wie dumm muss man sein, an so was zu glauben? Ich meinte zu Konrad, dass gerade die Probleme, wo die Flüchtlinge und Denker in Marzahn und

Hellersdorf dicht beieinander leben, abgemildert werden müssten. Es müsste seitens der Politik für Entspannung gesorgt werden.

Ich weiß, was du mich fragen möchtest. Konrad hat mich das auch gefragt: „Wie sieht Entspannung aus?" Ich kann es dir sagen. Man sollte die Hartz-IV-Denker ernst nehmen und ihnen einen Weg zeigen, sich von allein aus ihrer Misere zu befreien, sie wieder in Arbeit bringen. Dafür muss man Geld in die Hand nehmen und davon abkommen, unzählige Werkstätten zur Alltagsbewältigung zu eröffnen. Erst wenn die Denker das Gefühl haben, es wird ihnen mit Erfolg geholfen, dann wird der Brandherd Armut gelöscht und kein brauner Denker kann mehr ein Streichholz daran entzünden. Die Denker in unserem Bezirk brauchen Lebensinhalte, um wieder Mut zu fassen und anderen Denkern zu helfen. Diese Verantwortung seitens der Politik kommt mir in Hellersdorf und Marzahn etwas zu kurz.

Hertha, leider kann das Konrad nicht mehr erleben. Die ganze Welt sah nach Erfurt, als braune Politdenker einen Ministerpräsidenten zu ihrer Spielfigur machten. Alle Parteien waren fassungslos und wütend. Andere klatschten in die Hände vor Freude, die Demokratie stand in Thüringen vor ihrer ersten Bewährungsprobe. Später wollte sich jede Partei ihrer Verantwortung entziehen. Und das ist es, was ich meine: Die Politiker machen Politik für sich selbst, um ihre Jobs zu sichern und wieder gewählt zu werden.

Hertha, es macht mich wütend, zu beobachten, dass so ein Drama überhaupt entstehen kann, nur weil das Volk von der Regierung nicht ernst genommen wird. Würden die Regierungsparteien auf ihre Völker zugehen und Missstimmungen beseitigen, bekämen die braunen Denker in Deutschland und Europa auch keinen Raum zur Entfaltung. Ja, es stimmt was nicht auf unserem Planeten. Woher kommen die vielen Kriegsherde und wer verursacht sie? Wer sind die Gewinner und Verlierer? Man findet nur eine Antwort: Es geht um Macht und immer nur um Macht. Seit Jahrzehnten machen die Mächtigen uns allen klar, dass für sie Narzissmus und Egoismus die wichtigsten Eigenschaften sind, um zu überleben. Sie wollen uns beweisen, dass die Liebe die eigentliche Gefahr darstellt und Schwäche bedeutet. Doch Schwäche offen zu zeigen, ist eine Stärke. Ich gebe die Macht ab und stelle mich den Tatsachen, indem ich die Schuldfrage nicht mehr stelle. Ich gebe lieber dem Feind die Hand, als dass ich auf ihn schieße. Liegt der Feind aber tot am Boden, kann ich keinen Dialog mehr mit ihm führen. Ohne Dialog keine Entspannung. Ohne Entspannung kein Kompromiss. Ohne Kompromiss kein aufeinander zugehen. Ohne dass man aufeinander zugeht, erreicht man keine Ziele. Ohne Ziele gibt es keinen Frieden, sondern nur Krieg und Tod.

Was ist daran nicht zu verstehen? Selbst du, Hertha, kannst nachvollziehen, was gemeint ist und dass damit eine

Gesellschaft intakt gehalten werden muss. Wozu sonst hätten Konrad und ich überhaupt ein Buch über Hellersdorf geschrieben, wenn nicht, um dem Ort eine Stimme hinsichtlich seiner Stellung innerhalb des großen politischen Berlins zu geben? Ich meine, was wollten Konrad und ich mit dem Buch bezwecken? Erzählen? Berichten? Um zu schreiben, wer die Denker in Hellersdorf sind oder wie die braunen Typen den normal Denkenden angst machen? Es ging uns um mehr. Wir beide hatten den Anspruch, dem Ort Hellersdorf/Marzahn ein Gewicht zu geben. Wir beide verfolgten ein Ziel. Wir wollten, dass über diesen Stadtteil diskutiert wird. Selbst die Ablehnung des Buches hätte quasi sein Ziel erreicht. Wie auch immer, die Trilogie wird es geben und für jeden Denker käuflich zu erwerben sein.

Hertha, das ist das Schöne an dieser Welt. Die Denker draußen in der Welt sind so unterschiedlich veranlagt. Jeder darf sagen, was ihm gefällt. Und deswegen stehen so viele unwissend am Straßenrand und behaupten kategorisch das Hellersdorf „Braun" wählt und lebt. Sie sagen, dass die AfD hier ihr zu Hause hätte und ungehindert ihr Unwesen treiben kann. Man kann es nachlesen in diversen Tageszeitungen bedeutender Verlage. Man schaut auf die braune Garde in dem Bewusstsein, dass sie nichts Gutes im Schilde führt. Im Hintergrund, das Bild eines Flüchtlingsheims; wie kann es anders sein. Interessenkonflikte können nicht durch Gewalt gelöst werden. Man weiß das, will aber nichts davon wissen. In den Zeitungen wird suggeriert, dass Hellersdorf und Marzahn gewaltbereite Stadtteile sind und man diese Orte tunlichst meiden soll. Und diese negativen Vorurteile sind schnell auf den Weg gebracht und prägen sich bei den Denkern gut ein. Doch wir wissen alle, dass das so nicht stimmt. Hellersdorf und Marzahn haben mehr positive Seiten, als man denkt. Natürlich gibt es auch Schattenseiten, wie in anderen Stadtteilen auch. Doch Probleme sind da, um gelöst zu werden.

Hertha, die Tageszeitungen sollten sich auf die wesentlichen Probleme eines jeden Stadtteils beschränken. Ich muss nicht den ständigen Klatsch von Mord und schweren Verkehrsunfällen erfahren. Wozu? Wem dient all das Leid? Ich will mir auch keinen Polizeiruf 110 oder Tatort am Sonntag anschauen und meinem Therapeuten am nächsten Tag sagen, dass ich sehr schlecht geschlafen habe. Konrad hat immer eine Erklärung dafür gesucht, warum Gaffer an Unfallorten Fotos machen. Ein schwer verletzter Denker, der um sein Leben kämpft, muss sich wohl daran gewöhnen, dass man erst ein Foto von ihm macht, bevor ihm geholfen wird. Der Gedanke ruft in mir Unverständnis hervor. Die Denker sind sensationslüstern, vermutlich liegt es daran. Sie sind krank und zeigen, dass sie nicht gewillt sind, dem notleidenden Denker zu helfen.

Aber solche Brutalitäten gibt es auch in deinem schönen Amerika, liebe Hertha. Deshalb frage ich mich, wohin das noch alles führen soll. Es ist unglaublich, was die Fernseh- und Pressewelt uns zumutet. Solange die Presse Mord und Krieg für uns zu bester Sendezeit aufbereitet und ausstrahlt, so lange wird der Verstand der Denker nicht heilen. Über Gewalt und Hass lese ich auch in Fernsehzeitschriften. Hier wird auf Sendungen hingewiesen: „Unser Tipp der Woche." Und diese Hinweise sind flankiert von Werbung für Zahnpasta und Autos. Kein Fernsehsender kann ohne Kriminalfilme auskommen, ohne Mord, Vergewaltigung und Totschlag. Selbst die Nachrichtensender schicken ihre Reporter in alle Teile der Welt, um über Kriege und Geiseldramen live zu berichten. Und kein Regierungschef schafft es, sich im Sicherheitsrat der „Vereinten Nation" Gehör zu verschaffen, um deutlich zu sagen, dass Kriege zu unterlassen sind und stattdessen der Hunger unter den Kindern besiegt werden muss. Die „Vereinten Nationen" müssten genau dafür ein Gesetz erlassen und jene bestrafen, und das ohne Ansehen der Person, die dagegen opponieren. Eigentlich sollte der Zweite Weltkrieg ein Mahnmal sein, sich für den Frieden auf der Welt einzusetzen.

Also, was hat das mit Hellersdorf zu tun? Nichts! Ich meine, solange die Gewalt von oben befohlen wird, werden die Flüchtlinge einen Ort suchen, um in Frieden zu leben. Die braune Garde in Hellersdorf und Marzahn hat es verstanden, ihre schmutzigen Parolen in die Gesellschaft zu tragen und Gehör zu finden. Das Brisante daran ist, je mehr

Angst sie säen, umso mehr wächst die Gefahr des Auseinanderbrechens der Gesellschaft. Und sie wird auseinanderbrechen. Das Hellersdorf in Berlin spricht deutsch, denkt deutsch, fühlt deutsch. Die Prägungen unserer Ahnen sind deutsch, wie auch unsere Geschichte. Das ist in jedem Land so, ob in China, Russland oder Großbritannien. Trotzdem sollte es unser Anliegen sein, Kriege von unserem Planeten zu verdammen, den Hunger zu besiegen, Flüsse, Meere und Seen sauber zu halten, die Tierwelt zu hüten und zu pflegen und alle Menschen ungeachtet ihrer Rasse und Hautfarbe zu vereinen. Andernfalls werden die Menschen ihre bewährten Traditionen in die neuen Länder mitnehmen, ihre Gebete, ihren Glauben, ihre Lebensansichten. Sie bauen sich ihre alte Welt in unserer Welt auf. Was ihnen vertraut ist, werden sie in dem neuen Land genauso einrichten. Das müssen wir akzeptieren, wenn wir in Frieden zusammenleben und überleben wollen.

Jedenfalls muss man auf jene zugehen, die AFD wählen, mit ihnen debattieren und sie zum Umdenken bringen. Sie zu ignorieren wäre falsch. Negative Schlagzeilen in der Presse würde ich überhaupt nicht erwähnen, auch keine Nazi-Parolen. Ihren Denkstrukturen kann man nur mit der Logik des Lebens begegnen. So werden sie weder gehört noch beachtet. Und auf Demonstrationen der Rechten würde ich mir wünschen, dass auf einen AfD-Anhänger fünfzig Gegendemonstranten kommen. Jeder müsste eine

Fahne hochheben und symbolisieren, dass Demokratie und Frieden der richtige Weg sind. Gerade das bunte und friedliche Gesicht passt zu Hellersdorf und Marzahn, finde ich. Das ist die Grundlage dafür, die Probleme und Konflikte in der Gesellschaft ernsthaft anzupacken.

Hertha, da ich in Hellersdorf lebe, habe ich natürlich viele Denker im unterschiedlichen Alter kennengelernt. Entweder vor einem Supermarkt, auf dem Parkplatz oder am Fleischstand, wenn die Verkäuferin sich mühte, ein paar Knacker ordentlich einzupacken. Ich erinnere mich an Robert, einen jungen Denker Mitte dreißig. Er arbeitete in der Eisenbahnwerkstatt Eberswalde und reparierte dort die Dieselloks und Güterwagen für Berlin. Ich lernte ihn auf einem Spaziergang im Wuhletal kennen. Wir trafen uns oft, ob bei Regen oder Sonnenschein.

Ohne uns fest zu verabreden, kamen wir irgendwann wieder ins Gespräch. Es entwickelte sich eine Art Freundschaft. Ich erfuhr, dass es Robert nicht gut ging – persönlich und gesundheitlich. Er erzählte mir, dass er vor etwa drei Jahren glücklich mit einer jungen Denkerin zusammenlebt hat, die auf ihr Äußeres großen Wert legte. Sie mochte den Luxus – teure Kleider, gutes Essen. Robert musste damals zunächst mit einer betrieblichen Kündigung klarkommen. Güterwagen wurden repariert und ausgebessert. Die Auftragslage nahm ab und sein Betrieb musste Konkurs anmelden. Für ihn brach eine Welt zusammen. Das Arbeitslosengeld reichte nicht mehr aus, um die hohen Bedürfnisse zu befriedigen. Drei Monate später zog seine Freundin aus der Wohnung aus. Die Wege trennten sich. Er ließ sich aber nicht unterkriegen und machte sein Abitur nach. Nach dem erfolgreichen Abschluss bekam er einen Studienplatz als Konstrukteur im Maschinenbau. Nach kargen drei Jahren hatte er sein Studium erfolgreich absolviert und schrieb seine Masterarbeit. Robert verteidigte diese und bewarb sich bei „Bombardier". Er wurde angenommen. Vor ein paar Tagen, so erzählte mir Robert, hätte sich seine damalige Freundin nach ihm erkundigt. Sie soll ihren eigenen Weg gehen, hat er zu ihr gesagt und sich dabei diebisch gefreut. Ich verstand ihn sofort und meinte, dass das Leben immer seinen eigenen Sinn findet. Daraufhin lud mich Robert zu einer Tasse Kaffee zu sich ein. In seiner Wohnung angekommen, sah ich einen verdunkelten Raum. Doch mein Herz schlug schneller, als ich die Konturen einer großen Eisenbahnplatte sah. Die Spurweite HO löste in mir sofort eine Kindheitserinnerung aus. Hocherfreut stand ich vor dieser sehr schönen Anlage. Jedes Detail war deutlich sichtbar und mit Liebe gebaut worden. Egal ob es ein Bahnhof war oder die Gleisanordnung auf der Eisenbahnplatte, ein dichter Wald oder ein grüner Abhang. Manche Signale standen auf Rot. Die Geräusche einer Dampflok erinnerten mich an meine frühere Eisenbahnplatte, die in Ahrensfelde im Haus meiner Eltern stand. Ich erzählte Robert davon.

Ein Kreisverkehr mit drei Abzweigungen und ein zweigleisiger Endbahnhof waren mein ganzer Stolz. Robert zeigte mir seine große Sammlung an Lokomotiven, die in einem Regal hinter einer Glasscheibe stand. Ich versuchte, die Modelle zu erkennen und nannte den Namen der jeweiligen Lok und die Baureihe. Robert war von meinen Kenntnissen überrascht. In den 60er-Jahren fuhren auf dem Berliner Ring nur Dampfloks der Reihen 01 und 23, die im Personen- und Güterverkehr eingesetzt wurden. Man kann die Rußspuren an den Brückenelementen am Bahnhof Prenzlauer Allee noch gut sehen.

Robert ließ eine Dampflok der Baureihe BR 84 fahren. Auf einem Nebengleis machte sich die Diesellok BR 130 mit Güterwagen auf die Reise. Sie fuhren im Bahnhof aneinander vorbei. Ich konnte mich nicht sattsehen. Meine Augen leuchteten vor Glück. In mir war das Kind erwacht. Glaube mir, Hertha. Ich hätte nie gedacht, dass sich hinter der Fassade, die mir Robert bisher immer gezeigt hatte, eine ganz andere Geschichte verbarg. Die kleinen Modellhäuser waren beleuchtet. Selbst die Straßenlaternen auf den Straßen funktionierten. Robert ließ die Rollos herunter und verdunkelt so den Raum. Alte Fachwerkhäuser, Straßen und Nebenwege erstrahlten im Licht und gaben dem Ganzen eine gewisse Romantik. Unter dem Bahnhofsdach sah ich kleine Plastikfiguren, die auf einen Zug warteten. Herrlich anzusehen war es, wie sie ihre Koffer und Reisetaschen trugen. Bäume säumten die Strecken und ich sah viele Schafe und Kühe auf einer Wiese stehen.

Ich war dankbar, dass Robert mir seine Welt gezeigt hat. Die Züge fuhren durch einen Tunnel, als Robert von seinen Eltern erzählte. Bei einem Verkehrsunfall in Italien seien sie ums Leben gekommen. Ich fragte nicht weiter nach. Ich zeigte Anteilnahme, und die war ihm wichtig. Er brauchte Verständnis, ohne Mitleid. Neun Jahre sind seit dem Unfall vergangen und dennoch spürte ich seine innere Trauer. Ich erzählte von meinen Eltern, dass sie seit Jahren nicht mehr leben und ich versuche, meine Trauer zu verarbeiten.

Hertha, so sieht das Leben aus und so verstehe ich es auch. Die Zeit unserer Geburt und unseres Todes zu wählen ist eine Schicksalsfrage, die wir akzeptieren müssen. Die Zeit ist relativ, nicht fassbar, unbedeutend, verschwommen und zugleich nicht beweisbar. Die Erinnerungen rücken von mir ab, sie würden den Ort nicht finden, wo Empfang und Abschied sich trafen. Geburt und Tod gehören zusammen, denn sie definieren einen Zustand, in dem ich lebe.

Und was hat das mit Hellersdorf zu tun? Viel! Denn die Geschichte, die ich erlebt habe, entstand in Hellersdorf. Es hätte auch Spandau oder Neukölln sein können, Pankow oder Lichtenberg, Charlottenburg oder Mitte, Zehlendorf oder Mahlsdorf, Mariendorf oder Hohenschönhausen, Potsdam oder Hönow, Wilmersdorf oder Prenzlauer Berg, Tempelhof oder Friedrichshain.

Was steht für meinen ehemaligen Freund Konrad, wenn ich an ihn denke? Er kann mich nicht mehr anrufen, um mir seine Sorgen oder Einladungen auszusprechen. Seine Existenz ist belanglos geworden. Nur die Erinnerungsfotos geben mir Anlass, meine Gedanken an ihn zu pflegen und lebendig zu halten. Ich hätte den Verstorbenen gern zurückgeholt, um mit ihm auf dem Wolkenhain eine Tasse Kaffee zu trinken. Auch wenn ich diese Sehnsucht in mir verspüre, so ist es mir nicht erlaubt, die Vergangenheit zu ignorieren.

Als meine Mutter ihre Augen schloss und das Leben ihren Körper verließ, wurde mir klar, dass die Vergangenheit mit all seinen Bildern in mir lebendig war. Ich ahnte, dass der Tod die Erlösung zwischen Erinnerungen und Gegenwart widerspiegelt. Der Tod ist absolut und bestimmt den Takt zwischen Krankheit und Heilung. In mir ist ein stilles in sich gekehrtes Uhrwerk, das mir die Geheimnisse des Überlebens niemals offenbaren wird, denn der Tod bestimmt den Takt dieses Uhrwerks.

Du kannst mir nicht sagen, wann dein Todestag kommen wird, Hertha. Und dem Tod zu trotzen, ist sowieso nicht möglich. Du kannst mir auch nicht sagen, ob die Welt untergeht und wann es regnet, wann eine Blume blüht oder eine Tür sich schließt. Du wirst mir nicht sagen können, wo die schönsten Edelrosen blühen und auf welchen Südhängen das Erikakraut wächst. Wo die Schwalben am tiefsten fliegen und wie viele Nachkommen im nächsten Jahr das Licht der Welt erblicken, auch das weißt du nicht. Niemand kann vorher wissen, wann er das Wort „Liebe" aussprechen wird. Wir sind nicht fähig, in die Zukunft zu schauen und Dinge vorauszusagen.

Konrad tat dies früher als spirituellen Unsinn ab. Ich konnte ihn verstehen. Es machte ihm Angst. Er konnte damit nicht umgehen. Er war damit überfordert und nutzte die Möglichkeit, dem auszuweichen. Aber wie sollte ich den dritten Teil von Hellersdorf weiterschreiben, ohne die Spiritualität als Merkmal meines Lebens darin einzubinden? Ich wollte mich im Text nicht immer nur in der Vergangenheit aufhalten. Das Buch sollte lebendig sein und zeigen, dass die Zukunft in Hellersdorf hoffnungsvoll ist.

Nach deinem Gesicht zu urteilen, liebe Hertha, weißt du nicht, was ich damit zum Ausdruck bringen will. Es geht nicht darum, über Konrad zu urteilen, was die Zukunft angeht, nein, ich wollte ihm zeigen, dass unsere Welt größer ist als wir sie uns vorstellen können. Seine Welt ist zu klein, als dass er wissen könnte, was in fünf Jahren passiert. Ich will was hinterlassen und meinen Kindern den Beweis erbringen, dass die Erwachsenen früher die Dinge mit Überlegung und Gefühl angegangen sind.

Konrads Gefühle bewegten sich auf einer ganz anderen Ebene. Er hatte den Krieg erlebt und seine Familie verloren. Er hat viel zurückgelassen: sein Lächeln, seinen feinfühligen Charme gegenüber den Frauen. Er war stets höflich und aufmerksam, was seinem Naturell entsprach. Mehr noch. Wenn ich mir bewusst mache, was für ein toller Freund er war, denke ich auch an meine verstorbene Mutter nach. Wir sprachen oft über sie.

Viele Erinnerungen reflektieren etwas in mir, wo ich sage: „Ja, genauso war es und nicht anders." Und diese Erinnerungen prägten meinen heute gefestigten Charakter. Ich hoffe nur, dass du meinen Charakter magst, Hertha. Denn ich denke, dass in mir nicht der Satan lebt.

Manche Denker, die früher als Lehrer in den Oberschulen arbeiteten, waren einem Tyrannen schon sehr ähnlich. Ich erlebte das hautnah, denn als Kind glaubte ich wirklich, dass die reale Welt mich bedrohen würde. Die Lehrer suchten die Schuld stets bei mir. Ich vertraute ihren Ansichten. Bei schlechten Zensuren, zum Beispiel in Mathe oder Deutsch, sollte ich mir die Schuld geben, denn angeblich würde ich nicht genug lernen. Was sollte ich tun? Erwachsenen Denkern, die mich erzogen und ausbildeten habe ich vertraut. Warum sollte ich ihnen da als Kind misstrauen?

Meine Kindheit war vom Alltag und von strengen Verhaltensregeln geprägt. Heute leben diese Prägungen in mir weiter und wollen mir wieder Sicherheit suggerieren. Aber das Vertrauen ist brüchig geworden. Ich denke viel über meine Kindheit nach und frage mich oft, warum dies und warum das so geschah und nicht anders. Meine Streitkultur hat sich drastisch geändert. Mein inneres Kind schätzt die Situation sofort ab, wie ich bei Angriff und Ablehnung reagieren muss und ob ich gewillt bin, bei Auseinandersetzungen das letzte Wort zu haben. Ich verzichte darauf, recht zu haben, so finde ich eher meinen Frieden.

Innerhalb meiner Familie lebte tatsächlich mal ein Denker, der vom Charakter her streitsüchtig, narzisstisch, arrogant und gefühlskalt erzogen worden war und dies auch auslebte. Richard, 1930 in Schlesien geboren und später von dort vertrieben. Seine Mutter kannte er nicht. Sie hatte ihn verstoßen und war ihren eigenen Weg gegangen. Sein Vater war im Ersten Weltkrieg gefallen, von daher musste Richard mit Pflegeeltern zurechtkommen. Dann kam die erneute Aufnahme in ein Kinderheim, da die Pflegeeltern mit ihm überfordert waren. Später wurde er von einer zweiten Pflegefamilie angenommen, die in Herzsprung wohnte. Viel Liebe wurde Richard wohl in beiden Pflegefamilien nicht zuteil.

Das kleine Dorf Herzsprung mit seinen 90 Einwohnern prägte seine junge Seele mit Arbeit und Disziplin. Ein kleiner versteckter See und ein Truppenübungsplatz der Wehrmacht, das war sein Spielfeld. Unzufrieden mit sich selbst hat er den Hass verinnerlicht und gab stets den anderen Denkern die Schuld dafür, dass er sich so unwohl fühlte. Er war der festen Meinung, liebe Hertha, dass die anderen Denker sich ihm anpassen müssten und nicht er sich an sie.

Seine Meinung zu äußern sei legitim, soweit hatte er ja recht. Aber zu behaupten, dass nur seine Meinung die richtige sei, konnten wir nicht akzeptieren. Mit dieser Einstellung suchte er ständig die Auseinandersetzung und streute Unfrieden. Es gab keine Situation innerhalb der Familie, in der ich hätte sagen können, sie sei friedlich abgegangen. Oh nein! Ganz im Gegenteil. Er suchte den Streit. Er war nicht gewillt ein Jubiläum friedlich zu genießen. Richard hatte es nicht gelernt, tolerant zu sein oder unumstößliche Gesetze zu akzeptieren. Wenn er sagte, dass die Sonne im Norden auf und im Süden untergeht, dann war das so.

Ich ließ ihm seinen Glauben, seinen Hass auf die Gesellschaft. Letztlich hat die Familie ihn gemieden, indem man ihn nicht mehr einlud. Diese Art von Auseinandersetzung wollte ich nicht mehr erleben, auch keine politischen Dinge am Kaffeetisch oder gar in einer Kneipe diskutieren. Entweder ich sprach ein anderes Thema an oder ich verließ den Tisch. In der heutigen Zeit versuche ich, einem Streit auf einer ganz anderen Ebene beizukommen. Mir wurde bewusst, dass man bei jedem Streit immer erst die Rechtsfrage klären will, nicht aber, wie man den Streit beilegen kann. Und beilegen heißt für mich, einen Kompromiss mit dem Ziel zu finden, aus den unterschiedlichsten Meinungen zu lernen. Die heutige Streitkultur ist leider rau geworden. Die Fäuste übernehmen die Sprachkultur und setzen das Zeichen, dass nur der Stärkere gewinnt. Dass ich die Dinge heute von einer anderen Seite betrachte, liegt wohl an meinem gewachsenen Alter.

Die Jugend habe ich hinter mir gelassen und sehe meine Söhne ihren eigenen Weg gehen. Innerlich aber fühle ich mich jung und bin froh, die alten Verletzungen von früher allmählich vergessen zu können. Dabei hätte ich zu gern Weisheit erfahren, um die Geschicke des Lebens besser zu meistern. Und die Malerei diente mir als Wegbegleiter. Sie half mir, die Welt zu verstehen und mich wahrzunehmen. Ich nahm die winzigen Veränderungen in mir Gott sei Dank wahr, weil ich die stete Eile und den Stress des Lebens ablegte. Ständig auf der Flucht zu sein und zu denken, ich würde was verpassen, machte mich krank. Auch ich möchte mal unpünktlich sein, festgefahrene Lebenssituationen aufweichen und mein Befinden ehrlich äußern. Ich würde gern so manchem Spinner und Denker sagen, sie möchten ihren eigenen Weg gehen, aber bitte ohne mich. Ich würde mir wünschen, dass das Zuhören und in die Augen schauen zur Normalität wird, dass man auf das Befinden der anderen Rücksicht nimmt. Ich möchte den Wind verstehen, der die Zypressenspitzen durchstreift und ankündigt, welche Jahreszeit ihren Namen preisgibt. Ich möchte in die Streublumenwiesen und zwischen die Platanenbäume früh am Morgen laufen und das Samenkorn an meiner Hose mit nach Hause nehmen. Ich möchte die Bäume umarmen und herausfinden, wie alt sie sind. Ich möchte eine Schwalbe hoch am Himmel fliegen und bei Sonnenuntergang ihr glänzend zartes Federkleid sehen. Ich wünschte mir, dass Jesus vor 2.000 Jahren tatsächlich unser aller Sünden am Kreuz auf sich genommen hätte. Vielleicht war er ja ein „Wunderheiler" und hat einem Blinden das Augenlicht wiedergegeben. Vielleicht hatte er auch die Fähigkeit, übers Wasser zu laufen und Tausende mit einem Laib Brot zu speisen. Eine Frage sei mir allerdings erlaubt, liebe Hertha. Was ist mit der Auferstehung von Jesus? Jeder Denker weiß, dass das Leben auf Erden ein Ende hat.

Ich bin überzeugt, dass meine Auferstehung nicht stattfinden wird. Und wenn ich meine Auferstehung erleben würde, was könnte ich den Denkern im Jahre 2131 schon sagen? Sollte ich ihnen dann erzählen, wie Hellersdorf entstanden ist und dass die Wende ein Glücksmoment für uns deutsche Denker war? Visionen und Fantasien gehören zusammen und wollen erlebt werden. Illusionen brauchen Zeit, damit man erkennt, dass der Traum ein Traum ist. Ich habe mich von jeglichem Traum gelöst. Ich weiß, dass meine Gedanken sich mit dem Leben auseinandersetzen. Selbst die gemeinsame Vollendung des dritten Bandes von Hellersdorf, liebe Hertha, ist eine Begebenheit der Realität, keiner Auferstehung, keiner Sandwegwanderung ins Niemandsland und keinem Glockenspiel von Zukunftsplänen geschuldet, die Mühsal und Leid für wichtiger erachten als das Leben. Die Wahrheit ist immer präsent. Die Orte, an denen sich unbekannte Märchen wiederfinden, können nicht darüber hinwegtäuschen, dass ich die Utopie aus der Eiszeit nicht ganz verdrängen möchte. Daher ist die Musik aus der Musikbox ein wunderbares Mittel gegen meine Depression. Durch die Klänge vom Band kann ich mir alles vorstellen, was morgen vielleicht geschieht. Und falls der morgige Tag mich vergisst und ich das Gefühl habe, dass es nicht weitergeht, habe ich immer noch die Möglichkeit, in die Kino-Kiste zu gehen und mir dort den Film anzuschauen „Ich war noch niemals in New York".

Mag sein, Hertha, dass das melancholisch klingt, aber die Zeit hat mich verändert. Ich beginne die Denker in meinem Leben zu akzeptieren. Es gelingt mir mehr und mehr, das Gefühl zuzulassen, dass andere Denker ihren eigenen Weg gehen und ich sie nicht daran hindern darf. Ja, ich kann ihren Denkprozess nicht beeinflussen, selbst wenn sie Dinge tun, die mir nicht gefallen. Das habe ich früher nicht gewusst. Ich war im festen Glauben, dass ich sie verändern könnte. Aber dem war nicht so. Sie gingen ihren Weg, ohne mich zu beachten oder meine Gefühle zu akzeptieren.

Hertha, das klingt sicher naiv, aber als Kind dachte ich tatsächlich, eine S-Bahn anhalten zu können, die jeden Tag 12:00 Uhr abfuhr. Die S-Bahn fuhr trotzdem pünktlich. Meine Gebete halfen da nicht. Mit meinen spärlichen Kräften konnte ich die Welt nicht verändern. In meiner Welt sollte der Frühling nie zu Ende gehen.

Was würde geschehen, wenn zum Beispiel die Schwalben nicht mehr wegfliegen, um in wärmeren Gefilden zu überwintern? Vielleicht wäre ich dann in der Lage, die Wiese im Winter mit Wärme und Sonne zu versorgen, damit sie Nahrung finden. Ich weiß Hertha, das ist ein ewiger Wunsch von mir, magische Kräfte zu besitzen, um Veränderungen in der Welt einzuleiten. Egal wo ich wohne und wann die Sonne am Horizont erscheint. Die Welt ist fertiggemacht und ich habe keine Ahnung, wie sie wirklich funktioniert. Diese Welt schenkt mir keinen Frieden, keine Zufriedenheit, keine Korrekturen in meinem Verstand. Das muss ich alles allein schaffen.

Konrad und ich waren durch Zufall dabei, wie ein Hochzeitspaar ein junges Bäumchen pflanzte – eine Erle, die heute vier Jahre alt sein müsste. Ihre Blätter geben heute schon Schatten – genug, dass eine Butterblume wachsen konnte. Wir hörten dem Pärchen zu und waren begeistert, mit welcher Fröhlichkeit sie ihren Tag feierten. Kein Denker in der Hochzeitsgesellschaft war missgelaunt oder bösartig. Die Stimmung war ausgelassen. Konrad schwelgte dabei in seinen Hochzeitserinnerungen, als er auf einer Parkbank saß und verträumt in den Himmel sah.

Die Hochzeitsgesellschaft stieg in ihre festlich geschmückten Autos und fuhr davon, ohne von uns Notiz zu nehmen. Der Glücksmoment in Konrad hielt noch an, als

er von seiner Hochzeit erzählte: Vor dem Zweiten Weltkrieg hatte er seine erste Frau kennengelernt. Da herrschte
noch Frieden in Deutschland. Die Cafés luden überall in
den Städten zum Verweilen ein. „Genießen war modern",
meinte Konrad und schwärmte von Apfelkuchen mit
Schlagsahne. Sein Gefühl übermannte ihn. Er wollte seine
Tränen unterdrücken, was ihm nicht so recht gelang. Er
zeigte mir ein kleines zerknittertes Schwarz-Weiß-Foto,
worauf seine Frau abgebildet war. Ich habe den Namen seiner Frau wieder vergessen, fand aber das Hochzeitsfoto
höchst sonderbar. Im Hintergrund stand eine Palme, was
auf einen Strand hindeutete. Nach deiner Aussage, Hertha,
war Konrad während seiner Hochzeitsreise im bulgari-
schen Krapets am Schwarzen Meer. Da wurde auch mir
klar, warum du so traurig warst, als ich über die Hochzeit
von Konrad erzählte. Du hast damals erst sehr spät erfahren, dass Konrad heiraten wollte. Heute kann er dir nicht
mehr sagen, warum er dich nicht zur Hochzeit eingeladen
hat. Es gibt eben immer Lebenssituationen, die muss man
im Nachhinein akzeptieren. Bei mir ist das nicht anders.
Mein Sohn hat im Mai Geburtstag. Ich kann an einer Hand
abzählen, wie oft ich bei ihm zu Hause mit Sekt angestoßen
habe. Nur zweimal hat er mich in seinem Leben eingeladen,
zweimal konnte ich ihm Blumen und ein Geschenk bringen. Das ist eine Tatsache, schrecklich zwar, aber ich muss
sie akzeptieren. Mein Sohn hat sich entschieden, mich in

Zukunft zu meiden und mit unbegründeten Vorwürfen zu bombardieren. Das Internet ist eine gute Plattform dafür, um sich bestmöglich zu schützen. Egal welche Anschuldigungen und Vorwürfen dort geschrieben stehen, die Vergangenheit ruht. Ich warte aber auch nicht auf eine Zukunft, die ich mir wünsche – heute nicht mehr.

Meine Zeit in der damaligen DDR konnte ich nie in Worte fassen. Vielleicht ist das der Grund für den Zerfall der Verbindung zu meinem Sohn. Als er geboren wurde, diente ich an der Grenze. Am 15. Mai war ich zum Spätdienst eingeteilt: Vergatterung, Proviant einpacken, MP schultern, Tour abmessen, Zeiträume planen. Meine Aufgabe als Grenzsoldat war es, die Deutsche Demokratische Republik zu beschützen und jeden Eindringling, der aus dem Westen kam, am Betreten des Territoriums der DDR zu hindern. Achtundzwanzig Jahre lang glaubten wir, dass der Schutz notwendig sei, bis ich begriff, warum ich an der Staatsgrenze stand. Keinem DDR-Denker war es nämlich erlaubt, die DDR zu verlassen. Ich sollte meine Waffe auch gegen die eigenen Leute einsetzen, seltener gegen die Denker aus dem goldenen Westen. Das Gefühl eingesperrt zu sein spürte ich an dem Tag besonders, als ein sogenannter „Grenzverletzer" in meinem Abschnitt festgenommen wurde. Um die Gedanken zu verdrängen, blieb mir nur eines übrig, ich musste mit dem Strom schwimmen und nicht dagegen. Und an diesem Tag, den 15. Mai, kam mein Sohn zur Welt. Nur wusste ich nichts davon. Zwei Wochen später holte mich der Spieß in sein Dienstzimmer und sagte mir, dass ich Vater geworden sei. Dann bekam ich endlich meinen Urlaubsschein.

Ich bin Samstagfrüh vom Bahnhof in Lengenfeld losgefahren und war am Sonntag gegen 22:00 Uhr wieder zurück. Sechs Stunden lang war ich bei meinem Kind, nur sechs Stunden. Man stelle sich das vor! Du warst sprachlos, als ich dir das erzählte. Mein Sohn weiß natürlich nicht, was ich an der Grenze gesehen habe und mit welcher Brutalität das Grenzkommando in den 80er-Jahren mit uns Soldaten umgegangen ist. Ich fühlte mich wie der letzte Dreck und war froh, am Kanten zu stehen, um mich mit der Natur auseinanderzusetzen, denn sie war unberührt, still und farbenprächtig. Der Winter, der mit meterhohen Schneebergen und tiefen Frosttemperaturen daherkam, war wie eine heile Welt für mich.

In dieser herrlichen Natur begegnete ich einer Dachsfamilie mit ihren Jungen. Jeden Morgen sah ich sie ihre Besorgungen machen. Aus Richtung Westen wurden die Speisen herangeschafft und im Osten gab es Heu und Gras, das für ihren Bau eine solide und warme Grundlage bildete. Einen Falken sah ich in seinem Horst hoch oben auf einer alten Kiefer stehen. Sein Blick war messerscharf. Nichts entging ihm. Er war immer auf Abruf, um einen Hasen oder eine Maus zu fangen. Selbst ein Fuchs, der im Westen seinen Bau hatte, kam am späten Nachmittag nach Döringsdorf rüber, um beim Bauern vom Komposthaufen die Reste der Mahlzeiten vom Vortag zu holen. Du glaubst nicht, Hertha, was ich für eine Welt an der Grenze vorfand. Im Nachhinein kann ich sogar noch dankbar sein, solch ein Paradies kennengelernt zu haben, zu berühren, zu riechen. Da wuchsen Walderdbeeren an Südhängen, Saftpflaumen, Nüsse, Kirschen, Steinpilze, Pfirsiche. Alles stand in voller Pracht. Und Hellersdorf ist ein ebensolch guter Ort, an dem sich die Kinder wohlfühlen können und Platz finden, um ihrem Spieldrang nachzugehen.

Ich beobachte Kinder gern beim Spielen. Sie sind ein Spiegelbild dessen, was ich selbst einmal sein wollte – ein kleiner Junge auf einer Rutsche mit einem Lachen im Gesicht. Das könnte ich wiederhaben, das besondere Erlebnis mit einem Kleinkind. Denn du sollst wissen, liebe Hertha, dass ein Enkel in der Familie lebt. In welcher Familie? Das ist schwer zu beantworten. Schon der Begriff „Familie" ist für mich ein sehr dehnbares Wort. Jeder kann sagen, er hätte eine Familie. Oder wird es erst zur Familie, wenn alle unter einem Dach leben? Fakt ist, dass mein Enkel bereits zur Schule geht. Er ist jetzt bestimmt neun oder zehn Jahre alt. Ich weiß es nicht. Ich habe den Jungen lange nicht gesehen und sogar seinen Namen vergessen.

Als Baby hielt ich ihn in den Armen. Der Weihnachtsmann klopfte damals an seine Tür und brachte Geschenke.

Das ist die letzte Erinnerung, die ich von ihm habe. Große Zeitsprünge lassen sich nicht mehr verbinden. Der rote Faden fehlt. Zwölf Jahre sind es her. Man muss Verbindung halten, wenn es in der Familie stimmen soll. Aber ich kenne nicht mal mehr seine Augenfarbe. Seine Stimme wird sich verändert haben, sodass ich ihn am Telefon nicht erkennen würde, wenn er „Opa" sagen würde. Mein ältester Sohn, selbst Vater eines Sohnes, tappt nun mit vierundzwanzig Jahren selbst in die Falle.

Ich habe mich damals bewusst gegen meinen Vater entschieden. Ich war wütend auf ihn und wollte mit ihm nichts mehr zu tun haben. So viele Schmerzen hat er mir als Kind zugefügt, so viel Hass entgegengebracht. Ich wollte keine weiteren Vorwürfe und Demütigungen mehr ertragen. Aber nach Jahren meiner persönlichen Entwicklung wurde mir eines sehr klar. Mein inneres Kind sagte mir eines Tages, dass ich vor meinem Vater keine Angst mehr zu haben brauche. Und als mein dritter Sohn gleich nach der Wende auf die Welt kam, reichte ich meinem Vater die Hand. Es kostete mich Überwindung und Kraft, viele Jahre vergingen. Ich sagte zu ihm in ruhigem Ton, dass er sich in Zukunft aus meinem Leben heraushalten und mir nie wieder sagen soll, dass ich blöd sei. Würde er das jemals vergessen, wäre der Bruch zwischen uns vollständig.

Mein Vater wusste nur zu gut, dass ich es ernst meinte. Er veränderte sich und nahm seinen Enkel sehr herzlich an, sodass ich das Gefühl hatte, dass seine Liebe zu ihm wahrhaftig sei. Hertha, das war eine wunderschöne, dynamische und lebendige Zeit. Ich genoss sie sehr. Mein Sohn hat die alten Verhaltensnormen über Bord geworfen und versucht, dem Kind mit Trost und Liebe gerecht zu werden. Als Vater starb, war es mir wichtig, dass meine drei Söhne zur Beerdigung zugegen waren. Ich wollte einen gemeinsamen Abschied, wollte der Familie zeigen, dass die Trauer zum Leben dazugehört und respektiert werden muss. Ich bekam von meiner Familie nicht die Möglichkeit, mich von meiner Oma zu verabschieden. Alles wurde stillschweigend hingenommen, wahrgenommen und gelebt. Fast im Geheimen hatten meine Eltern die Beerdigung meiner geliebten Oma geplant. Sie war es, die mich in die Arme genommen hat und meine Hand streichelte, als ich noch ein Kind war. Ihre Fürsorge und Liebe war es, die mich sensibel und neugierig machte, die mich nie aufgeben und anderen in der Not helfen ließ. Doch die Gleise, auf denen der Lebenszug meiner Angst dahin raste, waren da längst gelegt. Er nahm an Geschwindigkeit zu und gelangte so in die Zukunft – wo ich die Vergangenheit akzeptieren und mich therapieren oder dem Hass hingeben konnte. Heute respektiere ich die Entscheidung meiner Eltern, mich zur Beerdigung meiner Oma nicht mitgenommen zu haben. Ich akzeptiere sie allerdings nicht. Das Gute an dieser Geschichte ist, dass mich meine Oma drei Tage vor ihrem Tod noch mal gedrückt hat. Und ihr letztes Lächeln galt meinem jüngsten Sohn, der mit seinen neun Monaten auf ihrem Krankenbett gesessen hat. Das war mir eine Freude, so eine enorme Herzenswärme zu sehen. Es war wie ein Aufbäumen. Als wollte sie damit sagen: „Schön mein Junge, dass du deinen Sohn mitgebracht hast." Drei Tage später, am zweiten Advent, erfuhr ich, dass sie im Krankenhaus gestorben war. Geschockt musste ich die Nachricht von Mutter zur Kenntnis nehmen. Ich wollte es nicht wahrhaben. Aber es war mir ein Trost, dass ich die letzte Aufnahme von meiner Oma vor ihrem Tod gemacht hatte. Sie sah darauf so glücklich und zufrieden aus, als wollte sie mir Danke sagen, dass sie mich als Enkel hatte, den sie so liebte.

Hertha, diesen kostbaren Augenblick werde ich morgen am Frühstückstisch hinter mir lassen. Ich spüre jeden Tag, dass sich mein Ego an dieser schmerzvollen Erinnerung ergötzt. Ich kann tatsächlich erst jetzt diese Erinnerung ohne Schmerzen an mich ranlassen. Ich muss mich von dem Ego abwenden, das mich in die Dunkelheit zieht. Die Dunkelheit behütet nämlich meine Angst, die mich jeden Tag quält und mein schlechtes Gewissen wachhält.

Im Wohnzimmer hängt das Bild, das ich am Krankenbett von meiner Oma und meinem Sohn gemacht habe. Wenn ich daran vorbeilaufe und darauf schaue, bin ich für diesen Moment so dankbar. Ich bin auch dafür dankbar, dass ich damals den Mut fasste, Vater und Mutter meine

Hand zur Versöhnung zu reichen. Ich bin erwachsen geworden und kann heute zu jedem Denker sagen, dass ich dies und jenes nicht möchte. Ich will nicht mehr bestraft werden, nur weil ich auf mein Gefühl gehört habe. Die Zeit ist vorbei. Dabei möchte ich auch an meine eigenen Kinder appellieren, es mir gleich zu tun. Sich zurückzuziehen ist nicht die Lösung. Sie sollten bedenken, dass meine und ihre Lebenszeit begrenzt ist und dass meine Liebe zu ihnen von mir nie infrage gestellt wird. Ich werde ihnen niemals etwas wegnehmen oder sie mit Vorwürfen bombardieren. Was in der Vergangenheit liegt, ist die Summe von Erfahrungen, die heute keinen Sinn mehr ergeben. Sinn macht es, wenn sie einen Weg gehen, der ihnen die Angst nimmt, damit sie erkennen, dass die Liebe lebt. Die Vergangenheit kann uns nicht mehr verletzen, wenn wir sie akzeptieren. Die einzige Möglichkeit liegt darin, sein Leben ernst zu nehmen, also im Jetzt zu leben und zu lieben. Der Schmerz wird vergehen und die Zuversicht und das Vertrauen werden wachsen. Das ist Gesetz, und das habe ich respektiert. Ich musste über meinen Schatten springen, um mein Leben umzukrempeln. Ich konnte dabei nur gewinnen. Hätte ich meine Angst nicht besiegen können, hätte ich die Liebe in mir nicht gespürt.

Hertha, Hellersdorf ist ein Fleckchen Erde, das mich auf seltsame Weise berührt. Ich sehe manchmal andere Denker im Café oder auf einer Parkbank sitzen und unentwegt aufs Handy starren, ohne dass sie darauf achten, was um sie herum geschieht. Manchen steht die Lebensgeschichte ins Gesicht geschrieben. Andere sind emotionslos, als würde ihnen alles am Arsch vorbeigehen. Gott sei Dank gibt es auch Denker, die immer ein Lachen verschenken und mit vollen Händen ihre Zuneigung und Wärme verstreuen. Gerade die warmherzigen Denker haben mich immer wieder ermutigt, den dritten Teil von „Hellersdorf" zu vollenden. Durch deine Offenheit und Zuneigung hast du mir Kraft gegeben, das Buch zu beenden. Dein Satz, dass ein Buch „Mut machen soll, um den anderen Denkern zu sagen, das Leben geht irgendwie weiter", hat mich motiviert, jeden Tag daran zu arbeiten. Ja, es tatsächlich so, dass Denker mit inniger Liebe die besondere Gabe haben, sich mit einer positiven Aura zu umgeben. Sie geben gern. Sie wollen teilen und mit anderen auf Augenhöhe sein.

Hertha, das sind die Denker, die nicht auffallen. Man sieht es ihnen auf den ersten Blick nicht an. Man muss genau hinschauen, wer sie wirklich sind. Sie leuchten fast, wenn es einem nicht gut geht und reichen ihre Hand, damit ihre Liebe auf den anderen überspringen kann. Jede Umarmung ist echt. Ich spürte es, als ich ihre Kirchengemeinde besucht habe. Mir war es nicht wichtig, ob sie Christen oder Atheisten waren. Ihr Herzschlag zählte, ihre Offenheit und ob sie kompromisslos helfen, um schwachen Denkern in der Not zu helfen. Jeder Tag mit ihnen war ein Freudentag. Selbst mit dir, Hertha, ist jeder Tag ein Festtag. Mir ist schon klar, dass du bald wieder in die USA fliegen wirst, weil das deine Heimat ist. Aber wenn du Hellersdorf verlässt, wird eines zurückbleiben: **unser Buch.**

Konrads Welt, in der er sich bis zuletzt mehr oder weniger vergraben hatte, konnte ich nie richtig verstehen. Wir haben in Marzahn zum Beispiel die Mühle besucht, die ein Zeugnis seiner Kindheit war. Früher gab es auf dem Land viele Mühlen. Das Korn wurde mit der Kutsche eingefahren und mit einem Dreschflegel gedroschen.

Seine Erinnerungen waren sehr emotional in seiner Seele gefangen. Ich musste ihn daher oft aus der Vergangenheit holen und ihn beruhigen. Er holte dann tief Luft und ließ los. Mir war wichtig, dass er spürte, dass er jetzt sicher neben mir stand und keine Angst mehr zu haben braucht. Ich nahm seine Hand und gab ihm Vertrauen.

Ihm war klar, worin mein Anliegen bestand, warum ich ihn drängte, mit beiden Füßen fest auf der Erde zu bleiben. Ärger und Wut taten ihm nicht gut. Er hatte verstanden, dass alles Negative seine Seele mehr krank machen als heilen würde. Mehr und mehr hat er es verstanden. Er wirkte danach gelassener und ich hatte das Gefühl, dass seine Depressionsschübe weniger wurden. Es war für uns beide schließlich eine wertvolle Erfahrung auf uns zu achten, auf die Wut in uns, die Traurigkeit und was die negativen Erlebnisse der Vergangenheit in uns auslösen. Konrad lächelte manchmal, wenn er sich dabei ertappte, dass ihn die Wut überkam. Er bedankte sich oft bei mir, wenn ich ihn an seine Fehler erinnerte. Er fühlte sich wohl und ich genoss es, dass ich das erleben durfte.

Und wie fühlt es sich für dich an, Hertha, wenn du zuhörst, wie ich mit Konrad diese kleine Welt bereist habe? Ich meine, du bist seit Wochen in Deutschland, um die Erbangelegenheiten deines Bruders zu regeln. Berlin ist jetzt für eine kurze Zeit deine Heimat geworden. In der Gästewohnung in meiner Straße fühlst du dich wohl, oder?

Ich sah durch Zufall, dass auf dem Schreibtisch ein Tagebuch von dir lag. Du sagtest, dass du seit deiner Kindheit an diesem Tagebuch schreibst. Ich denke, wie viele Bücher müssen das wohl schon sein?

„Ein ganzer Büroschrank", war deine Antwort. Ich war perplex, zugleich überkam mich Traurigkeit, weil mir klar wurde, dass ich es nie schaffen würde, ein Tagebuch zu schreiben. Nie ist mir so was in den Sinn gekommen. Du hast erwidert, dass meine Bücher auch eine Art Tagebuch meines Lebens sind. Mag sein, dass du recht hast. Trotzdem wirken sie auf mich noch befremdlich. Ich denke manchmal, sie gehören mir nicht. Im Inneren weiß ich, dass ich die Bücher geschrieben habe, aber wenn ich meinen Namen auf dem Cover lese, kann ich es kaum glauben. Konrad rebellierte stets dagegen und meinte, ich soll endlich zu mir stehen und auf das Geschaffene stolz sein. Mein Therapeut war der gleichen Meinung. Er meinte, ich soll stolz sein, dass ich in meiner Familie der Einzige bin, der einen anderen Weg eingeschlagen hat, indem ich mich öffentlich mit meinem Leben auseinandersetzte. Wer schreibt schon einfach ein Buch so ganz nebenbei? Mein Therapeut war immer erstaunt, wenn ich ein neues Buch herausbrachte. Er fragte sich, wo mein Drang zum Schreiben herkommt. Es wird darauf wohl keine Antwort geben, da ich selbst nicht weiß, was mich antreibt.

Erstaunt war ich, als ich erfuhr, dass Konrad selbst ein Buch verfassen wollte. Über zweihundert Seiten hatte er bereits geschrieben. Er wollte der Nachwelt berichten, wie es in der Zeit unter Hitler zuging, wie man als Jude in Deutschland leben und arbeiten musste. Mir gefiel es, dass er zu schreiben begann. Es inspirierte mich, weiterzumachen. Konrad zweifelte allerdings an meinem Buchanfang. Ich meinte zu ihm, dass jeder Denker jederzeit was Neues beginnen könne, selbst wenn es ein Buch sein sollte. Das Alter spielt überhaupt keine Rolle. Es gab schon in der Vergangenheit immer mal ältere Denker, die mit fünfundachtzig Jahren noch ein Studium aufnahmen. Das hält jung, macht neugierig und verhindert Depressionen. Selbst ein Buch zu erwerben macht glücklich und zufrieden.

Ich blühe richtig auf, wenn ich einen Buchladen sehe. Bei Konrad stand ein langes Bücherregal, von dem ich mich angezogen fühlte. Es war für mich unbeschreiblich schön, besonders seltene Bücher bei ihm zu entdecken. Ich gab meiner Neugierde nach und suchte Autoren, deren poetischen Hintergrund ich kannte. Fernando Pessoa gehörte dazu, gefolgt von Hermann Hesse, Robert Walser, Angela Krauss und Friederike Mayröcker. Ich könnte noch mehr nennen, liebe Hertha. Für mich sind das alles feinfühlige Denker, die nah bei ihrem inneren Kind waren. Nur so konnten sie solche tiefsinnigen Texte schreiben.

Hautnah lernte ich eine Poetin aus Sachsen kennen: Edith Rubin, geboren 1958. Sie wirkte auf mich wie eine Ziege, die in jeder Minute was zu meckern hatte. Nur wenn es um Literatur ging und sie in Büchern lesen konnte, war sie still. Unser dreiwöchiger Eden-Alternativ-Seminar in Hannover ging zu Ende. Sie war mir schon in den Seminarstunden beim Lesen eines Buches ständig aufgefallen. Ihre Gier nach Büchern und Zeitschriften war groß.

Fünf Jahre später rief Edith mich auf dem Handy an und fragte, ob sie eine Nacht bei mir übernachten könnte. Ich sagte zu. Als wir von der U-Bahn bei mir zu Hause ankamen, bemerkte sie meine Malarbeiten. Überall auf dem Tisch standen Aquarellfarben, und Papierbögen lagen herum. So nebenbei meinte sie, dass sie auch gern malen und noch lieber mit Ton arbeiten würde. Sie gab mir wertvolle Ratschläge zum Farbenmischen und zur Auswahl von Aquarellpapier, um feingliedrige Motive gut darzustellen.

Sie zeigte mir spezielle Handwerkstechniken, als würden wir uns seit Jahren kennen.

In meiner Wohnung lief sie auf leisen Sohlen, wie eine Katze. Oft drehte sie sich auf dem Balkon eine Zigarette. Rauchen durfte sie ohnehin nur da. Bereits nach dem ersten Lungenzug war sie eine andere: Kaum ansprechbar, so sehr war sie beim Rauchen in Gedanken versunken. Ich mochte das Rauchen überhaupt nicht, akzeptierte es aber, weil sie anschließend gleich ins Bad ging und sich die Zähne putzte. Unbewusst berührte sie mich an den Armen. Es gefiel ihr, wie ich malte, vor allem wie ich das Bild in Szene setzte. Sie meinte, dass die Fantasie ganz nah bei mir wäre. Ich ging darauf nicht weiter ein. Alles war irgendwie gekünstelt, um den Frieden zwischen uns zu wahren. Ich spürte ihre innere Ablehnung meiner Malerei. Und als ich ihr mein erstes Buch „Land der Kinder" zeigte, winkte sie ab und legte es auf den Tisch zurück. Ich wusste nicht, was ich davon halten sollte. In ihren Augen schien Angst aufzuflammen. Still wurde es zwischen uns. Wir sprachen dann fast eine Stunde kein Wort miteinander, während ich zwei Bilder malte. Abends aßen wir gemeinsam und redeten über belanglose Dinge. Lange Zeit versuchte ich, den „Edith-Prozess" zu verstehen. Ich fragte sie, warum sie so ablehnend mir gegenüber gewesen war, als ich ihr mein Buch zeigte. Ich machte ihr klar, dass ich damit nicht prahlen wollte. Ich hätte nur einen Dialog darüber führen wollen. Lob oder

Kritik wäre legitim gewesen. Aber sie ging darauf nicht ein. Aus Angst oder aus Vorsicht, um mich nicht zu verletzen. Ich weiß es nicht. Und dann erinnere ich mich an einen Brief, den sie mir Wochen später geschrieben hat. Drin schilderte sie ihr Leid unter der Knute ihrer Mutter. Als ich den Brief las, war es bereits Herbst. Die Bäume auf dem Marktplatz hatten sich verfärbt. Und genau zu dem Zeitpunkt hatte man ihre Mutter mit einer hohen Auszeichnung der Stadt Hannover geehrt. Ihre Mutter, und das muss ich erwähnen, ist eine anerkannte Buchautorin, die trotz ihrer siebzig Jahre noch große Buchprojekte vorstellt. Den daraus resultierenden Neid der Tochter konnte ich aus Ediths Text herauslesen. Auf die hohe Ehrung durch die Stadt Hannover reagierte sie herabwürdigend.

Hertha, mich überkam dabei ein kühler Schauer. Und auf die Ablehnung meines Buches hatte sie ja ebenso kühl und herablassend reagiert. Ich stellte mir ihr Gesicht vor, als ihre Mutter im Wappensaal vom Rathaus ihre Auszeichnung erhielt. Weiter schrieb Edith, dass ihre Mutter auf der Bühne vom Bürgermeister einen Orden überreicht bekam und sie dabei nicht hinschauen konnte. Viele Bekannte und Freunde ihrer Mutter waren zugegen und überreichten große Blumensträuße und Geschenke. Andere Denker applaudierten anhaltend für das, was sie für die Stadt getan hatte. Ich schrieb Edith eine Postkarte und wollte wissen, wie sie die Leistung ihrer Mutter selbst einordnen würde.

Darauf antwortete sie kurz: „Wen interessiert das?" Ich weiß, dass ich dir vor ein paar Tagen von einem ähnlichen Fall erzählt habe. Die zwei Denkerinnen sahen in der Kunst die Erlösung ihrer Sehnsüchte. Sie wollten davon leben, sich über die Kunst definieren und wussten allerdings kaum etwas darüber. Und doch waren sie wertvoll und belebend, als ich sie kennenlernte.

Gefühle lassen sich zu keiner Zeit eingrenzen, schon gar nicht, um die Liebe zu schwächen. Sie bleiben und geben nicht im Wind nach. Mehr noch. Sie beginnen zu tanzen. Zu schwingen. Zu heben, um den kläglichen Rest von Wut und Arroganz auf einer Tanzfläche hinter sich zu lassen. Dann wird die Zeit kommen, da sich die Gedanken nicht mehr zieren, denn die Illusionen können sich nicht wehren. Die Sinnlosigkeit zelebriert den heiligen Tag und gibt bekannt, dass die Angst die Musik des Friedens vergessen hat. Sie lässt das zurück, was nie erlebt wurde, und übt leise ein neues Musikstück ein, das sich mit der Liebe verbindet. Die Melodien werden nicht aufhören. Die Macht wird schwächeln. Sie zieht sich zurück und gibt der Liebe mehr Raum. Die Suche beginnt von Neuem, weil das Leben lebenswert erscheint, und das jeden Tag. Und die Reise geht weiter. Sie lebt bereits unter feiner Seide, wo die Demut das Leben im Sonnenlicht beschützt, um die harte Schale aufzulösen. Sie macht die Illusionen sichtbar, um die Flucht anzubieten.

Wehe dem es schrillt im Tal das Gefühl der Gehässigkeit, die den hohen Zaun der Wahrheit einreißt, die sonst nie ans Licht gekommen wäre. Die Denker wissen es gut einzuordnen und beginnen zu lästern. Aufmerksamkeit ist daher angebracht. Sanftheit ist geboren, da der Himmel das allgemeine Chaos mildert, um sich dem inneren Widerstand zu beugen. „Gott sei Dank!", sagen die Denker. „Gott sei verflucht!", sagen die Fremden auf der gegenüberliegenden Seite. Nur die Zustimmung, sie fehlt. Das Fest wird bald beginnen. Die Macht glitzert diamanten an der Wand. Die Liebe schwebt im Gefäß und lässt die Wut in Worten entweichen. Sie schmilzt im Sonnenlicht. Langsam, ohne Hast. Das Gedachte fällt ab. Die Illusionen welken am Rand. Dem süßen Traum ist sie nicht nahe. Doch hört dem Strom der Güte zu und langweilt euch nicht so, als wäre die Unruhe ein Eigentum!

All das hat Folgen und widerspricht dem Gefühl der Liebe. Daher weint nicht, um die Depression einzuladen. Geduldig bleiben, heißt die Devise. Stille suchen. Die Stunde umarmen. Den Knecht ignorieren, der im bösen Blut verweilt. Die wahre Magie ist das Lachen, um den Altar des Vergessens zu ehren. Denn gerade durch das Lachen wird die Gehässigkeit zerbrechen, um den Zuspruch der Welt zu retten. Ansonsten geschieht etwas, das nicht mehr zu stoppen ist: Die egobeladene endlose Klageflut hält, und das muss man wissen, irgendwann dem massiven Druck von Kälte und Groll nicht mehr stand. Wie in einer Staumauer werden sich zunächst kleine Risse zeigen. Dann wird sich eine Flut von Gefühlen über jeden gebrandmarkten Knecht ergießen, bis der Tod das letzte Wort übernimmt. Oh weh! Wo soll das aufhören? Wo sind die Fragen von Herkunft und Heimat? Wo ist der Kuss auf den Lippen, dessen liebliche Worte sich

winden und schmeicheln? Wann ist der Zeitpunkt da, um zu erklä-
ren, wie die Welt aussehen soll? Ein letzter Atemzug, ein letztes Zu-
hören, dann säuselt der Tod. Mehr noch. Er verspricht hoch und hei-
lig, dass die Lösung nahe ist. Doch das Urteil ist gefällt und die Fah-
nen liegen am Boden. Sie werden nicht aufgehoben. Hier ruht das
Drama eines Zweifels, das jedes Gesicht zerkratzt, weil es ihm an
Liebe fehlt.

Was ich gerade geschrieben habe, hat nichts mit dir zu tun,
liebe Hertha. Damit möchte ich in Erfahrung bringen, wie
ich der kalten Welt dort draußen begegnen muss.

Bald wird der Tag kommen, da ich dich zum Flughafen
bringe. Unsere gemeinsame Zeit ist bald vorbei. Dann wird
auch das der Vergangenheit angehören. Ich werde es erneut
nicht akzeptieren, da die alten Prägungen immer noch in
mir leben. Doch dann werde ich schnell erkennen, was ich
früher nie geschafft habe. Es werden Erinnerungen am Horizont auftauchen, die sich auflösen. Wir werden sie nicht
festhalten können. Der Lebensprozess wird das Geprägte
in Erinnerungen umwandeln. Und irgendwann wirst du
mich vergessen, wie Konrad, der im Himmel darauf wartet,
dass auch mich die Vergänglichkeit begrüßt. All das wird
geschehen. Aber was hat das mit Hellersdorf zu tun? Kein
Denker, der am Nordpol sein Iglu aufschlägt, würde sich
darum kümmern, ob in der Hellersdorfer Straße eine Ampel auf Rot steht. Selbst die Pferde auf der Koppel am

Kienberg werden den Pariser Eiffelturm nicht zum Einstürzen bringen. Ich meine, Hertha. Egal zu welchem Ort wir uns hingezogen fühlen, es ist stets der Ort, an dem wir uns niederlassen und unseren Zerwürfnissen und Träumen, Erinnerungen und Impressionen, Gefühlen und Äußerungen einen Namen geben. Ohne einen festen Ort gibt es keine Heimat, kein zu Hause, keine Wiederkehr, kein Ankommen, kein Entkommen, kein Erleben, kein Jetzt.

Hellersdorf hat mich angezogen, dort lebe ich. Der Bus führt mich aufs Land. Die Rieselfelder konnten ihre letzten Atemzüge tun, bevor die ersten Vermessungen der Hochhäuser anfingen. Baumalleen dekorierten noch die Straßen. Verkehrsampeln suchte man vergebens. Satte grüne Wiesen leuchteten mir entgegen. Das Ortsschild „Hellersdorf" stand etwas verloren am Wegrand. Der Bus fuhr durch den Schlamm, während ich erstaunt auf einen Baukran blickte, der eine Betonplatte in die Höhe hob. In dem Augenblick fiel meine Entscheidung. Ich blieb, und das war vor über 30 Jahren. Seither verwandelt sich das Stadtbild ständig. Auch die letzten Äcker und wilden Wiesen werden in der Zukunft verschwinden, um auch neuen Denkern, die aus ihrer Heimat fliehen, ein Dach über den Kopf zu geben. Haben wir eine andere Wahl, Hertha?

Und genau über den Begriff „Heimat" haben Konrad und ich lange diskutiert. Konrad blieb bei seiner Meinung: „Wo der Denker geboren wurde, da ist auch seine Heimat."

Ich bin der Meinung: „Meine Heimat ist dort, wo ich wohne." Für dich ist Heimat kein relevantes Thema zum Diskutieren, es ist eher ein Gefühl. Soll heißen: Wo du dich wohlfühlst, da ist deine Heimat. Auch ein Argument.

Andererseits ist der Begriff „Heimat" schon abgedroschen und hat einen etwas radikalen, nationalistischen Beigeschmack. Eine Wohnung als sein Zuhause zu bezeichnen, hört sich vertraut an. Es ist mein Lebensumfeld. Für jeden ist „Heimat" etwas anderes. Mein Geburtsort ist es für mich nicht, da ich dort nur geboren wurde. Ich hätte auch in einem fahrenden Zug oder gar in einem Flugzeug das Licht der Welt erblicken können. Was wäre dann meine Heimat? Würde ich dort aufwachsen, wäre das wieder was anderes. Also lasse ich das Thema, denn ich bin in einer Zeit geboren worden, in der es kein Krieg gab. Meine Eltern, die den Zweiten Weltkrieg miterlebten, hatten mit dem Begriff „Heimat" auch einen ganz anderen Umgang. Zu der Zeit gab es zum Beispiel die Leitsätze: „Wir beschützen unsere Heimat" oder „Wir sehen unsere Heimat bald wieder" oder „Das ist unsere Heimat".

Ich lebe seit vielen Jahren in Hellersdorf und gebe zu, es ist (noch) ein schöner Wohnort. Mehr ist nicht zu sagen. Heimatgefühle wirken auf mich, als würde ich in einem Wohnzimmer sitzen und eine Modelleisenbahnplatte aufbauen, auf der ein Plastikwohnhaus steht, das beleuchtet ist. Möge noch ein Baum davorstehen, der dann die Miniatur-

Heimat perfekt macht. Aber ich sollte mich besser ernsthaft mit dem Thema „Heimat" befassen. Es ist die Stadt, in der ich heute wohne. Morgen ist es vielleicht ein Dorf und übermorgen vielleicht ein Wald, wo die Ruhe auf mich wartet. Schön, dass du darüber lachen kannst, Hertha. Ich kann es auch.

Bruno, das ist ein kreativer Künstler aus Biesdorf, habe ich gefragt, was er unter Heimat versteht. Etwas verwundert schaute er mich von der Seite an und sagte, dass ich ihm in die Augen sehen soll, um eine Antwort zu erhalten. „Ja, mein Freund", sagte er, „sieh, was da gerade an der Garderobe hängt." Bruno kam gerade, das sollte ich noch erwähnen, von der Bühne und spielte seit Wochen ein Theaterstück: „Die zwei Schwestern von Kreuzberg". Ein Zeitraffer aus der Mitte der 20er-Jahre.

Bruno erinnerte mich irgendwie an Heinrich Zille: Cordanzug und weißes Hemd mit bunter Fliege. Dazu schwarze Schuhe und Hosenträger. Ich habe Bruno gut verstanden. Das Kriegsende lag vier Jahre zurück, als er 20 wurde. Ich konnte diese Zeit von damals gut nachempfinden, denn seine Rolle als Dr. Hackental spielte er geradezu famos. Er ging in der Person völlig auf, als ob die 20er-Jahre noch lebendig wären. Nach so langer Zeit aus dem Krieg anzukommen, das war für ihn der Begriff „Heimat". Endlich zu Hause ankommen. Bruno erzählte viel von der damaligen Zeit. So brauchte ich ihn nur fragen, was Heimat bedeutet. Nach Jahren der Gefangenschaft, des Schmerzes und der Entbehrungen, von Flucht und Vertreibung war ihm seine Vergangenheit noch immer allgegenwärtig. Als ich ihm die Frage zur „Heimat" stellte, nahm er mich überraschend in die Arme. Er fand es schön, dass sich die Jugend von heute wieder mit diesem Thema beschäftigte. Ich kam Bruno dadurch näher und verstand letztlich, warum er Berlin Kreuzberg wieder als seine Heimat betrachtet hat.

Heute ist „Heimat" für mich wie ein kleines Schlauchboot, mit dem ich über die Spree fahre, ohne anzukommen. Ist der Begriff „Heimat" in unserer modernen Zeit etwa schon überholt? Konrad definierte ihn mal als seine Bibliothek im Arbeitszimmer, wo seine Bücher darauf warten gelesen zu werden. Heimat ist auch ein Ort des Sterbens, mit dem Wissen, dass die letzte Ruhestätte sich an dem Ort befindet, wo man sich die meisten Jahre seines Lebens aufgehalten hat. Heimat war für ihn auch die S-Bahn, die er von Weitem hören konnte. Wenn die Räder die Schienenstöße überfuhren, klang es für ihn wie Musik: Klack! Klack! Klack! Ich wusste nicht, wie sehr er sich damit befasste. Und als ich es wusste, berührte es mich. Mir ist es dagegen unwichtig, wo ich begraben werde. Heimat unterliegt meiner Fantasie, sie kann überall sein. Wäre ich ein Jude, würde vielleicht Jerusalem meine Heimat, Deutschland mein Zuhause und Hellersdorf mein Wohnort sein. Ein Wohnort für eine kurze Zeit. Für ein paar Wochen, ein paar Monate oder auch ein paar Jahre. Alles wäre denkbar. Bei der älteren Generation ist das anders, da sie häufig aus ihrer Heimat vertrieben wurden. Der Krieg hat tiefe Spuren hinterlassen, die eine Definition von Heimat sensibilisiert. Ich respektiere das und kann mit gutem Gewissen zur Ausländerbehörde gehen, wo abermals Tausende Denker aus fernen Ländern nach Deutschland kommen, um hier Asyl zu beantragen. Sie verlassen ihre Heimat, ihr Vaterland, ihre Prägungen. Stress und Angst sind die Folgen. Dass sie an so was nicht denken?

Konrad erlebte im vorletzten Herbst in Marzahn den Aufmarsch der braunen Denker vor einem Flüchtlingsheim. Er bekam es mit der Angst zu tun. Ein Hellersdorfer zu sein und noch dazu ein Jude, das passt vielen nicht, egal woher sie kommen. Er schöpfte bei den Demonstranten Kraft, die am Straßenrand standen und ihre Stimme gegen rechts erhoben. Ein junger braun angehauchter Denker, vielleicht 19, 20 Jahre alt, hat die Demonstranten der Linken mit einem Stock angegriffen und sie verbal beleidigt. Konrad schrie ihn an, was das werden soll, wenn es fertig ist! Der Angreifer meinte, dass er keine Judenschweine und Ausländer in Deutschland dulde. Ich musste lächeln, Hertha. Ich fragte den braunen Denker, woran er ein Judenschwein erkennen würde. Er fand natürlich keine plausible Antwort, wurde wütend und lief schließlich zurück zu seiner Truppe.

Ich denke, dass viele in dem Moment mit Konrad und mir empfanden. Jeder entscheidet für sich, ob er Gesicht zeigt oder nicht. Jeder Denker darf kundtun, woher er kommt. Hier. Öffentlich. An jedem Ort im Land.

Du hast recht, Hertha. Das Judentum und der National-sozialismus beschäftigen mich sehr. Ich mag die braune Haltung nicht, die immer zum Krieg geführt hat. Diese Haltung suggeriert die Ablehnung Andersdenkender. Seit Jahrzehnten geht diese sinnlose Hetze nun schon in Deutschland – wieder in Deutschland, muss ich dazu sagen. Und keine Partei fühlt sich wirklich verantwortlich, dagegen vorzugehen. Um Religion allein geht es nicht, ging es in den zwei Weltkriegen auch nicht. Im Mittelalter und der Antike war das anders, da diente Krieg der Religion. Aber das ist heute uralter Kram, der uns nur eines lehrt: Der Mensch versteckt sich hinter der Religion, hinter einem Messias, weil er Angst vor den Unbilden des Lebens hat. Er flüchtet sich in Kriege, um seinen Machthunger zu stillen und seine Angst zu besiegen. Aber, das ist meine Meinung, keine allgemeingültige.

Konrad hatte dazu keine eindeutige Antwort, Hertha. Lassen wir das Geschichtliche ruhen, wir können ohnehin nichts mehr daran ändern. Man sieht ja, wohin das Drama der Missverständnisse führt: Auseinandersetzungen, Krieg, menschliches Leid. Wir können nur hoffen, dass Menschen nie wieder in Gaskammern getötet werden oder auf andere grausame Art. Und doch gibt es immer wieder Länder auf diesem Planeten, die eine andere politische Meinung als die der herrschenden Klasse nicht zulassen. Aber wer ist das? Der Präsident? Der Kanzler? Der König oder Gott? Nein! Es sind die Großbanken und Konzerne, die in den politischen Ausschüssen sitzen und an Gesetzen mitarbeiten.

Ein ehemaliger Bundeskanzler hat sich gegen Gott ausgesprochen: „Wenn es Gott geben würde, hätte er den Holocaust nicht zugelassen." Richtig, der allmächtige Gott hätte über uns Denker gewacht. Aber das tut er wahrlich nicht, denn es gibt ihn nicht, so sehr wir auch an etwas Übernatürliches glauben wollen. Wir müssen uns unseren Ängsten allein stellen, mit ihnen fertig werden. Wir müssen uns jeden Tag Achtung und Respekt neu erkämpfen, und das ohne die Hilfe eines Gottes. Wahrscheinlich kennt dieser Gott nicht mal die Begriffe Frieden oder Liebe, denn sonst hätte er für all das schon gesorgt und nicht zugelassen, dass die Erde stirbt und ihre Lebewesen.

Hertha, ich weiß nicht viel über Religion, aber eines weiß ich genau: In mir ist ein Wille und dieser Wille ist frei. Ich entscheide, ob ich mit dir den dritten Teil von „Hellersdorf" beende oder den ganzen Tag in einer Kneipe sitze und mir den Frust durch die Kehle spüle. Ich kann aber auch in einer Backstube arbeiten, um einen wunderschönen Weihnachtsstollen zu backen, den ich an die armen Denker in Hellersdorf verteile. All das könnte ich tun. Und das können auch alle anderen Denker, in jedem lebt ein freier Wille, der die Welt verändern kann. Leider geschieht das nicht immer zum Positiven. Aber Gott ist an den Veränderungen in der Welt nicht schuld, wir sind es, unser freier Wille ist es. Viele Denker können das nicht verstehen und weisen die Schuld für negative Veränderungen von sich. Das ist eine Einstellungsfrage. Konrad meinte dazu, dass jeder Denker seinem Willen und seinen Fähigkeiten nachgehen sollte. Das würde die Welt wertvoller machen.

Ich stand an einer Straßenkreuzung, die Ampel war rot. Auf der anderen Straßenseite sah ich Emanuel stehen, einen jungen kreativen Denker mit ungepflegtem Fahrrad. Er hatte eine Gitarre geschultert und trug in einer verdreckten Ledertasche ein elektronisches Klavier auf dem Rücken. Emanuel wohnte irgendwo in meiner Umgebung. Sein Familienname ist mir entfallen. Die Nachbarn erzählten, dass er in Hellersdorf lebe und von Hartz-IV abhängig sei. Deshalb verdiene er sich jeden Abend an der U-Bahnstation Warschauer Straße als Straßenmusiker noch etwas dazu, und das schon seit vielen Jahren. Seine Kleidung entsprach den 60er-Jahren: dunkelbraune Jacke mit Flicken an den Ärmeln und eine Baumwollhose in Schwarz. Ich hatte den Eindruck, leibhaftig an der Mauer in Berlin zu stehen.

Um deiner Frage vorzugreifen: Ich traf ihn, weil ich von meiner Therapie nach Hause wollte und in die S-Bahn umsteigen musste. Auf dem kleinen Vorplatz vom U-Bahnhof hörte ich den Beatle-Song „Yesterday", den Emanuel gerade spielte. So erkannte ich ihn. Ich drehte mich spontan um und genoss das schöne Lied. Er sang absolut sauber, ohne sich dabei anstrengen zu müssen. Ich blieb stehen und hörte ihm bis zum Schluss zu. Ein paar Wochen später sah ich ihn erneut, und zwar in einem Supermarkt. Er stellte sich am Backstand an. Die Schlange war lang und ich hatte wenig Zeit. Aber er stand ja jeden Nachmittag gegen sechzehn Uhr am U-Bahnhof Warschauer Straße, dort konnte ich seiner Musik lauschen, wenn ich wollte.

Einmal habe ich ihn spät in der Nacht kommen sehen, als er müde die Bahnhofstreppe hoch ging. Ich dachte, vielleicht lohnen sich noch ein paar Euro für ihn. Auf den Plätzen Berlins spielen so viele Musiker für Geld, weil ihr Hartz-IV zum Überleben nicht reicht. Das macht mich traurig, denn ich weiß genau, dass diese kreativen Denker in ihren Fähigkeiten völlig unterfordert sind.

Ich prägte mir Emanuels Gesicht ein und träumte sogar eines Nachts von ihm. Er trug einen gelben Stern und bettelte am Bahnhof Alexanderplatz. Ich gab ihm Brot und Käse. Als Dank spielte er mir das Lied „Unter der Laterne" aus den 20er-Jahren vor. Als er zu spielen begann, leuchteten plötzlich die Straßenlaternen. Wenig später öffneten sich die Fenster und es fielen kleine Geldpäckchen herunter. Natürlich war das nur ein Traum, Hertha. Ich denke oft über diesen Traum nach, denn er wollte mir gewiss etwas sagen. Nur, was? Klar braucht Emanuel Geld, soweit hatte ich den Traum schon verstanden, aber die Denker, die am U-Bahnhof Warschauer Straße ausstiegen und seiner Musik lauschten, wussten nicht, dass es ihm gesundheitlich nicht gut ging. Ich meine, er war allein und suchte einen Weg, um mit dem Leben klarzukommen.

Ich sah nie seinen Vater oder seine Mutter bei ihm. Zu Weihnachten brannte in seiner Wohnung nur ein Neonlicht von der Decke, dass die weißen Wände kalt erscheinen ließ. Gemütlichkeit sieht anders aus. Am zweiten Weihnachtsfeiertag sah ich ihn mit seinen Musikinstrumenten wieder zur U-Bahn gehen. Ich wusste, wohin er wollte, zog die Wohnzimmergardine zu und betete, er möge wieder gesund zu Hause ankommen.

Hellersdorf ist im Wandel. Das Baugeschehen verändert vieles. Die Kunst sucht Nischen, da neue Ideen oft unbeachtet bleiben. Aber die Kunst gehört zur Gesellschaft. Sie stärkt ihr Fundament, verbindet uns. Die Aufgaben sind verteilt. Jeder kennt seine Herkunft und begrüßt den Tag, als würden die Stunden langweilig dahingehen. Und doch sind die Gesichter der kreativen Denker verschieden. Sie begeben sich auf dünne Pfade, um sich zu vergewissern, dass das, was sie tun, auch das richtige ist. Dabei haben ihre künstlerischen Werke keinerlei Bedeutung. Auch nicht die

Wochentage und die Jahreszeiten, von denen sie sich Entdeckung auf dem Kunstmarkt erhoffen. Entdeckung, Verkauf und Anerkennung, das sind die Kriterien, wobei gerade Anerkennung ein Problem für die Denker darstellt. Händeringend kämpfen die Künstler darum, gesehen zu werden. In der hektischen Zeit von heute geht vieles unter und man sieht nichts mehr, weil die Hast und die Angst wie ein Lenkrad gegensteuern. Kein Wunder, dass ein wertvolles Bild dabei unerkannt und eine unbekannte Märchenerzählerin, die den Kindern und Erwachsenen Märchen zugänglich macht, ungehört bleibt. Altes Handwerk, wie das Vorlesen, wird kaum noch gepflegt. Aber es macht Freude, Grimms Märchen zu hören.

Puppenspieler, welch ein Wunder, können den selbst gebauten Puppen Bewegung geben. Man denkt, sie würden wahrhaftig leben. Jeder nach seinen Talenten und Fähigkeiten, die auf jeden Fall Anerkennung brauchen. Doch der Beifall fällt sehr oft mager aus. Das Publikum fehlt. Sie gehen lieber zu den Orten, wo das „Halleluja" wohnt und die Fröhlichkeit das Sagen hat. Ja, in Hellersdorf und Marzahn fehlen Bühnen, wo Puppenspiele stattfinden und wo die kreativen Denker ausreichend Beschäftigung und Beachtung finden. Warum ist das so?

Ich war mit Konrad oft in der Hellersdorfer Promenade. Früher war das ein guter Ort für einen Spaziergang und eine Tasse Kaffee. Heute sieht die Promenade düster aus. Billigläden säumen die Wege. Ich will immer schnell daran vorbei.

Du erinnerst dich sicher, Hertha, dass wir beim Bäcker „Junge" im Kaufpark Eiche noch warmen Mohnstreusel aßen und darüber staunten, wie viele Denker dieses Kaufzentrum besuchten. Seitdem es umgebaut wurde und die Ladenflächen sich verdoppelt haben, ist das Angebot gestiegen. Die Gastronomie hat sich verbessert und man kann essen was das Herz begehrt: deutsche Speisen, chinesische, italienische oder Fast Food. Helle Mitte ist dagegen verarmt. Wo jetzt die vielen Unterrichtsräume in der Alice-Salomon-Schule installiert werden, sind bereits viele Schaufenster verdunkelt worden. Die Räume stehen nun den Studenten zur Verfügung. Ich warte nur, dass auch noch das Kino seine Tore schließt, weil die Miete nicht mehr gezahlt werden kann.

In Konrads kleinem Paradies genügte ihm schon ein Augenblick der Anerkennung, um gesund zu bleiben. Wenn ich ihn zum Beispiel wegen seinen Fotografien lobte, war er richtig stolz auf sich. Er zeigte sie auch seinen Bekannten und Freunden, besonders den weiblichen. Wenn ich seinen Charme und seine Gelassenheit spürte, war er ohne Angst. Leider waren diese Momente selten. Ich fand es bedauerlich, dass ihn seine Vergangenheit immer wieder eingeholt hat und er Trost in seinen Fotografien suchte, aber nicht fand. Sein Schmerz von früher ließ ihn nie ganz los. Der Tod seiner letzten Frau, die von heute auf morgen starb, war für ihn ein einschneidendes Erlebnis. Dieser Schock saß tief. Ich weiß, dass er viele kostbare Jahre mit ihr verbracht hat.

Ich akzeptierte seinen Schmerz und versuchte seine Gedanken auf die schönen Dinge des Lebens zu lenken. Auch deshalb haben wir gemeinsam an der Trilogie über Hellersdorf gearbeitet. Er strahlte immer, wenn wir an dem Buch weiterarbeiten konnten. Dabei erzählte er über die Anfangszeit, als Hellersdorf und Marzahn während des Baus noch in den Kinderschuhen steckte, die ersten Straßenbahnschienen verlegt wurden und der 195er Bus Hellersdorf erreichte.

Konrad mochte auch die Marzahner Mühle. Die Flügel der Mühle drehten sich im Wind. Wir hatten das Glück, beim Mahlen des Korns zusehen zu dürfen. Allerdings hat er auch nie darüber gesprochen, warum die Marzahner Mühle für ihn so wichtig war. Erst als ich von dir erfuhr, Hertha, dass er bei seiner Flucht aus Deutschland in einer Mühle in Toulouse Schutz vor den Bomben der Nazis fand, konnte ich mir sein Verhalten erklären. Drei Tage und Nächte hat er sich dort aufgehalten und ängstlich den Explosionen in der Ferne gelauscht. Als ich dir die Marzahner Mühle zeigte, hast du mit dem Kopf genickt, denn die Mühle auf seinem vergilbten Foto sah so ähnlich aus. Diese historische Mühle in Toulouse mahlt übrigens noch heute

Korn. Für mich war das eine ganz neue Information, dass Konrad sich während des Zweiten Weltkrieges in Frankreich aufgehalten hat. Er hat nie über diese schlimme Zeit gesprochen. Überrascht war ich auch, dass er die französische Sprache beherrschte. Selbst seine besten Freunde in Toulouse waren mir nicht bekannt. Du hast sie mir auf alten Aufnahmen gezeigt.

Als deutscher Flüchtling hat Konrad in der Landwirtschaft bei einem Bauern gearbeitet, bis auch dort die braune Pest einmarschiert ist. Alles erinnert mich an meinen Vater, der sich in Holland aufhielt. Leider konnte ich nicht mehr von ihm erfahren. Ich hätte gern gewusst, was er dort gemacht hat und wie lange er dort gewesen war.

Jedenfalls danke ich dir, Hertha, für deine Geschichten über Konrad. Jetzt kannst du mich vielleicht verstehen, warum ich Denker wie Konrad, der vor nicht allzu langer Zeit noch unter uns weilte, mag. Sein hohes Alter erinnert mich an meinen verstorbenen Vater, der 1926 geboren wurde. Mein Vater war zwar kein Jude, aber er musste in den Krieg und sich dort dem Tod stellen. Seinen schriftlichen Ariernachweis hat Vater irgendwann mal verloren. Das damals für ihn lebenswichtige Dokument war notwendig, um sich und seine Familie vor dem Zugriff der Nazis zu schützen. Was für eine Zeit muss das gewesen sein?

Ich bin an dem Punkt, wo ich dir erklären will, liebe Hertha, dass ich Konrad wie einen Vater angesehen habe.

Er hat meine Gefühle respektiert und meine Bestrebungen im Malen und später beim Schreiben. Gewiss, Konrad war ein Jude, aber gerade seine Religion, seine Geschichten und Erlebnisse im Zweiten Weltkrieg machten ihn als Denker und Freund so bedeutend für mich. Jetzt ist wieder viel Zeit vergangen, seit der erste Teil der Hellersdorf-Trilogie erschienen ist. Und ich bin stolz darauf, mit Konrad angefangen zu haben. An manchen Wochen kamen wir beide bestimmt dreimal zusammen und forschten gemeinsam nach, was Hellersdorf zu bieten hat. Du kannst mir glauben, es war nicht einfach, Geschichten zu finden, die den Ort und die Denker genau und umfassend beschreiben. Erst beim Schreiben begann ich zu ahnen, wie verschieden die Denkerfamilien in ihren Wohnungen leben. Die einen bewohnen eine Einraumwohnung mit acht Katzen und die anderen hausieren in einer Vierraumwohnung mit drei Kindern und zwei Hunden. Dann wiederum sahen wir Einfamilienhäuser mit hochwertigen Autos davor. Dort spielte Geld keine Rolle. Und auf der anderen Straßenseite wohnt eine Rentnerin, die von ihrer Rente nicht leben kann. Sie muss an der Tafel ihr Essen bekommen, damit sie satt wird. Dann sahen wir eine Gruppe Jugendliche auf einem Platz herumschwirren. Sie hörten laute Hip-Hop-Musik und planten die nächsten Streiche, um an Geld zu gelangen. Gegensätzlicher kann Hellersdorf nicht sein. Das Leben ist interessant und spannend. Selbst beim Thema Religion sind

Konrad und ich fündig geworden. Die Vielzahl der Gemeinden im Umland von Hellersdorf kann man nicht ignorieren. In jedem der vielen Häuser, hinter Fenstern und Gardinen werden Geschichten produziert und gelebt. Sie geben diesen Unsichtbaren Licht und Schatten. Das macht Hellersdorf zu etwas Besonderem, was nur zu gern missdeutet wird.

Unweit von Hellersdorf steht das „ORWO Haus". „ORWO" ist auch DDR-Nostalgie, denn es hat Geschichte geschrieben. Unzählige Filme auf AGFA und Eastmancolor bis zur Wende produziert gaben der Farbe seinen Inhalt, um alles im Film lebendiger erscheinen zu lassen. Nach der Wende wurde alles unbrauchbar gemacht – abgewrackt, abgewickelt, abgebaut. Heute ist es ein Haus der Musik, wo sich alle Musikrichtungen ausprobieren dürfen, ohne den anderen mit Lärm zu belästigen. Dort wird Musik gemacht. Es wird getextet, gedichtet, gesungen, gesummt, live gespielt. Dazu gehören Rock, Jazz, Classicrock, instrumentale Musik, Blues und Gospel. Sie proben Tag und Nacht. Es ist beachtenswert, dass die kreativen Denker sich dort einfinden, um die Musik von morgen zu ersinnen. Sie begeben sich auf Suche. Ihre Lebensphilosophie wird auf die Probe gestellt, indem sie Musikstücke komponieren, die grandios sein sollen. Sie träumen von Ruhm, um vor vollen Kulturhäusern spielen zu dürfen. Jede Note soll zu einem Welthit werden. Jeder Tag wird genutzt, den absoluten Song zu erfinden. Wie ein Schriftsteller, der ein sensationelles Buch schreibt. Sie alle wollen die Erfolgsleiter nach oben steigen, um den Preis aller Preise zu erhalten. Der Musiker will die „Goldene Stimmgabel" und der Schriftsteller den viel umworbenen „Ingeborg Bachmann-Preis". Der Druck nach Erfolg wächst. Jeder der kreativen Denker will in der Öffentlichkeit im Rampenlicht stehen. Produzieren und Reproduzieren sind Motive, sich selbst zu definieren. Forschen und Neugier sind ein absolutes Muss in der heutigen Zeit, da es das Überleben garantiert.

Als Kind erschreckte es mich, dass stets die Klassenbesten die Anerkennung erhielten. Meist steckten nur Angeberei und körperliche Stärke dahinter. Ein Lob vom Lehrer macht da auch was her. Das Selbstbewusstsein wuchs und die Betreffenden konnten die Schwierigkeiten im Alltag besser meistern. Sie wurden ständig motiviert und durften nach dem Gymnasium zur Uni gehen. Alles stand ihnen im Beruf offen. Wer allerdings schlechte Zensuren nach Hause brachte, musste ein Handwerk erlernen oder einen Künstlerberuf wählen. Das hatte damit zu tun, dass die schwächeren Denker in der Klasse sich gegen die stärkeren nicht zu wehren wussten. Entweder sie konnten sich nicht wehren, da sie körperlich sowieso unterlegen waren, oder sie wurden mit Angst unter Druck gesetzt. Jedenfalls mussten die Schwächeren zumeist Berufsgruppen mit weniger Einkommen wählen. Diese waren hart und körperlich anstrengend zugleich. Es heißt doch: „Der Dumme ist ein Bauer und muss mit einem Hungerlohn rechnen." Und das musste ich mir fast jeden Tag von meinen Eltern anhören. Ich musste begreifen lernen, dass die Angst in mir zu wuchern begann. Bei den stärkeren Denkern in meiner Klasse war die Glaubwürdigkeit nie in Gefahr, im Gegenteil. Man suchte stets bei den schwächeren Denkern in der Gemeinschaft den „Depp", um sich selbst ins positive Licht zu rücken. Leider! Seit Jahren versuche ich, solche Dinge nicht mehr so ernst zu nehmen. Dadurch ist es mir gelungen, so einiges innerlich zu verarbeiten. Ich ging viel an der frischen Luft spazieren und achtete auf mein inneres Befinden. Schlechte Gedanken sollten der Vergangenheit angehören und dominante Denker wollte ich künftig ignorieren, sie erst gar nicht an mich ranlassen.

Die Zeit mit Konrad war für mich eine inspirierende und wertvolle Zeit. Natürlich gab es auch Tage, wo ich alles hinwerfen wollte, aber dann kam eines Tages ein Anruf von Konrad und schon war die Welt in mir anders. Zuvor war sie dunkel und trüb und nach dem Gespräch wurde sie heller und freundlicher. Trotzdem gab es eine Begebenheit, die mich zum Nachdenken brachte.

Konrad war zu Denkerinnen anfangs sehr distanziert, auch gegenüber Margot, die eine recht liebenswerte Denkerin war und aus dem Club der Senioren kam. Sie wollte

Konrad unbedingt gefallen. Sie dekorierte beispielsweise sein Kaffeegedeck besonders liebevoll, und nahm er am Tisch Platz, goss sie ihm als ersten frisch gebrühten Kaffee in seine Tasse. Dabei lächelte sie ihn an und machte kleine Scherze, von denen Konrad allerdings nicht viel hielt. Nach einer gewissen Zeit verstand er Margot besser. Von da an trafen sie sich öfter zum Mittagessen. Später verbrachten sie den ganzen Tag zusammen und unternahmen kleine Ausflüge. Ich fand, dass sie ein gutes Paar waren. Auf meine Frage hin, ob er mit Margot zusammenleben würde, reagierte Konrad allerdings nicht gerade enthusiastisch. Er meinte, Margot hätte ihre Wohnung und er seine.

Hertha, das war eine Ansage, die ich akzeptieren musste. Über Margot wurde fortan nie wieder gesprochen. Im Nachhinein kann ich Konrad verstehen. Er wollte für sich bleiben und keinem mehr zur Last fallen. Er hatte sich entschieden, für immer allein zu leben.

Ich decke mich mit einer weichen Decke zu, denn draußen weht ein eisiger Wind, der an den letzten verwelkten Blättern einer Ulme nagt. Ich lege meine Hände hohlförmig, führe sie zum Mund und suche meinen Atem, meine Sehnsucht, meine Blumen auf dem Feld, wo zuvor die Rüben auf die Ernte gewartet haben. Ich suche meine Wehmut, aus der sich die Vernunft herausschält. Ich streichle mit kühlen Händen langsam über die geschriebenen Worte. Sie werden auf dem Papier auftauen und im Licht die Fruchtbarkeit entsenden. Sie werden mich

umkreisen und das festhalten, woraus ich entstanden bin, worauf ich
verzichtet habe, um dem Leben zu entkommen, weil die ewige Not
mir gegenüberstand. Um den Kuss zu erwidern, der die Nähe meiner
nassen Haut erfuhr, verließ ich die Enge, die nicht zur Freiheit wurde.
Der Hunger in mir ist nicht mehr zu stillen. Ich habe das Ende er-
reicht. Ich kann entkommen und doch bleibe ich. Ich darf die Demut
begrüßen, die früher mein Zutrauen erweckt hat. Später erst wurde
mir klar, dass das, was mein Schmerz hoffnungsvoll begrüßte, keinen
Lohn mehr bekam. Ich werde dem Sieger in mir sagen: „Gehe einfach
am leeren Eimer vorbei, ich habe mein Lachen verschenkt." Ja, sogar
das Lächeln gab ich vor dem Morgengrauen auf, um zu sehen, wie der
Jasmin meine Liebe empfängt.

Hertha, über deinen Wunsch, auch mit dem Dampfer
durch Berlin zu fahren, habe ich mich sehr gefreut. Ich
konnte dir so die Großstadt etwas näherbringen. Ich
konnte dir genau beschreiben, wo das Leben an der Spree
stattfindet. Ich habe dir die Reste der Mauer gezeigt, die
früher die Stadt teilte. Ich erzählte dir, wie die Alt-Berliner
Straßen uns geprägt haben. Ich sprach über die typischen
Eckkneipen, Fleischer, Bäckerläden und Friseure, aber
auch über ein Kleinkino mit fünfzig Sitzplätzen und einen
Kurzwarenladen, in dem man Stoffe und Wolle erwerben
kann. Nicht zu vergessen der Milchladen mit Schaumküs-
sen und Goudakäse, einer Milch aus der Kanne und den
Quark für einen zukünftigen Käsekuchen. Zudem gab es

die geizigen Kohlefritzen, die Kohlen zum Heizen in den Keller brachten, wenn es arschkalt war. Sie waren unzufriedene Denker, die den ganzen Tag rummeckerten und zum Feierabend schließlich besoffen mit dem Fahrrad nach Hause fuhren. Aber so war Leben. Ich erinnere mich an die vielen Kinder, die auf dem Bürgersteig Hopse und Kreisel spielten. Ich sah Kinder auf den Hinterhöfen ihrem Fußball nachrennen und jubeln, wenn ein Tor geschossen wurde. Ich erinnere mich auch, als das „Centrum Warenhaus" am Alex seine Tore öffnete. Da ahnte ich aber schon, dass es die kleinen Krämerläden verdrängen würde.

Ein neues Zeitalter hatte begonnen. Der soziale Kontakt nahm ab, und mit der Wende kam auch die Anonymität in der Gesellschaft an. Heute geht jeder seine Wege. Keiner weiß, was der andere Denker macht – oder schlimmer noch, wann ein Denker stirbt und noch Tage später in seiner Wohnung liegt. Vor dem Mauerfall hat es mir keinen Spaß gemacht, in der Innenstadt spazieren zu gehen. Nach 1989 konnte ich es kaum erwarten, zwischen den S-Bahnhöfen Friedrichstraße und Hauptbahnhof mit dem Fahrrad an der Spree entlang zu fahren. Du musst wissen, Hertha, dass dort früher Grenzgebiet war, wo alle paar Meter Posten patrouillierten und die Grenztürme bei Nacht die Grenze ausleuchteten. Heute kann ich alles berühren und sehen, wie junge Bäume anwachsen und imposante Bauten entstehen. Meine Vorstellungskraft reicht nicht mehr aus, um mir alles von damals vorzustellen. Der Reichstag und das Brandenburger Tor weckten in dir keine guten Gefühle, denn nicht mal achtzig Jahre zuvor marschierten braune Truppen durch das Tor und verteilten Hass und Hetze unter das Volk. Ja, hier wurde böse Geschichte geschrieben. Das war so und wird für die Zukunft so bleiben – als ewige Erinnerung.

Berlin ist im Umbruch, keine Frage. Die Stadt bedient sich alter Klischees von Reichtum und rühmt sich für chaotische Widerstände, die letztendlich die Armut beflügeln und die geknechteten Denker dazu auffordern zur Kirche zu gehen, um sich gespendete Lebensmittel abzuholen. Das ist die Schattenseite Berlins, dieses Systems. Selbst in Hellersdorf wird die Armut übersehen und in der Weihnachtszeit besonders gut thematisiert. Alle wollen plötzlich spenden, was Gutes tun, als ob das Gewissen damit gereinigt werden könnte.

Konrad meinte, und dieser Meinung blieb er treu, dass das gesteuerte Imagearbeit der Konzerne sei, um sich ins positive Licht zu rücken. Trotzdem werden Millionen Tonnen von Speisen weggeworfen, ohne dass wir auf deren Wert achten. In Spanien bewerfen sich die Menschen aus Tradition mit Tomaten und in den USA wird überschüssige Milch ins Meer gekippt, nur um den Marktpreis hochzuhalten. Geld stinkt nicht und ist begehrt wie nie zuvor. Für Geld tut man alles. Immobilien und Grundstücke werden verkauft und gekauft. Manche Großdenker können sich das leisten; sie regieren die Politik.

Man betrachte den Mietendeckel. Als ich davon erfuhr, dachte ich, wieder in der DDR zu sein. Die Regierung von Honecker hat damals recht fragwürdige Gesetze erlassen, die der Allgemeinheit geschadet haben. Die Marktwirtschaft folgt ihren eigenen Gesetzen und wird deshalb den Wohnungsmarkt in Deutschland selbst regulieren. Würde der Staat die Voraussetzungen schaffen, dass mehr Wohnraum entsteht, und das in kurzer Zeit, dann würden die Mieten niemals so drastisch nach oben schnellen. Die Nachfrage nach Wohnungen würde nachlassen. Konrads Meinung, wir teilten sie beide, ging in diese Richtung. Wir konnten nicht verstehen, dass der Staat einem Wohnungsunternehmen die Höhe ihres Gewinns vorschreiben will. Eine derartige Regulierung schadet dem Unternehmen und vernichtet Arbeitsplätze in großem Ausmaß. Da aber der Staat den Willen der Unternehmen dann hinter verschlossenen Türen und unter Ausschluss der Öffentlichkeit durchsetzt, bleibt der soziale Wohnungsbau doch auf der Strecke.

So gesehen waren wir in der DDR schon ein Stück weiter. Unser sozialer Wohnungsbau hat die Gesellschaft wenigstens nicht bedroht und die Ängste in der Bevölkerung gefördert. Wir werden sehen, ob das mit dem Mietendeckel der richtige Weg gewesen ist oder nicht.

Konrad erklärte mal einem jungen Politiker aus dem Wahlkreis von Hellersdorf, wie man in Zukunft eine gerechte Wohnungspolitik betreiben könne – eine, die es mal in den 70er-Jahren in der DDR gegeben hat. Die damalige DDR-Regierung hat ihren ganzen Fokus darauf gelegt, dass jeder junge Denker eine bezahlbare Neubauwohnung erhält, mit Zentralheizung. Heute will man davon nichts mehr wissen und beharrt auf einer Marktwirtschaft, die die Probleme ignoriert. „Nach uns die Sintflut."

Das Gefühl lässt mich nicht los, dass die Politiker danach streben, in den 4 Jahren ihrer Amtszeit nur möglichst viel Geld zu verdienen. Dabei könnte es eine generelle Entscheidung geben, in welche Richtung die Politik gehen soll. Sie darf den Damm brechen und jedes Jahr 10.000 Wohnungen bauen. Damit würde der soziale Wohnungsbau gestärkt werden, was der Allgemeinheit spürbar zugutekäme. Aber den Denkern scheint es unwichtig zu sein, wo sie wohnen, ob in Hellersdorf oder Zehlendorf, Hauptsache sie bekommen eine Wohnung und die Infrastruktur im Verkehrsverbund ist gut ausgebaut. Aber das Letztere ist eben häufig nicht der Fall. Busse und Bahnen sind manchmal dermaßen überfüllt, dass man zurückbleibt und auf die nächste Bahn warten muss, besonders zu Stoßzeiten. Berlin ist nicht schnell genug mit der Bevölkerung gewachsen.

Am 2. Oktober 1967 wurde in West-Berlin die Straßenbahn abgeschafft. Was für ein Verkehrsdrama. Dabei war dieser Teil der Stadt mal eine Straßenbahnstadt, die über unzählige Haltestellen in allen Stadtteilen verfügte. Ich sehe heute das mühselige Herangehen der Politiker, um das alltägliche Verkehrschaos zu verringern. Die maroden Brücken im Land sind auch das Ergebnis dieser schlechten Verkehrspolitik. Jede Brücke geht in die Knie, wenn neun Millionen Fahrzeuge darüber fahren. Kein Beton ist darauf ausgerichtet, solchen Kräften zu trotzen. Man sollte also erst mal darüber nachdenken, statt einer Straße eine Straßenbahn oder eine S-Bahnlinie zu bauen. Man kann mehr Denker transportieren und der Umwelt täte das auch gut.

Hertha, statt Panzer zu bauen, sollte die Regierung mehr Geld für Kulturhäuser ausgeben. Ich weiß nicht, warum die das nicht begreifen. Stattdessen werden viele dieser Einrichtungen geschlossen, und man braucht noch mal etliche Jahre dafür, um diese heruntergewirtschafteten Häuser schließlich abzureißen. Zwischenzeitlich aber werden im Bundesrat fünf Milliarden Euro für die Bundeswehr bewilligt, um gegenüber Terroristen angeblich besser gewappnet zu sein. Dabei waren die „Deutschen Denker" Schuld an zwei Weltkriegen. Konrads Vorschlag, die er einem Genossen der SPD vortrug, war schon interessant, dass wir Deutsche die Europäische Union verlassen sollten. Mehr noch. Wir sollten den Amerikanern deutlich zeigen, dass ihre ständige Einmischung in die inneren Angelegenheiten anderer Staaten und ihre Kriegsrhetorik in der Welt keinen

Sinn machen. Die Abhängigkeit der europäischen Staaten von den USA muss beendet werden, auch wenn wir im Moment noch Verbündete sind.

Es ist schon beachtlich, wie viele kranke Denker wir in den letzten 50 Jahren nicht nur in Europa hatten. Ich denke da an Stalin, Nixon, Castro, Roosevelt, Breschnew, Honecker und viele mehr. Ich denke da auch an politische Doktrinen, die das Ziel verfolgen, andersdenkende Denker zu vernichten. Ich stimme Konrad in vieler Hinsicht zu. Man möge die Völker mehr anerkennen. Man möge von Kriegsüberlegungen Abstand nehmen und lieber darüber philosophieren, wie man den Frieden erhalten kann.

Vor ein paar Tagen sah ich ein Plakat in einem Werbeaufsteller, der sein jeweils neues Motiv automatisch nach oben oder unten frei gab. „Das Supertalent", so stand es auf der einen Seite. Auf der anderen Seite stand geschrieben: „Werde Offizier bei der Bundesmarine." Ich wusste nicht, dass man als Offizier mit einer Waffe in der Hand glücklich sein kann, um irgendwann in den Krieg zu ziehen. Ist das eine Philosophie? Ein Lebensziel? Ich erinnere mich an die Bilder von Konrad aus den Kriegstagen März 44. Völlig erschöpft und kraftlos lagen die Soldaten verschwitzt und dreckig in einem Graben und schliefen.

Ich lese ab und zu mal die Zeitung, die einmal in der Woche gratis im Briefkasten steckt. Selbst der freundliche Hinweis, keine Werbung zu stecken, wird nicht respektiert. Ich weiß, dass du diese Art Zeitschriften in den USA nicht kennst, Hertha.

Bei uns ist die Werbung sehr aggressiv. Kaum dass man was versteht, weil das meiste in Englisch verfasst wird. Und gerade die Wochenzeitung für Hellersdorf und Marzahn besteht zu neunzig Prozent aus Werbung. Es geht nur ums Geld, denn diese Zeitungen werden von den Werbefirmen gut gesponsert. Bunte Bilder suggerieren eine heile Welt. Aber die gibt es schon lange nicht mehr.

Die Jugend in Hellersdorf macht mir Sorgen, und ich glaube nicht, dass es nur in Hellersdorf so ist. Ich sehe genau hin und gebe zu, dass es mich schon überrascht, wenn junge Denker besoffen auf der Parkbank herumhängen und nicht wissen, was sie mit ihrer Zeit anfangen sollen. Ihre Eltern machen es ihnen zum Teil vor. Sie gehen selbst keiner geregelten Arbeit nach und erwarten nichts vom Tag. Aus Langeweile holen sie sich aus dem Supermarkt billigen Rotwein für neunundneunzig Cent und trinken ihn auf dem Balkon, wo die Tomaten bereits vertrocknet sind. Manch andere Denkerfamilie sucht man vergebens, denn sie leben im Stillen und wollen nicht in der Öffentlichkeit auffallen. Wenn es draußen dunkelt, holen sie sich ihren Vorrat an Bier oder Schnaps für die nächsten Tage.

Das Alter der jungen Denker wird jünger. Manche sind noch Kinder und doch rauchen sie Zigaretten wie Erwachsene. Ihre Gesichtszüge sind blass, als wären sie im Bergbau und müssten täglich 13 Stunden schuften.

Hertha, Konrad und ich sind an die Orte gefahren, wo sich die „Verletzten Denker" aufhalten: zum Cottbuser Platz in Hellersdorf oder zum Alexanderplatz in Mitte. Dort zeigen sie jedem Passanten, wie groß und stark sie sind, betteln nach Kleingeld und Essbarem. Am S-Bahnhof Charlottenburg saßen wir auf einer Parkbank und beobachteten einen jungen Dealer, der auf kindliche Opfer zuging, um seine tödlichen Substanzen zu verkaufen. Ein paar Meter weiter stand ein Streifenwagen der Polizei. Aber die taten nichts, schauten nur zu, wie der Austausch von Kokain über die Bühne ging. Konrad und ich waren entsetzt und fühlten uns ohnmächtig zugleich. Drei Meter weiter war ein Spielplatz, gegenüber sogar ein gemütliches Café. Wir sahen den unerträglichen Unterschied unserer Welt: arm und reich, Licht und Dunkelheit. Ganz so als würden sich diese Unterschiede gut zusammenfügen.

Unter eine S-Bahnbrücke schliefen drei obdachlose Denker, jeder lag auf einer alten dreckigen Matratze. Daneben standen Plastiktüten mit Nahrungsmitteln. Überall stank es nach Urin und Erbrochenem. Es machte uns traurig, denn wir wussten, wie reich unser Land ist. Aber wie das Sprichwort schon sagt: „Wärst du nicht reich, wär' ich nicht arm." Mein Therapeut meinte mal zu mir, dass es keine Gerechtigkeit auf der Erde gibt, sondern nur das

Leben. Er wird sicher recht haben. Die Gerechtigkeit ist nur ein Traum. Nach außen hin, dort wo die Welt beginnt, wird die Gerechtigkeit immer nur eine schöne Illusion bleiben. Wir Denker sind dafür nicht geschaffen. Und selbst wenn ich die Gerechtigkeit mit Leben füllen möchte, sie würde nur ein Traum bleiben, eine schöne Vision.

Konrad war überzeugt, dass ich ein Träumer bin, der sich solche Wünsche ausdenkt, weil ich die Welt nicht akzeptiere, wie sie ist. Im Nachhinein weiß ich, dass meine Vision von einer gerechten Welt wie ein Hoffnungsträger in mir keimt. Sie keimt jede Stunde aufs Neue und lebt davon, dass ich die Dinge heute anders schätze, respektiere, empfinde. Ich meine: Was ist daran so verwerflich, die Version zu haben, dass sich die Pforte der Gerechtigkeit für jeden Denker öffnet? Vielleicht spielt ja der Zufall dabei eine Rolle und macht den Weg frei, dass meine Vision Wirklichkeit wird. Ich begnüge mich zunächst mit der Fröhlichkeit, die auch selten zu finden ist, da Stress und Kommerz mehr und mehr in unsere Welt Einzug halten, sodass wir nicht mehr in die Lage kommen zu genießen.

Oh mein Gott, was machen wir nur mit dieser Welt? Wir können die Eisschmelze nicht stoppen. Wir holzen die Regenwälder ab. Ist das die Gerechtigkeit, mit der eine Welt geschmiedet wird? Hat Gott die Erde erschaffen, um sie letztlich wieder zu zerstören? Hat er Himmel und Erde deshalb entstehen lassen? Was ist mit Adam und Eva? Hat es sie gegeben und haben sie den Apfel vom Baum der Erkenntnis gegessen? War es wirklich so? Wurden sie deshalb aus dem Paradies vertrieben? Man weiß es nicht. Warum also die Bibel lesen, wenn sie doch nicht stimmt? Wozu die Predigten endlos aufsagen, wenn nicht verstanden wird, dass die Liebe nichts verlangt außer Akzeptanz?

Ich wollte Konrad zeigen, dass die christlichen Denker in der Kirche ihrer Religion nachgehen und danach leben wollen. Ich respektiere, dass die Lebensansichten so ausgelebt werden, dass sie Hellersdorf mehr Licht spenden. Erst sehr spät habe ich verstanden, wozu die Religion eigentlich da ist. Sie dient nicht der Heilung, sondern fördert die Schuldfrage. Der einzelne Denker soll sich rechtfertigen, um der Verurteilung Kraft zu verleihen, damit die Konflikte sich vermehren, statt sich aufzulösen. Heilung ist für mich, wenn ich die Ereignisse akzeptiere. Würde es mir gelingen, wäre ich imstande meinen Raum auszudehnen, der mir hilft, bei mir selbst zu sein. Religion ist deshalb ein Alibi für die Angst, die in der Dunkelheit ewig darauf wartet, dass die Buße die Heilung nährt.

Hertha, es ist sicher erschreckend für dich zu erfahren, wie ich über Religion denke und fühle. Konrad hat mich verstanden, als ich zu ihm sagte, dass der Holocaust in der Vergangenheit liegt und von keiner Religion oder irgendeinem Gesetz rückgängig gemacht werden kann. Man muss sich daran erinnern, damit so was nie wieder passiert. Die

Religion greift dieses Thema auf, um die Schuld anzuprangern. Die Toten werden nicht mehr auferstehen. Die Mahnung per Denkmal kann einen neuen Konflikt nicht verhindern. Nur wenn ich begreife, dass die Liebe vor der Angst steht, kann ich meinen Nachbarn oder Freunden sagen, dass alles gut ist – im Jetzt, im Hier, in diesem Augenblick, wo das Schicksal gerade einschlägt. Auch wenn das Ego in mir meint, Angst produzieren zu müssen, um die Sühne vor dem Altar zu rechtfertigen, kann ich mein inneres Selbst aufrufen. Klar ist es schwer, die alten Prägungen der Eltern zu durchbrechen. Keine Frage. Widerstände sind sofort da. Seit Jahrhunderten gehen die alten Denker so vor, um die Liebe von einer Welt zu bekommen, die sie angeblich sehen. Aber sie werden sie nicht finden, denn eine solche Welt existiert nicht. Sie ist nicht greifbar. Sie ist bereits fertig und dehnbar, wie der Gedanke von vielen Illusionen, die in einer Seele schweben. Daher konnte ich auch den alten Schwur meiner Eltern ablegen.

In einem kostbaren Buch las ich, dass nicht jeder Denker sehen, hören und fühlen kann. Am Anfang wusste ich nicht, was damit gemeint war – nach Jahren dann schon. Vielleicht war es mir deshalb auch möglich dieses Buch zu schreiben. Vielleicht gab das Buch mir die Möglichkeit, mit Konrad und dir über unsere Umwelt und was uns Denker bewegt nachzudenken. Alles hat seinen Sinn, auch wenn man nicht alles begründen und definieren muss, sondern als gegeben stehen lassen kann. Du hattest recht mit deiner Meinung – wir standen da gerade in der Schönhauser Allee bei Konopke –, dass wir all die Dinge des Lebens, die uns begegnen, sofort akzeptieren und nicht über sie philosophieren sollten, wie man sie hätte anders machen können. Ich habe gern mit dir unter dem Viadukt an der Imbissbude gestanden. Du sollst wissen, dass ich mir mit fünf Jahren dort die erste Currywurst gekauft habe. Meine Mutter gab mir damals neunzig Pfennige in die Hand. Was Mutter nicht wusste, es gab um die Ecke noch eine Feinbäckerei mit den leckersten „Amerikanern". Die habe ich mir gekauft und bin dann zur Mauer gelaufen, weil ich nachschauen wollte, ob es Westberlin noch gibt.

Hellersdorf rutscht in ein modernes Plasmafoto, wo erkennbar ist, dass der graue Beton und die abgelutschten Balkone größer werden und die Denker vermögend aus einem großen Fenster schauen. Die Zeit geht dem Ende entgegen, der Kalkstein zeigt seine blasse Farbe. Ich sage dir Hertha, in drei Jahren werde ich das Dorf von Hellersdorf nicht wiedererkennen. Die kleinen Wohnhäuser erhalten bereits ihre Gerüste. Die Isolierplatten liegen schon da und warten darauf, die Wärme von den Häusern abzuleiten. Ich fahre im nächsten Frühjahr wieder durch das Dorf, um nachzuschauen, was sich auf dem Gut „Hellersdorf" getan hat. Ich bin gespannt, wann die ersten 1.200 Wohnungen fertig sind und die Denker aus dem ganzen Land dort einziehen werden. Kein Stopp mehr am Bahnhof Alexanderplatz. Die Bahn wird zum ersten Mal durchfahren und die Großstadt unterqueren, ohne dass die Denker auf der Straße das Leben unter sich spüren.

Zugegeben, ich bin ein wenig neidisch, dass das Berliner Schloss nicht in Hellersdorf steht und dort seine Pforten öffnet. Deine Augen haben gestrahlt, Hertha, als du das Berliner Schloss gesehen hast. Deine Erinnerungen von früher waren für mich schon erstaunlich. Ich meine, dass das Schloss heute wieder steht, grenzt an ein Wunder. Siebzig Jahre hat es gebraucht. Es freut mich, dass du es sehen konntest. Vielleicht haben wir zwei ja irgendwann mal die Möglichkeit, nach Dresden zu fahren, um uns die neu aufgebaute Frauenkirche anzuschauen. Vielleicht.

Den Wolkenhain in Hellersdorf im Sommer zu besteigen, ist ein besonderes Erlebnis. Der Wind säuselt an meinem Ohr. Einen heißen Kaffee auf der Terrasse zu genießen heißt für mich, Ruhe in mich zu lassen. Das ist eine Übungssache. Ich habe mir vorgenommen, die Ruhe bewusster zu erleben. Früher wusste ich nicht viel über Ruhe und Gelassenheit. Heute kann ich nicht genug davon bekommen. Daher sind die ausgedehnten Spaziergänge und das Joggen an der Wuhle jedes Mal ein Erlebnis für mich.

Jetzt habe ich meine innere Ruhe gefunden und empfinde Dankbarkeit, dass ich mit dir, liebe Hertha, den dritten Teil von „Hellersdorf" zu Ende schreiben kann. Allein der Gedanke, dass wir viele Seiten über Denker geschrieben haben, die in Hellersdorf leben, macht etwas mit mir. Ich gebe dem Ganzen ein Gesicht, einen feinen, geradlinigen Gesichtszug, der in seiner Empfindsamkeit die Gefühle offen zeigt. Hellersdorf ist ein Ort, wo die Fantasie ihren Weg allein findet. Wo könnte man sie besser finden als dort?

Ich konnte strahlende Gesichter entdecken, die in Not geratenen Denkern ihre Hand reichten, um zu helfen. Sie wollten keine Gegenleistung. Sie haben auf Anerkennung verzichtet und hätten jederzeit wieder geholfen. Ich habe selbst viele Jahre in einer Kirchengemeinde gearbeitet und bin dort zweimal in der Woche in den gottesfürchtigen Räumlichkeiten demenzkranken Denkern begegnet. Ich wurde gebraucht und wusste, dass die Begegnung mit diesen wunderbaren Menschen eine große Herausforderung sein würde.

Es war nicht nur, um mit ihnen eine Tasse Kaffee zu trinken und ein Stück Kuchen zu essen, nein, es war das Eintauchen in deren Vergangenheit. Ich erfuhr von deren Freud und Leid, damals im Krieg und danach. Ich erlebte, was es bedeutet, wenn eine Tochter erfährt, dass bei ihrer Mutter mit achtzig Jahren Demenz diagnostiziert wird. Ich sprach den Töchtern und Söhnen Mut zu. „Das Leben geht weiter", sagte ich zu ihnen. Ich baute Brücken zu ihren Eltern und versuchte deren Angst zu verstehen.

Meine Hand ruhte oft in ihren, und das bewusst, denn ich wusste, dass Vertrauen notwendig war. Das brauchte ich dringend, um mir die Welt der anderen Denker zu erschließen.

Hertha, das war für mich eine kostbare Zeit. Ich hatte die Möglichkeit, Konrad mitzunehmen, ihm zu zeigen, wie die an Demenz erkrankten Denker ihre Welt wahrnehmen. Carolin zum Beispiel, eine ältere Dame, sah in Konrad ihren Mann. „Da bist ja wieder", meinte sie zu ihm. „Wo warst du all die Jahre? Du hättest dich doch zwischendurch mal melden können." Konrad spielte das Spiel mit und redete mit Carolin fast den ganzen Nachmittag über uralte Zeiten, als wären sie tatsächlich ein Ehepaar. Eine Begleiterin der Gruppe „Tageslicht" namens Gisela war glücklich über so eine seltene Begegnung. Sie wurde offener zu uns und meinte, dass Hellersdorf für ihren Umzug von Dresden die richtige Entscheidung gewesen war. Vor neun Jahren hatte sie sich für Hellersdorf entschieden. Wegen der Natur und den Menschen, meinte sie.

Die Kirche war für Konrad und mich Anlass, noch mal über die Bibel zu sprechen, denn es gab einen Leseraum in der Gemeinde, wo zahlreiche Bibelausgaben im Regal standen. Pfarrer Horn gewährte uns Einlass. Wir entdeckten alte Bibelausgaben – eine stammte aus dem Jahr 1824, erschienen in Weimar. Aufgefallen ist sie uns durch ihre vergoldeten Ränder, die im Licht schimmerten. Zu Konrad meinte ich, dass wir die heiligen Bücher nicht mehr so hervorheben sollten. Das sind Texte von Denkern, die vor uns gelebt haben: 1266, 1386, 1433, 1550, 1610, 1745, 1888, 1937 ... Vor Hunderten von Jahren wurden diese Texte formuliert. Heute hat sich die Zeit gewandelt. Ich lebe im 21. Jahrhundert. Das Denken hat sich verändert, ebenso die Lebensorientierung und -ausrichtung.

Welchen Sinn macht es, sich mit sich selbst zu beschäftigen? Hat denn mein Leben einen Sinn? Solche Fragen werden heute aus einem ganz anderen Blickwinkel betrachtet. Heute weiß man genau, was Krebs ist oder wodurch Fieber entsteht. Die moderne Medizin hat Dinge vollbracht, die im Mittelalter nicht denkbar gewesen wären. Die Gegenwart spielt mit einfachen Regeln. Was die Zukunft bringt, weiß man nicht. Das Leben ist ständigen Veränderungen unterworfen. Erst durch Bewegung ist Leben möglich, ansonsten würde der Tod den Raum einnehmen, wovor viele Denker Angst haben. Aber die Bibel ist geschrieben und wurde nie verändert. Nur unser Denken ist im ständigen Wandel. Konrad zweifelte an meinen Überlegungen. Ich konnte ihn verstehen. Seine Gesichtszüge haben mir gezeigt, dass er mir keinen Glauben schenkte. Warum sollte er auch? Wozu nachdenken, wenn jeder Denker in der Hoffnung zur Bibel greift, ein Gott würde etwas ändern? Die allabendlichen Sitzungen der Gurus, die ihren Zuhörern am Radio das heilige Wort verkünden, verändern auch nichts. Was hat es für einen Sinn, jeden Sonntag um zehn Uhr zum Gottesdienst zu gehen? Kann man damit Krebs heilen oder Demenz? Wird der Zölibat dadurch abgeschafft, weil die christlichen Denkerinnen aus Trotz einen Gottesdienst durchführen und damit zeigen, dass sie am richtigen Platz sind? Was geht in der Welt vor? Man sollte die Frage immer wieder in den Raum stellen.

All die Bibelseiten verschwinden nicht, nur weil eine jüngere Generation darauf wartet, dass es zu Veränderungen kommt. Neuanfang könnte es heißen, indem die uralten Textstellen in der Bibel für ungültig erklärt werden. Da denke ich an die „Gottesstrafe" oder die „Sühne" oder wenn Unrecht proklamiert wurde, um die Schuld zu festigen. Selbst das Wort „Hölle" wird im modernen Zeitalter nur im Sprachgebrauch der Androhung eines nicht existenten Ortes angewendet. Kein Denker glaubt wirklich an die Hölle im biblischen Sinne oder an die Strafe Gottes. Keine Seele wird sich fangen lassen, um in der Messe Absolution zu bekommen. Das moderne Zeitalter ist vom Internet geprägt worden, nicht von der Bibel. Denn die Bibel ist nur ein Buch, wohl mit einigen allgemeingültigen Wahrheiten für die Menschheit versehen, aber nur ein Buch. Man kann es nicht einfach löschen wie eine Datei auf einem Computer. Man liest dieselben Zeilen wie schon vor Jahrhunderten. Das Gewissen der Denker lebt in dieser Welt weiter und ruft die Freiheit auf, die den Anspruch hat überleben zu wollen. Heute ist dieses Gewissen befleckt – wenn es überhaupt jemals rein gewesen war – und erkennt selten Grenzen an, um Denker zu akzeptieren. Ja, das Gewissen hat längst seinen Glanz verloren. Es prüft vielmehr, ob die Angst mehr Raum bekommen kann.

Konrad war nicht gewillt, die evangelische Religion anzuerkennen. Er meinte, dass sie Jesus als ihren Hirten ansehen und keinen Nachfolger dulden würden. Wobei die katholische Kirche den Papst als Nachfolger des heiligen Petrus wählte. Was ist das Problem mit dem Jesus? Wenn er wirklich gelebt hat, warum sollte er dann auferstanden sein? Falls er wie ein Mensch den Tod gefunden hat, wären Geldspenden für die Kirche reiner Betrug. Das ist Fakt. Wer verstorben ist, wird kein neues Leben erhalten. Die Biologie wird der Kirche zuliebe die Naturgesetze nicht brechen können. Ein toter Vogel ist ein Vogel, der nicht mehr lebt. Das ist ein Gesetz, und das Gesetz ist gültig.

Konrad dagegen wollte dem nicht folgen. Verständlich, denn all die Jahre hat er an die Auferstehungsgeschichte geglaubt. Mir wäre es lieber, Hertha, es gäbe keine Religionen. Ich erklärte Konrad, dass die Bibel keine Bedeutung für ihn oder für mich hat. Aber wir geben diesem „geschriebenen Wort" eine Bedeutung, wir halten daran fest, aus Angst, es könnte ja doch was Wahres dran sein.

Jeder ist für sich verantwortlich, das ist Fakt. Ich lebe hier in Hellersdorf und nicht in Magdeburg oder sonst wo.

Das ist auch Fakt. Konrad wurde Ende der 30er-Jahre geboren. Auch das ist Fakt. Und ich wurde in den 60er-Jahren geboren. Ich habe Konrad gefragt, was die Bibel dagegen ausrichten kann? Nichts. Dass wir beide in Hellersdorf leben und gerade die evangelische Kirche besuchen, um die Vielzahl der Bibeln anzuschauen, ist ein absoluter Fakt, der zu respektieren sei. Kein Bibelzitat kann das ändern. Deshalb sind mir die Texte in der Bibel egal, wenn ich an der Wuhle spazieren gehe und sehe, dass der Regen die Rinnsale vergrößert hat. Die Religion hat das nicht getan, es war schlicht der Regen.

Hertha, für Konrad würde es ohne Gott kein Hellersdorf geben. Er glaubte daran. Er glaubte an das „Nichts". Du fragst, was ich damit meine? Ich würde es so beschreiben: Falls der dritte Teil von „Hellersdorf" gedruckt vor uns liegt, dann ist das nichts. Warum? Wir geben dem Buch die Bedeutung, die es braucht. Dabei ist es dem Glauben behaftet, es würde alles verändern. Aber das kann es nicht, weil es nur ein Buch ist. Wir Denker verändern Hellersdorf, beschreiben ihre Straßen, Häuser und Plätze. Wir benennen den Stadtteil nicht nur als schön und lebenswert, nein, es ist auch eine Nazihochburg und ein Ort, wo Hartz-IV-Empfänger leben. Hellersdorf ist auch ein Stadtteil, wo die Straßen kaum beleuchtet sind und einmal in der Woche der Bus unbefestigte Bushaltestellen anfährt, um einzelne Denker zur Arbeit zu bringen. Dass all die Häuser grau und kalt aussehen und der Straßendreck und der Gestank sich ausdehnen, weil die Rosen hinter dem Horizont blühen und ihr Duft nicht zu uns dringt. Wenn nur das die Wahrheit sein sollte, dann wundert es mich nicht, dass die Denker wirklich alles glauben. Herzliches Beileid!

Als ich Konrad damit konfrontierte, dass Hellersdorf solch ein Stadtteil sein könnte, wurde ihm bewusst, was ich mit dem Wort „Bedeutung" meinte. Je mehr wir der Sache eine Bedeutung geben, desto mehr muss man sich in sie hineindenken und das Gute und Böse herausfiltern. Als wir die Kirche verließen, fragte mich Konrad, ob Hellersdorf nichts sei. Ich bejahte. Wir machen alles selbst und orientieren uns immer an dem, was wir nicht sehen können. Wir haben oft und gern philosophiert und schlugen uns die Thesen um die Ohren, die wir mit Worten nicht beweisen konnten. Manchmal hatte einer sicher auch eine richtige Theorie auf Lager, doch dann stellten wir fest, dass wir bei der Beantwortung nicht weiterkamen. Unsere Gedanken flogen fremdgesteuert umher, bis ich sie mir zu eigen machte und sie irgendwie in das Buch einfließen ließ. Eins war mir wichtig: Konrad zu vermitteln, dass die Bibel den nicht gläubigen Denkern draußen in der Welt etwas Ängstliches zu denken gibt. Um diese Angst abzubauen, müssen wir die Menschen aufklären. Sie müssen wissen, dass man eine Bibel ohne Scheu lesen kann. Aber es fehlt ihnen das Vertrauen. Selbst wenn man sie überreden würde, einem

Gottesdienst beizuwohnen, wäre ich mir nicht sicher, ob sie kurz vor dem Altar stehen blieben, um den Rückzug anzutreten, da sie bereits ahnen, vom Pfarrer seelisch gesehen nicht abgeholt zu werden. Selbst mich überkommt manchmal ein unsicheres Gefühl, wenn es in der Predigt heißt: „Das jüngste Gericht wird bald kommen." Das Gleiche fühle ich bei den Worten „Auferstehung" oder „Himmel und Hölle", „Erlösung und Verdammnis". All das erzeugt ein beklemmendes Gefühl in mir, und das in einer Zeit, wo auf fast allen Erdteilen Krieg herrscht. Ich bin nicht mehr bereit, mich mit den uralten Begriffen zu belasten, damit die christlichen Denker behaupten können, ich sei ein Sünder. Ich verwahre nicht das Gute oder das Böse in mir. Entweder ich habe beides oder nichts davon. Gott sei Dank hatte ich, was meine inneren Bedürfnisse betrifft, die Wahl, ohne mich hinterher wieder für irgendwelche Folgen zu bestrafen. Ich sollte das Positive und Negative stets so belassen, wie es mir gegenübertritt. Egal ob andere Denker von mir enttäuscht oder stolz sind. „Des Menschen Wille ist sein Himmelreich", so sagt man doch. Wenn ich also morgen früh Fahrrad fahren möchte und ein Denker wäre damit nicht einverstanden, ist das seine Entscheidung. Ich brauche seine Entscheidung nicht. Ich werde mein Fahrrad nehmen, um an der wunderschönen Wuhle nach Köpenick zu fahren. Würde ich nicht Fahrrad fahren und dem Willen der anderen Denker folgen, nur um ihnen zu gefallen, bräuchte ich mich nicht zu wundern, dass ich wieder Depressionen bekomme. Macht das Sinn? Mit den Folgen einer Wahl muss man leben, ob es nun morgen Pech und Schwefel regnet oder die Sonne scheint. Ob die Liebe in einem spürbar ist oder man sie aus Angst verdrängt. In mir lebt ein fest verankerter Wille, der meine Entscheidungen beeinflusst, der mich überleben, atmen, rufen, sehen und fühlen lässt, egal, auf welcher Ebene ich mich gerade befinde. Hätte Konrad das berücksichtigt, wäre er auch bereit gewesen seine starken Verletzungen aus dem Holocaust zu akzeptieren. Stattdessen verlangte er von seiner Kirche, den braunen Denkern von damals zu vergeben. Er ging nach der Bibel, in der geschrieben steht: „Vergib uns unsere Schuld, wie auch wir vergeben unseren Schuldigern." Das war Konrads Tragik, entstanden aus dem Leid, welches man ihm und seiner Familie zugefügt hat. Sein erschrockenes Gesicht darüber bleibt wohl noch eine sehr lange Zeit in meinen Erinnerungen. Ich sagte zu ihm, dass das Leid ein sehr enges Verhältnis mit dem Ego hat, wodurch die Schuldfrage immer wieder aufgefrischt wird. Er konnte somit nicht zur Ruhe kommen. Konrad konnte nicht mit der Geschichte des Holocaust umgehen. Es musste jeden Tag daran denken und den Schmerz seines Verlustes spüren. Was verständlich ist.

Mir ging es ähnlich, als ein Pfarrer sagte, ich soll meinen Eltern vergeben. Ich versuchte es und dachte, wenn mein

Glaube stark genug sei, könnte ich ihnen vergeben. Aber ich konnte nicht, zu keiner Zeit. Erst nach Jahren war mein Wissensstand so weit gediehen, um das Drama meiner Kindheit hinter mir zu lassen. Ich musste meine Kindheit akzeptieren, ändern konnte ich sie sowieso nicht mehr. Mein Leben besteht nicht nur aus der Kindheit. Mein Leben besteht aus dem, was ich heute daraus gemacht habe und in der Zukunft noch machen möchte. Ich allein darf entscheiden, darf Nein sagen und meinen Gefühlen nachgeben, darf in eine Kirche gehen, um einen Gottesdienst zu erleben oder zu Hause bleiben, um an diesem Buch weiterzuschreiben. Ich will Abstand nehmen, von überalterten Predigten, die sich immer noch mit der Sünde und der Schuld beschäftigen. Ich will nicht mehr sagen, ob ich brav gewesen bin, um in den Himmel zu kommen. Es wird keine Hölle mehr geben und ich werde den Hass der anderen Denker auf mich nicht mehr zulassen, um mich dann selbst schuldig zu fühlen. Die Zeit ist vorbei.

Ich sehe deutlich, wie mich das Schreiben dieses Buches verändert hat. Und das ist genau das, was ich zu Konrad in brenzligen Situationen sagte, dass er sich mehr bewusst machen soll, dass er gerade für sich selbst sorgt. Aber er winkte immer ab. Das sei spiritueller Blödsinn. Später, als er meine Aquarelle sah und ich ihm erklärte, dass das innere Kind in mir malen würde, stutzte er. Ich machte ihm klar, dass mein inneres Kind stets ohne lange zu überlegen handelt. Das innere Kind will nichts von den Folgen wissen. Es will auch nicht wissen, ob es vermutlich falsch gehandelt hat. Das innere Kind in mir weiß, dass meine Handlungen rechtens sind. Deshalb brauche ich keine Religion, die mich ermahnt, wenn ich einen Fehler gemacht habe. Das wurde mir klar, je weiter ich mich von jeder Religionsform entfernt hatte. Mein Altar steht an dem Ort, wo es Licht im Übermaß gibt. Wie sollten sonst solche Aquarelle entstehen? Erst dann hatte Konrad verstanden, was ich meinte. Er hat mich erreicht, weil er sich Mühe gab, was mein Vater nicht mal ansatzweise versuchte. Dabei zeigte er sich offen, weil er sich dadurch selbst besser wahrnehmen konnte. In dem Augenblick gelang es ihm, seine Vergangenheit zu akzeptieren.

Das Schreiben und die daraus resultierende Idee mit der Trilogie über Hellersdorf, ist meinem inneren Kind zuzuschreiben. Konrad begriff, kurz bevor er starb, dass seine Fotografien ein Stück der Aufarbeitung seiner Kindheit waren. Er hat sie sich noch mal angesehen. Insbesondere die Schwarz-Weiß-Bilder zeigten sein Leben. Die Fotografien waren wie ein Sprachrohr.

Hertha, ich bin dir sehr dankbar für die Informationen, dass Konrad ein berühmter Fotograf war. Es macht mich sehr traurig, dass er zu Lebzeiten alle seine schönen Fotos entsorgt hat. Natürlich hast du recht, auch ich habe meine Aquarelle verbrannt und wollte nichts mehr mit der Zeit meiner inneren Aufarbeitung zu tun haben. Gerade deshalb wurde ich traurig. Ich hatte übrigens die Idee, Konrads Fotografien hier in Hellersdorf auszustellen. Die Idee war da. Aber in seiner Wohnung fand ich kein einziges Bild. Nur du hast noch ein paar Negative gefunden. Ich konnte das nicht verstehen. Selbst, als meine Mutter gestorben war, dachte ich, mehr persönliche Unterlagen vorzufinden. Die Schränke im Schlafzimmer waren aber leer. Alte Aufnahmen mit mir als Kind gab es nicht mehr. Auch keine aus der Kriegszeit oder ihrer Jugend. Heute stehe ich mit leeren Händen da und habe den Eindruck, als hätten meine Eltern nie gelebt. Konrad und meine Mutter – eine seltsame Parallele. Erinnerungen sind für mich wichtig und entzücken sich an manchen Lebenssituationen. Es macht Sinn zu weinen und zu lachen, wenn ich meine Erinnerungen nochmals Revue passieren lasse.

Ich bin wie ich bin. Und wenn ich die Religion dennoch achte und respektiere, dann ist das für mich unantastbar. Ich erkenne die Worte aller Religionen an. Die Motive, ihre für mich fremden Glaubensinhalte zu vermitteln, dürfen nicht einfach so angenommen werden. Man muss sie mit Vorsicht betrachten, bevor der Puls des Herzens sie aufnimmt. Sie verfolgen eben nicht immer ein gesundes Ziel.

Eine kirchliche Gemeinde in Hellersdorf, unweit der Gärten der Welt, war der Meinung, dass ich nach dem Tod meinen Körper verliere und in der Geisterwelt weiterlebe und mich sogar in einen Schmetterling oder eine Ziege verwandle. Die Heiligen mögen daran glauben und für ihre Illusionen leben, aber ich glaube, dass eine Denkerin auch eine Hose tragen kann, wenn sie zum Gottesdienst geht. Und doch wird sie verurteilt, ignoriert. Und die Gemeinde tut so, als gäbe es die Denkerin in der Kapelle nicht, die gerade ein Gebet spricht.

Hertha, es tut mir leid, dass ich dir das so unverblümt sage. Ich finde dich mit deiner schwarzen Samthose und deiner hübschen weißen Bluse sehr elegant gekleidet. Sogar deine diskreten Hakenschuhe finde ich grandios, sodass ich schon an meinem Stil zweifle. Ich fragte mich, ob wir beide dort Gemeindemitglieder sein könnten, denn ab dem Tag der Aufnahme muss man dem Alkohol- oder Zigarettengenuss entsagen. Wehe dem, dass der Glaube an Jesus gestört wird. Natürlich wird bei einer Aufnahme auch unser Einkommen geprüft, weil ein Zehntel davon jeden Monat an die Gemeinde abfließt. Ehrenamt ist Gesetz. Tiefe Gläubigkeit ist die Voraussetzung dafür, persönliche Meinungen zu verdrängen und Jesus mehr Raum zu geben. Alles andere zählt nicht.

Wohin wird die Reise gehen? Hertha, ich verstehe diese Religion nicht, die sich ausdehnt und jeden Denker auf der Straße anspricht: „Darf Jesus dir die Hand reichen?" Es gab eine Zeit, da standen die gottesgläubigen Denker der Gemeinde vor meiner Haustür und wollten wissen, ob ich an

Gott glaube? Daraufhin kam meine Gegenfrage: Wer ist Gott?

„Wir sollten die Kirche wirklich im Dorf lassen", meinte Konrad damals etwas zugespitzt zu mir, als wir vor vier Jahren bei den Mormonen in Hellersdorf zu Gast waren. Selbst der Begriff „Mormone" war uns irgendwie suspekt. Sie heißen neuerdings „Die Kirche Jesu Christi der Heiligen der Letzten Tage". Der Unterschied wird kaum wahrgenommen, da sich die bewährten Rituale nicht verändert haben.

Ja, das ist Hellersdorf – bunt und verschiedenartig in jeder Hinsicht. Und die großen Glaubensgemeinschaften der Religionen werden auch weiterhin ihre Nischen finden.

„Ob mir das genehm ist?", fragte mich Konrad.

„Das muss jeder für sich entscheiden", sagte ich ihm. „Jeder muss seinen Weg selbst wählen." Diese Devise haben Konrad und ich stets befolgt. Heute verstehe ich Gott und die Religionsvielfalt auf einer Ebene, die mich klarer sehen lässt. Ich bediene nicht mehr ihre alten Muster, ich entscheide für mich. In mir lebt ein inneres Kind, zu dem ich Vertrauen habe. Und die Religionsformen werde ich nicht verändern können. Im Gegenteil. Ich gehe den kurzen Weg und akzeptiere Religionen wie Weltanschauungen. Mehr noch. Ich bin der festen Meinung, dass der Glaube einerseits und die Religion andererseits sich diametral gegenüberstehen. Glauben ist eine innere Erkenntnis, während die Religion den Weg zu Gott darstellt.

Hertha, zum ersten Mal habe ich Dinge gesagt, die mich irgendwie befreiten. Der Glaube kann nur in mir geboren werden. Der Glaube ist ein Manifest, das jeder Denker auf der Erde in sich trägt. Nur lautet die Frage, wie ich den Glauben in mir finden kann. Konrad stellte mir die gleiche Frage. Meine Antwort lautete: „Sehen, Fühlen und Sprechen ist der Code, um den Glauben zu empfangen." Wer den Schlüssel nicht wahrnimmt, muss weiter lernen, um zu begreifen, wer er ist. Eine andere Antwort zu finden macht keinen Sinn. Heute bin ich einen Schritt weiter und kann dir anbieten, dass uns die Metaphern Liebe, Licht und Leben einen intensiveren Weg zur Selbstwahrnehmung eröffnen. Ich glaube, dass das ein festes Fundament im Leben bildet, auf dem die Liebe Halt findet und die Wahrheit begrüßt. Eigentlich ist das ein Geschenk an dich und jene, die vielleicht das Buch lesen werden.

Nur das eigene SELBST entscheidet, welche Religion oder Ideologie einen führt, anleitet, wahrnimmt. Illusionen oder Wahrheit. Licht oder Dunkelheit. Ich treffe eine Entscheidung, die mich dahin führt, wo meine Angst keine Möglichkeit hat, mich vierundzwanzig Stunden lang zu begleiten. Das sind eben meine alten Prägungen aus der Kindheit und Jugendzeit, die mich jahrelang attackiert haben. Nie habe ich darüber nachgedacht. Immer wieder versuchte ich, das Gefühl der Liebe in mir zu unterdrücken. Dabei ist sie meine Lebensquelle. Das SELBST in mir fühlt, wie ich die Religion, die Natur und die Kunst in mir wahrnehme. Kein Gott und kein Guru aus Eichsfeld, der tagtäglich morgens und abends seine heilige Session abhält, kann meine Entscheidung übernehmen, um Leid von mir abzuwenden. Die falschen Informationen über die Religion, die mich überzeugen sollten, dass der Glaube von Gott käme, beweisen nur ein egoistisches Denken, um meine Angst zu verstärken, damit mein Schuldgefühl immer präsent bleibt.

Ich lasse es mal so stehen, denn jetzt weiß ich, dass meine Grundhaltung für die Liebe stets in mir lebte. Mir wurde immer gesagt, dass ich die Liebe von außen bekäme. Erst durch Leistung oder eine gute Tat könnte ich von der Welt die Liebe bekommen, die mir zustehen würde. Heute, liebe Hertha, verzichte ich auf diese „Gnade". Es macht daher keinen Sinn zu philosophieren, was die Welt mir anbieten könnte. Sie ist nicht in der Lage, mir was zu geben.

Weder Liebe noch Anerkennung durch die Gesellschaft können mich glauben machen, dass die Welt es ehrlich mit mir meint. Konrad hat in den letzten Tagen seines Lebens verstanden, dass die Liebe in ihm lebt. Mit all seinen Konflikten und Schmerzen aus der Holocaustzeit war er allein und musste in den vergangenen Jahren Bitternis und Groll erleben. Hätten seine Ahnen ihm den Wink gegeben, dass die Liebe in ihm wohnt, hätte er seinen Schmerz bestimmt schneller akzeptiert. Hertha, in deinen Augen sah ich Tränen. Ich habe dir meine Hand gereicht. Ich danke dir! Du

sollst wissen, dass ich die Trilogie „Hellersdorf" nicht un-
eigennützig geschrieben habe, nein, ich wollte ergründen,
was nicht alltägliche Dinge in mir auslösen, wenn ich über
sie schreibe. Ich fand zum Beispiel Denker auf der Straße,
die nicht über Liebe sprechen wollten und sich stattdessen
aus Scham zurückzogen. Aber ich fand auch männliche
Denker, die Liebe verspürten und an andere weitergaben.
Ich kenne einzelne Denker, die mir gezeigt haben, wie ein
Lachen die Welt bereichern kann.

Wir beide, Hertha, gehen einen guten aber auch einen
unruhigen Weg. Die Welt ist nicht in Ordnung. Sie begeht
Selbstmord auf Raten, weil viele Staatsoberhäupter nur an
ihrer Macht festhalten und sich dem Willen der Großkon-
zerne unterwerfen. Sie wollen Gott spielen und befehligen
Armeen, die in den Krieg ziehen. Wozu? Kein Denker auf
der Welt wird mir eine ehrliche Antwort geben. Die Unzufriedenheit und der Neid nagen an ihren Gedärmen, sodass
sie keine Ruhe finden. Sie wollen keinen Frieden. Sie suchen stets die Schuld bei anderen Denkern und geben acht,
dass sie den ersten Angriff vollziehen. Wehe sie würden nur
eine Minute lang nachgeben. Wehe!

Meine Gedanken schwingen sich des Öfteren in die Wolken auf und finden dort den Willen, der mein Handeln
lenkt. Ich erinnere mich an die Bibelzeile „Dein Wille ge-
schehe, wie im Himmel so auf Erden". Aber es ist Gottes

Wille, der geschehen soll, nicht der des Menschen. Und ob Gott mir einen Willen schenkte, als er mich und andere erschuf, das wage ich noch zu bezweifeln. Ich gehe sogar noch einen Schritt weiter. Die Erschaffung der Erde und unseres Sonnensystems als ein winziges Teilstück des großen Universums wird wohl ewig ein Geheimnis bleiben. Die Energien, mit denen wir alle verwebt sind, tragen dazu bei, dass Leben überhaupt existiert. Das Magnetfeld um die Erde ist ein solches Wunder der Natur, so rätselhaft und geheimnisvoll.

Wie will man dessen Existenz beweisen? Konrad stellte sich vor, die Funktionsweise solcher Naturwunder zu beweisen. Ich gab ihm zur Antwort, dass es keinen Beweis braucht. Sie sind da, ohne Zeitplan und ohne Zufall, der die Frage zulässt: Wieso kann die Erde auf ihrer Umlaufbahn so genau um die Sonne fliegen, ohne diese Bahn zu verlassen? Wieso gibt es die vier Jahreszeiten mit ihren Veränderungen in der Natur? Warum gibt es Ebbe und Flut? Wie entsteht Schwerkraft? Wie ist es möglich, dass jedes Jahr Millionen von Kaiserpinguinen sich am Rand der Antarktis auf einen langen, kräftezehrenden Marsch zu ihren Brutplätzen aufmachen, ohne sich zu verlaufen und genau dort ankommen, wohin sie wollen. Sie haben keinen Kompass und kehren mit ihren Jungen dennoch an den Anfang ihrer langen Reise zurück. Was sind das für Wunder? Und warum wissen wir so wenig über sie?

Erstaunlich, dass es in Hellersdorf ein Gut gibt, das vor etwa siebzig Jahren ein kleiner Ort war. Der Fuchs konnte in Ruhe die Straßen und Wege überqueren, ohne dass ein Auto ihn bedrohte. Mein Großvater sprach davon, dass gerade in den Dörfern am Stadtrand von Berlin um sechs Uhr abends die Bürgersteige hochgeklappt wurden. In Konrads Fotokiste fand ich alte Aufnahmen, die das frühere Hellersdorf tatsächlich als kleinen Ort zeigten. Die Bauern bewirtschafteten ihre Felder, auf denen heute mächtige Hochhäuser mit Parkanlagen stehen. Der Wandel unseres Bezirks ist noch nicht zu Ende.

Hertha, ich werde das Thema Urgeschichte verlassen, auch wenn die philosophischen, wissenschaftlichen und religiösen Denker immer auf eine Frage eine Antwort haben, um zu bestätigen, was sie von sich selbst halten. Konrad hatte schnell kapiert, dass gelehrte Denker in Streitfragen gern das letzte Wort haben, egal aus welchen Gründen. Bei Konrad spürte ich, dass ein gelehrter Denker vor mir stand. Ich erfuhr am eigenen Leib, dass ich mit ihm viel Energie spare und in Frieden meine Umwelt wahrnehmen kann. Es wurde mir mehr und mehr unwichtig, wann die Sonne wo auf- oder untergeht. Als Konrad begriffen hatte, warum unsere Meinungsverschiedenheiten oft aus dem Ruder liefen, war es ihm nicht mehr wichtig, wer recht hatte.

Hertha, ich applaudierte in Gedanken, als Konrad mir davon erzählte. Wir waren zu dem Zeitpunkt gerade in seiner Wohnung und wollten Kaffee trinken, als er fast beiläufig davon sprach. Natürlich spürte Konrad meine innere Zufriedenheit, denn ich habe ihm oft meine eigene Erfahrung der Trennung des Wichtigen von Unwichtigem deutlich gemacht.

Um deine Frage vor ein paar Tagen zu beantworten: „Ja, ich hatte eine Lesung zum 1. Teil des Buches über Hellersdorf." Etwas zögerte ich schon, als die Einladung von einem Bürgerbüro in Hellersdorf in meiner Post lag. Ich musste kurz nachdenken, ob ich dazu bereit war. Mein inneres Wesen ist eher ein scheues Reh, wenn es darum geht öffentlich aufzutreten, zumal Konrad nicht mehr bei mir war. Ich tat es trotzdem und grüßte in Gedanken Konrad, der vom Himmel auf mich herabsah. Letztlich tat es mir gut, andere Denker kennenzulernen. Leider hat Konrad nie Lesungen durchführen können. Bevor es damit losging, war er bereits verstorben. Wenn ich ehrlich bin, wir hegten nie den Gedanken mit dem Buch hausieren zu gehen.

Meine erste Lesung mit elf Denkern war für mich anstrengend. Ich zweifelte an dem, was ich gerade las. Die Begeisterung der Denker kam erst, als sie sich vom Zuhören etwas erholt hatten. Ihre Gesichtszüge waren entspannt, und sie wollten wissen, wie es im 2. Teil weitergeht. Wochen später kam eine zweite Anfrage hinsichtlich einer Lesung. Ich sagte dem Mehrfamilienzentrum „Neues Leben" spontan zu. Im Inneren wusste ich, dass ich diese Lesung nicht allein machen wollte. Mir fiel eine künstlerisch begabte Denkerin ein, die weit über 70 Jahre alt war. Ingeborg Deichmann aus Altlandsberg war die Auserwählte. Sie sollte ihre Bilder von Hellersdorf in einer Galerie zeigen, während ich aus dem 2. Teil von Hellersdorf lese. Als ich sie dazu anrief, antwortete sie spontan: „Warum nicht?"

Gott hat nicht Hellersdorf oder Marzahn erschaffen, das ist gewiss. Darüber war ich mir mit Konrad einig. Diese Realität ist nicht in Verzug. Die Zeit dagegen ist eine leere Idee, die von uns Denkern auf den Weg gebracht wurde, um der Fantasie zu entfliehen. Die Rieselfelder, von denen ich vor Kurzem sprach, werden aus der Landschaft gänzlich verschwinden. Angesichts der Wohnungsknappheit in der Stadt ist zu erwarten, dass auch die letzten Flächen bebaut sein werden. Um die Wiesen und Felder nicht zu vergessen, hat Ingeborg sie vor Jahren schon auf ihren Bildern festgehalten. Gott sei Dank! Egal ob alte Fachwerkhäuser oder alte Ställe im Dorf, ob weite saftig grüne Wiesen oder Getreidefelder, die kurz vor der Ernte standen, sie hat alles gemalt. Selbst den Müller in seiner Mühle hat sie bildlich festgehalten. Erinnerungen kamen in mir hoch, als ich ihre Werke in den Ausstellungsräumen sah. Ihr Mann half ihr beim Aufhängen der Bilder. Sie waren ein eingespieltes Team und wussten, welches Bild, wo hängen musste. Ingeborg besaß viel Lebenserfahrung und begann aus ihrer Jugendzeit zu erzählen. Sie erzählte, wie sie mit dem Malen begann. Sie hat sich ausprobiert und in den Großstädten gestandene Künstler kennengelernt, von denen sie eine Menge lernte. Berühmten Malern gab sie in den 70er-Jahren die Hand. Voller Stolz sprach sie von ihrer Vergangenheit. Im Atelier lagen über tausend Bilder in Schränken und Truhen. Aber sie hätte sich nie von ihnen trennen können.

Meine Bilder verwahre ich dagegen in Ordnern. Ich hoffe auf eine Zeit, in der ich sie wieder zeigen kann. Aber die ist noch nicht reif. Hellersdorf und Marzahn sind in der Frage der Kreativität gut aufgestellt. Du selbst hast mir davon berichtet, als du beim Bäcker warst, um uns Käsekuchen zum Kaffee zu holen. Mitgebracht hast du einen Flyer, der ein Lesewochenende in Marzahn ankündigte. Ich sah mir die Namen der kreativen Denker an und stellte fest, dass ich sie alle sehr gut kannte.

Mit dem Buch „Hellersdorf" wollte ich dort bewusst nicht vorstellig werden. Als ich vor mehreren Jahren eine ähnliche Lesung bei ihnen plante, war es mir wichtig, dass alle literarischen Denker vor einer Kamera standen, um den Gästen draußen zu zeigen, dass es Denker sind wie du und ich. Ich erinnere mich gut daran, dass ich am Tag zuvor im Café „Mühlenblick" mit allen kreativen Denkern zusammenkam. Das Gruppenbild habe ich heute noch. Es wurde in allen kleinen Tageszeitungen abgedruckt. Ich zeigte dir das Mattfoto, was vor dem Café in Kaulsdorf gemacht wurde. Dir ist komischerweise gleich aufgefallen, dass ich nicht auf dem Bild zu sehen war. Mir war das damals nicht so wichtig. Wichtiger war mir, dass die Lesungen der kreativen Denker und Denkerinnen Spaß machten.

Das Lesewochenende in Marzahn gefiel mir als Idee, auch der Flyer sprach mich an. Ich verfolgte im Internet ihre Auftritte, um ihr Lesewochenende etwas zu bewerben. Ich erkannte die Macher auf den Bildern sofort, und es wurde mit klar, dass ich nicht auf ihrem Weg mitgehen würde. Bei ihrem dominanten Gehabe (ihr Lese-Event sei der absolute Knaller) schrillten bei mir alle Alarmglocken. Ich mag diese von sich eingenommenen Denker nicht, denn sie können nicht teilen. Sie sehen nur ihren Vorteil, und das ist nicht mein Ding. Gerade in dieser Hinsicht hatte ich so einige Erlebnisse.

Vor Jahren hatte ich mit solchen Denkern zu tun. Ich wollte einen richtigen kulturellen Knaller in Kaulsdorf schaffen und fand einige Denker, die so einen Ort mit aufbauen wollten. Über ein Jahr lief alles rund. Wir hatten jede Woche so viele Veranstaltungen, dass wir gar nicht alle abdecken konnten. Berühmte kreative Denker meldeten sich bei mir, von da an hatte sich der Standort zu einer kleinen kulturellen Geheimadresse entwickelt. Erst jetzt wurde ich in Hellersdorf und Marzahn bekannt.

Ich kam mit einer eigenartigen Denkerin ins Gespräch und wir plauderten über unwichtige Sachen. Erst am Ende dieser seltsamen Unterhaltung erkannte ich ihren unehrlichen Charakter. Sie kam zu mir, um sich für ihre Behauptung, ich wäre überhaupt kein Künstler, zu entschuldigen. Dabei hatte ich mich nie als solcher ausgegeben und wollte auch nie ein Künstler sein. Ich betrachtete mich als eine Art Ideengeber, der was anschieben wollte. Mehr nicht. Als ich dann dieses tolle Café, in dem sich das abgespielt hat, verließ, war ich für diese kreativen Denker nicht mehr existent, sie wollten mich nicht mehr kennen. Dabei hatte ich ihnen nie was getan.

Auf einer Vernissage vor einigen Monaten in einer Galerie traf ich diese sogenannte Elite der Kunst wieder. Als ich auf sie zuging, um sie zu begrüßen, drehten sie sich einfach um, als wäre ich für sie Luft. Ich blieb vor einem Bild stehen, holte tief Luft und musste das gerade Erlebte erst mal verarbeiten.

Ja, so geht man mit Denkern um, die nicht mehr ins Raster der Kultur passen. Ich hatte die Botschaft sofort verstanden, konnte Gott sei Dank sofort loslassen und fühlte mich darin bestätigt, meinen eigenen Weg zu gehen.

Hertha, diese Denker werden sich nicht so schnell verändern. Ich habe das akzeptiert, und deshalb leuchteten bei mir sofort die Alarmzeichen, als ich den Flyer sah. Ich schaute mir die Aufnahmen in den Zeitungen genauer an und sah ihre kalten Augen. Bei dem Anblick bekam ich Gänsehaut. Ich wünschte ihnen dennoch Erfolg, denn den brauchen sie zum Überleben.

Als damals der große Lesetag im Café „Mühlenblick" vorbei war, und das möchte ich dir nicht verschweigen, war es mir ein besonderes Anliegen, mich mit diesen Denkern am nächsten Tag bei Kaffee und Kuchen noch mal darüber auszutauschen, wie es weitergehen soll. Die Auswertung ergab, dass alle Geschichten der Autoren in der „Edition Kaulsdorf" zusammengefasst und als Buch veröffentlicht werden sollten. Das waren mehr als vierzig Geschichten und Fragmente. Doch das Buch wurde nie gedruckt.

Was soll ich dir sagen, Hertha? Das ist meine Geschichte, die ich in Hellersdorf so erlebt habe. Aber warum wieder alles infrage stellen? Warum die Denker erneut angreifen, den Finger auf sie richten und ihnen die Schuld zuweisen? Das wäre zu einfach. Für mich gab es nur eine Möglichkeit: Ich musste daraus lernen. Heute kann ich die Erlebnisse anders verarbeiten, anders verstehen – nicht wie früher als bockiges Kind auf den Boden stampfen und herumheulen.

Es war mir eine besondere Freude, Hertha, mit dir im Fahrstuhl zur Aussichtsplattform des Fernsehturms zu fahren. Wir hatten einen grandiosen klaren Blick über die ganze Stadt. Das war absolut genial. Es müssen mehrere Jahre zurückliegen, als ich zum letzten Mal auf dem Fernsehturm gewesen war. Da gab es noch die Mauer und auf dem Rathaus wehte die DDR-Fahne. Das Wetter hätte nicht besser sein können. Man konnte weit ins Brandenburger Land sehen. Sogar den Wolkenhain in Hellersdorf konnte man bei genauem Hinsehen erahnen. Und ich fand es schön, gedanklich eine kreative Brücke vom Alex nach Hellersdorf zu schlagen.

Leider ist dein Aufenthalt hier in Deutschland in fünf Monaten vorbei. Das ist zwar noch eine lange Zeit, aber dennoch zu kurz, um alle Sehenswürdigkeiten in Berlin besuchen zu können. Nur gut, dass ich immer einen Notizblock bei mir hatte, um aufzuschreiben, was wir gesehen haben.

Bei deinen Schilderungen, wie du 1941 Deutschland verlassen musstest, hatte ich den Eindruck, dass du die Vergangenheit besser akzeptiert hast als Konrad. Konrad hat sein Leid stets mit nach Hause genommen und wollte die Vergangenheit immer wieder rückgängig machen. Letztendlich hatte er nicht begriffen, wie leicht man sich von den schmerzlichen Erinnerungen seiner Vergangenheit lösen kann. Man muss es nur wollen. Ich habe ihm das sehr oft gesagt. Trotzdem, unser zufälliges Zusammentreffen auf dem Wolkenhain und unsere Idee zu dieser Trilogie waren für mich ein Geschenk.

Ich glaube, man sollte heute nicht alles infrage stellen. Ich kann meine Kindheit nicht ausradieren, die Erinnerungen an die Schmerzen sind immer noch allgegenwärtig. Sie verkriechen sich in meinem Inneren, um irgendwann wieder aufzuflammen. Ich kenne solche Situationen. Wie oft habe ich geweint, wenn ich das Gefühl hatte, es würde mir alles entgleiten. Dieses Gefühl der Verlassenheit hat mir schwer zu schaffen gemacht. Ja, ich bin ehrlich zu dir, Hertha. Der Zeitpunkt ist endlich da, dass ich selbst entscheiden kann, was ich will oder ablehne. Wer mit mir nicht klar kommt und mich deshalb bösartig verurteilt, dem kann ich nur raten, mit sich selbst ins Gericht zu gehen. Ich werde die Verantwortung für ihn nicht übernehmen, auch wenn es dem Denker dabei schlecht ergeht. Ich lehne es ab, mir ein schlechtes Gewissen einreden zu lassen, nur weil ich entschieden habe Nein zu sagen. Jeder soll seinen Weg gehen, ich gehe meinen. Nur so habe ich heute die Möglichkeit, mein Leben und mich selbst besser zu verstehen. Im Nachhinein tat mir das gut. Daraus wurde eine wertvolle Erfahrung, die mein Lernumfeld stärkte. Erst spät erkannte ich, dass zu jeder Zeit die Wahl für eine Entscheidung habe. Je mehr sich das bei mir verinnerlicht hat, umso mehr wuchs mein Selbstbewusstsein. Ich sah Probleme jetzt anders, klarer. Ich darf Ja sagen. Ich darf ein Bild malen. Ich darf nein meinen und es so aussprechen. Ich darf sogar ein Buch schreiben, ohne ein schlechtes Gewissen zu haben, dass es anderen nicht genehm sein könnte. Ich werde in Zukunft für mich entscheiden, ob der Weg zum Altar oder zu mir selbst der richtige Weg ist.

Hertha, Konrad wollte ich zu gern begreiflich machen, dass der wahre Altar in uns selbst weilt, denn von ihm erhalten wir unsere Liebe. Kein Denker, kein Pfarrer, kein Guru und keine Religion dürfen diesen Altar berühren oder darüber verfügen. Mein Altar hat die Entscheidungen getroffen, die für mein Leben wichtig sind. Die äußeren Einflüsse, Einwendungen und Proteste interessieren mich nicht. Nur ich bin für mich verantwortlich. Und falls die Trilogie über Hellersdorf ein Flop werden sollte, dann ist es so. Meine Ideen haben ein festes Fundament und ermöglichen mir für mein Leben neue Erfahrungen. Daraus schöpfe ich meine Neugier und Hoffnung. Ich brauche keine Rücksicht auf jene zu nehmen, die mich ablehnen, weil das Buch über Hellersdorf ihnen vielleicht nicht gefällt. Nach so langer Zeit ist mir erst klar geworden, dass sie sich nämlich selbst ablehnten und anderen die Schuld geben, um sich für ihr Verhalten reinzuwaschen. Ein anderer Grund ist, dass sie denken, ich würde ihnen was wegnehmen und sie verletzen, um mich wie ein König zu fühlen. Alles ist ein Spiegelbild ihres Egos, das die Haftung übernehmen sollte und nicht ich. Das Ego in mir war von Anfang an gegen diese Trilogie. Es machte mir immer wieder deutlich, dass sie keine Beachtung finden wird. Das war die Sorge von Konrad. Er meinte: „Wer liest das schon?" Ich musste lächeln. Doch das Projekt deswegen aufzugeben, würde keinen Sinn ergeben. So kämpften wir gegen unseren Irrglauben an und fanden schließlich Mut und Freude am Schreiben.

Ich weiß nicht, wie du zu der Trilogie über Hellersdorf stehst, Hertha. Ich denke, und das ist meine feste Überzeugung, dass jedes Buch, das auf den Markt kommt, seine Berechtigung hat. Der Autor hat sich ja dabei was gedacht. Er will etwas (seiner Meinung nach) Wichtiges vermitteln. Klar ist das ein Wagnis, denn mit einem selbst gemalten Bild oder einem geschriebenen Text in die Öffentlichkeit zu gehen kann Folgen haben. Welche Folgen, wird man dann sehen. Es kommt einfach darauf an, wie gut man im Malen oder Schreiben ist. Konrad und ich waren beim Schreiben darauf gespannt, was es in uns auslöst, ob wir uns selbst verändern, die Welt vielleicht mit anderen Augen sehen.

Als ich das gedruckte Buch zum ersten Mal in der Hand hielt, dachte ich zuerst an meinen Vater. Denn er hielt das erste Buch von mir „Das Land der Kinder" in seiner Hand. Es war im suspekt, unheimlich. Es machte ihm Angst, und diese Angst mochte er nicht. Er lehnte mich ab. Kühl und abwertend hat er mich behandelt, als wäre ich ein leeres Blatt Papier. Aber ich hatte mir bewiesen, etwas vollbracht zu haben, was mich innerlich heilen würde.

Auch beim Malen habe ich mir Mühe gegeben, mein inneres Kind zu entdecken. Die Anerkennung, die ich von meinem Vater als Kind nicht bekam, konnte ich in diesem kreativen Prozess auch vergessen. In Wirklichkeit habe ich in all den Ausstellungen und Lesungen keinen Wert darauf gelegt, wie ich von der Gesellschaft bewertet werde. Eine

Bewertung hätte nur dazu beigetragen, gut oder schlecht in den Fokus gerückt zu werden. Meine dahinterstehenden Absichten hätten keine Rolle gespielt. Gute Leistungen, braver Junge. Schlechtes Betragen, böser Junge. Gut und schlecht, was für sinnlose Begriffe, die mein junges Leben für so viele Jahre kaputtgemacht haben.

Konrads Erwartungen lagen letztlich sehr hoch und ich musste ihn etwas beruhigen. Wir wussten ja nicht, wie sich die einzelnen Teile auf dem Markt verkaufen lassen würden. Seine Aufregung konnte ich aber nachvollziehen, denn seine Lebensgeschichte wurde dadurch öffentlich gemacht. Hertha, mit dem Buch in die Bestsellerliste zu kommen, war ohnehin utopisch. Das habe ich Konrad erklärt.

„Wir sind unbekannte Autoren", sagte ich. „Wir haben keinen Großverlag, der unser Manuskript in einer Massenauflage druckt und noch Werbung dafür macht." Es gibt Schriftsteller, mit denen die Verlage richtig Geld verdienen, was sie auch müssen, um konkurrenzfähig zu bleiben. Wir kleinen Autoren sind da nur eine Nebensache für sie. Aber auch für uns wird es eine Zeit der Würdigung geben.

Als mir der Gedanke kam, „Hellersdorf" nicht drucken zu lassen, entstand ein dickes Problem zwischen Konrad und mir. Ich konfrontierte Konrad damit, was er ganz erbost zurückwies. Er verstand mich nicht. Zeigte mir einen Vogel und fragte mich, ob ich nicht richtig ticken würde. Dabei hatte er aber vergessen, dass er zu Beginn selbst mal

diesen Gedanken hegte. Seine heftige Reaktion gab mir jedenfalls zu denken. Mir wurde bewusst, was ich da verlangte. Meinen inneren Konflikt einfach ignorieren, das
konnte ich nicht. Was sollte ich also tun, Hertha? Wer
konnte mir verbieten, das Buch nicht zu veröffentlichen?
Wer? Niemand! Mein Vater, der mir immer gesagt hat, was
ich als Kind zu tun und zu lassen habe, lebte nicht mehr.
Meine Mutter lebte auch nicht mehr. Ich brauchte keinen
Denker zu fragen, ob ich ein Buch veröffentlichen möchte
oder nicht. Eine Antwort darauf hätte ich von Konrad
nicht bekommen, von keinem Pfarrer aus Hellersdorf oder
Marzahn und auch von keinem Guru aus Thüringen, der
morgens und abends seine stundenlangen Sessions abhält.
Letztlich, Hertha, brauche ich keine Antwort von Denkern,
die dort draußen ihr eigenes Ding machen, denn sie stellen
sich auch nicht die Frage, ob sie es tun sollen oder nicht.
Sie machen es einfach. Sie halten ihre Predigt in der Kirche,
und der Guru im Thüringer Land wird die Session für den
Rest der Weltgemeinschaft aufsagen, um zu bestätigen,
dass seine Schäfchen da sind. Ich zweifle, ob sie je in die
Lage kommen, alles infrage zu stellen, was sie planen oder
durchführen. Sie tun es einfach, ohne sich die Erlaubnis
von der Gemeinschaft einzuholen. Sie tun es einfach. Und
das ist es, was mir an dem Pfarrer und dem Guru in Thüringen gefällt. Sie predigen leidenschaftlich ihre ausgearbei-
tete Rede und fragen nicht, ob sie es tun sollen. Mit ihrer

inneren Überzeugung tun sie Dinge, die die Welt verändern. Also gibt es für mich keinen Grund, das Buch „Hellersdorf" nicht drucken zu lassen. Was ich dann daraus mache, ist letztlich meine persönliche Entscheidung, ohne mich von Welt zu irgendetwas verleiten zu lassen. Entweder es entsteht was für mich Wichtiges oder weiterhin Lähmendes. Also musste ich schreiben, um zu überleben, um zu erfahren, was der morgige Tag für mich bringt. Denn du musst wissen, Hertha, dass das Böse suspekt ist. Es lehnt alles in einem ab und verurteilt in geschwärzter Schrift, sodass man davon Angst bekommt. Wie mein Vater. Als er mein erstes Buch in den Händen hielt, war er von diesem plötzlichen Ereignis völlig überfordert und lehnte mich mit seinem Egoverhalten ab. Er minimierte meine Freude, indem er zu mir sagte, ich soll den Unsinn lassen und mich wichtigeren Dingen zuwenden. Du siehst, Hertha, was Unwissen und Ablehnung in einem entfachen kann, wenn man keine Liebe in sich spürt. Als ich diesen Denkprozess veränderte, verstand ich mich besser und wusste von da an genau, dass zum Beispiel Hellersdorf ein Ort wie jeder andere in Deutschland ist. Die Denker außerhalb von Hellersdorf sollten wissen, dass jeder Stadtteil von Berlin seine positiven wie negativen Seiten hat, die man akzeptieren muss. Licht und Schatten liegen dicht beieinander, und wenn ich Zeit hätte, alle Bäume in Hellersdorf zu zählen, könnten Neukölln oder Lichtenberg schlechter bei wegkommen.

Trotzdem ist es das allgemeine Urteil, dass Hellersdorf und Marzahn keine gute Wohnqualität aufweisen und Neonazis alte Frauen auf dunklen Straßen überfallen. Aber das stimmt nicht. Es gibt viele Orte in Hellersdorf, wo ich die pure Freude spüre und hören kann, wie spielende Kinder den Tag begrüßen. Ich sehe Denker, die mit ihren Hunden spazieren gehen und frohgesinnt an Familien mit Kinderwagen vorbeilaufen, ohne zu ahnen, welches Talent in so manchem steckt.

Jung und Alt treffen sich und legen die Grundlage für Ideen und Freundschaften, für ein harmonisches Zusammenleben. Gegen bösartige Gedanken hilft eine erfrischende Neugier, denn sie kann festgefahrene Meinungen auflösen. Es kann ausreichen, für einen Tag in die Gärten der Welt zu gehen und die Seilbahn für sich zu entdecken. Vielleicht werden die Eintrittspreise eines Tages gesenkt, sodass auch Denker mit weniger Einkommen diesen Ort besuchen können.

Jahrelang habe mich dem Thema Hellersdorf und Marzahn gewidmet und dabei Gott sei Dank entdeckt, woher die bösartigen, widerlichen, arroganten Gedanken kommen. Als ich das erkannte, rief ich mich dazu auf, mein Denksystem zu ändern, indem ich die Lebensansichten generell ins positive Licht rückte. Schon beim Versuch, anders zu denken, bemerkte ich, dass sich der Groll zurückzog. Diese Art der Selbsterkennung konnten meine Eltern mir nicht beibringen, denn weder sie noch ihre Eltern wussten, dass die Liebe ein Wunder ist und alles schafft, was man will. Andernfalls wäre ich heute wahrscheinlich ein anderer Denker und hätte das Buch „Hellersdorf" nicht geschrieben. Vielleicht hätte ich was anderes geschrieben, und vielleicht hätte ich nicht mit Konrad Kontakt aufgenommen, der damals auf dem Wolkenhain am Tisch gesessen und heißen Kaffee getrunken hat.

Es ist überhaupt ein Wunder, dass sich unsere Lebenswege hier in Hellersdorf gekreuzt haben, liebe Hertha. Für unser Buch hätten wir auch andere Stadtbezirke wählen können. Aber aufgrund der Begegnung mit Konrad in Hellersdorf, wurde dieser Stadtteil zum Kernthema der Trilogie. Wer weiß, was morgen auf Hellersdorf zukommt und wie der Bezirk in den nächsten Jahren heranwächst? In fünfzig oder hundert Jahren wird man Hellersdorf sicher nicht wiedererkennen. Dann werden die Baulücken von heute durch neue Häuser und Straßen ersetzt worden sein. Selbst der Stadtkern von Berlin wird sich bis dahin verändert haben. Häuser mit weniger als 6 Etagen werden verschwunden sein. Stattdessen werden hohe Bauwerke das Stadtbild prägen. Wenn ich aus meinem Arbeitszimmer sehe, zieht die Sonne einen langen Schatten über die Bäume. Ich kann beobachten, wie die Wolken am Himmel über das Tal ziehen, vom Wind getrieben, der den Wildgänsen Auftrieb gibt.

Nun stellt sich die Frage, was das mit Hellersdorf zu tun hat. Konrad beschäftigte sich nicht gern mit dieser Frage.

„Völliger Unsinn", meinte er abfällig, „ständig mit dem Begriff Hellersdorf zu jonglieren."

Aus meiner Sicht ist das kein Unsinn, denn Hellersdorf gehört zu Berlin wie jeder andere Stadtteil auch. Im Grunde genommen empfinde ich das Wohnumfeld sehr attraktiv und ruhig. Nicht zu vergleichen mit Kreuzberg oder Prenzlauer Berg – Stadtteile, die in Berlin Mitte liegen. Die alte Bau- und Straßensubstanz definiert den Charakter des dortigen Wohnumfelds. Andererseits haben die schönen Alleen und alten Gebäude dort ihren eigenen Charme. Uralte Parkanlagen sind Zeugen einer alten Geschichte, die ich in den Bildern von Heinrich Zille wiederentdeckt habe. Es macht einfach Freude, die Werke von Zille anzuschauen. Sie zeigen die Berliner 20er-Jahre auf sehr lebendige Weise. Hellersdorf dagegen passt nicht in diese Zeit. Der Zug ist abgefahren. Hellersdorf ist ein moderner, farbenprächtiger Ort mit viel Grün und architektonisch wertvollen Ecken, wie zum Beispiel „Die Gärten der Welt".

Die Hochhäuser aus der DDR-Zeit standen nur für eine kurze Zeit, als Übergang sozusagen. Nun ist der Übergang aber bereits älter als dreißig Jahre, und ein Ende ist nicht abzusehen. Wiesen werden hier nicht mehr entstehen. Die vorhandenen Dörfer müssen sich behaupten, um von außen nicht ganz erdrückt zu werden. Hertha, besuch' mal

Alt-Marzahn an einem Sonntagnachmittag. Du wirst feststellen, was für eine herrliche Ruhe dort herrscht. Zu meinem Bedauern ist das schöne Café dort geschlossen worden, wo man früher bei einem Nusseisbecher und einer Tasse Kaffee die Ruhe auf der Terrasse genießen konnte. Unweit davon steht andächtig die Mühle von Marzahn und verleiht dem Ganzen ein wenig Dorfidylle.

Fünf Monate später

Hertha, nun fliegst du vom Flughafen Tegel aus nach Hause. Das macht mich sehr traurig. Dein Gepäck haben wir auf einen modernen Gepäckwagen geladen und sind zum Schalter der Lufthansa gelaufen. Deine Augen wirkten sehr traurig, und ich? Wie kann ich meine Gefühle beschreiben, wenn ich weiß, dass mich eine vertraute Denkerin verlässt. Aber deine Entscheidung, in den USA alles aufzugeben, um hierher nach Deutschland zurückzukehren, macht mir den Abschied leichter. Ich wusste nicht, dass du zwei Staatsbürgerschaften besitzt. Du hast mir den deutschen Pass gezeigt, den du vor einer Woche in „Helle Mitte" bekamst.

Am Flughafen hast du mich gelobt und es schön gefunden, dass ich meinen Weg gehe. Ich soll stolz auf mich sein, auf das Erreichte, was ich aber nicht sonderlich ernst nahm, da ich oft fragwürdige Kommentare höre und Anerkennung in Verbindung mit Stolz verschmähe. Aber deine Worte klangen anders, sie waren warmherzig und trafen mich auf eine berührende Weise ins Herz.

Hertha, deine Offenheit und Toleranz erwecken in mir das Bewusstsein, über meine Probleme intensiver nachzudenken. Dem inneren Kritiker die Macht zu nehmen, ist der erste Schritt, nicht nur das Beste von mir zu verlangen, sondern auf Dinge zu schauen, die nicht mit einem Leistungsanspruch zu tun haben. Denn der Leistungsanspruch ist, glaube ich, eine offene Wunde in mir, die ich jeden Tag zu schließen versucht habe. Daher kommt mein enormer Ehrgeiz. Vielleicht hast du ja recht, dass mein Ehrgeiz so stark ist, dass andere Denker in meinem Umfeld gar nicht mit mir Schritt halten können. Es wäre eine Überlegung wert, was ich schon erreicht habe und mit welcher Dynamik die Energie in meinen Gedanken mein Schicksal linderte. Nun, was konnte ich dir da entgegenhalten, nichts. Ich musste deine Meinung akzeptieren.

Du warst dir auch sehr sicher, dass ich den dritten Teil von „Hellersdorf" beenden würde und dir ein Exemplar an dem Tag gebe, wenn du wieder aus Amerika zurückkommst. Hier in Hellersdorf wohnen zu wollen, das fand ich absolut cool. Selbst über deine Mitteilung, dass du bereits einen Mietvertrag unterschrieben hast, war ich so erstaunt, dass ich vor Freude und Aufregung fünf Tage schlecht geschlafen habe. Bis du wieder da bist, werde ich auf Motivsuche für ein neues Buch gehen. Ich danke dir jedenfalls sehr, dass du in mein Leben getreten bist und ich dir auf diesem Weg zeigen durfte, wie viel mir Hellersdorf bedeutet, wie die Gesichtszüge der Denker im Licht der Fröhlichkeit aussehen und wie sie sich verändern, wenn die Traurigkeit ihre Seele berührt. Es ist ein gutes Buch geworden. Es hat dem Ort ein Gesicht gegeben und sich von anderen Orten abgegrenzt.

Ich habe dein Flugzeug über Berlin fliegen sehen und für eine kurze Zeit Einsamkeit gespürt. Als ich aber an unsere Trilogie dachte und die Datei dieses dritten Teils umwandelte, damit sie erhalten bleibt, war meine Einsamkeit weg und die Verbundenheit mit dir wieder da.

Epilog

Ich gehe der Frage nach, was mir guttut und was meiner Gesundheit schadet. Jahrelang habe ich in der Pflege gearbeitet und eine demenzkranke Wohngruppe geführt. Das war ein 14-Stunden-Arbeitstag. Ich war begeistert und dachte, das würde Hellersdorf ausmachen. Die Vielfältigkeit, die man nicht sofort sehen kann, Dinge, bei denen man nie vermutet, dass sie einen umhauen können. Mir wurde klar, dass Vorurteile vieles kaputtmachen. Jeder Denker, der in seinem eigenen Reich wohnt und nach Ideen sucht, wird da fündig. Die Fantasie kennt keine Grenzen. Ich meine, das habe ich beim Malen genauso gesehen. Woher soll die Fantasie sonst kommen? Sie ist imstande, wenn alle Faktoren stimmig sind, mir eine wunderbare Welt zu zeigen. Dazu gehören auch die vielen Ruhepunkte, die ein Umfeld haben sollte.

Der Brief von Konrad lag auf meinem Schreibtisch. Seine schöne Handschrift zeugt von einer wohlüberlegten Wortformulierung, die mein Interesse weckt. Für mich ein echtes Dokument.

Meine veröffentlichten Bücher

Land der Kinder
Erscheinungsjahr: 2013
Taschenbuch: 338 Seiten
Verlag: united p.c
ISBN-10: 3854384904
ISBN-13:978-3854384908

Eine Kindheit begrüßt die zarte Ansicht einer wunderbaren Lebensphilosophie. Aus dieser Ansicht geht hervor, dass man als Kind Träume geschenkt bekommt. Träume von Liebe, Umarmungen, Verständnis, vom Zuhören, von einem Kind ohne Angst in einer heilen Welt. Diese Träume hatte ich nicht. Und so habe ich mir die Frage gestellt: „Warum nicht?" Ich gehe auf Spurensuche und möchte Antworten auf meine Frage finden.

Demenz-Kinder

Erscheinungsjahr: 2013
Taschenbuch: 218 Seiten
Verlag: united p.c
ISBN-10: 3710302293
ISBN-13: 978-3710302299

Ein Buch über Demenz, über das Verstehen der Demenz.
Eine Betrachtung von außen, gespürt und erfahren an einer
Tür, an einem Fenster, an einem Pflegebett, an einem Roll-
stuhl. Dabei ist die Begegnung mit demenzkranken Menschen die beeindruckendste Erfahrung, die ich je gemacht
habe, die ich nie missen möchte. Es sind Menschen, die am
Rand einer Gesellschaft leben, mit denen man in der Pflege
viel Geld verdienen kann, über die man berichtet, wie brutal
ihre Menschenwürde verletzt wurde, aber nie über das, was
ein demenzkranker Mensch gerade fühlt und denkt, was ihn
verletzt hat und wie man mit der neu erfahrenen Liebe um-
geht.

Demenz aus einer anderen Sicht
Erscheinungsjahr: 2013
Taschenbuch: 76 Seiten
Verlag: Shaker Media
ISBN-10: 3956310063
ISBN-13: 978-3956310065

Dieses Buch beschäftigt sich mit dem Verschwinden der Angst vor Demenz. Ein Buch über die Anerkennung von Pflegenden und Angehörigen, das erklärt, wie Demenz zu verstehen ist und was die Menschen tun können, wenn sie an Demenz erkrankt sind. Wenn ein Mensch die Kindheit durchlebt hat, entsteht ein kleiner Sandkasten, in dem Spielfiguren auf der Sitzfläche darauf warten, genommen zu werden und im Sand unterzutauchen. Die Spielfiguren verändern sich im Traum, wodurch ein Wunsch entsteht, eine Sehnsucht, Aufklärung, ein Sichtbarmachen, Vergebung und Dankbarkeit, all das ohne Zwang erleben zu dürfen. Während der Demenz wird ein Signal freigegeben, wo die verbuddelten Spielfiguren wieder auftauchen. Sie erhalten die Fähigkeit, das Kind zu wählen, das sie einmal waren, und können jetzt den Sinn ihrer Kindheit erfahren, was die Demenz im Gegenwärtigen widerspiegelt.

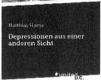

Depression aus einer anderen Sicht

Erscheinungsjahr: 2013
Taschenbuch: 100 Seiten
Verlag: united p.c.
ISBN-10: 3710307325
ISBN-13: 93710307324

Ich habe gespürt, was es heißt, keine Liebe zu bekommen. Taub und ohnmächtig fiel ich in Trance und wollte nicht mehr leben. Das Fühlen ging verloren. Ich durfte nicht Mensch sein, nur eine leere Hülle – die Verdammnis, die einer dunklen Höhle gleichkam. Das Feuer erreichte nie den Docht der Kerze in mir, und ich war verflucht für alle Ewigkeit, diese Kerze nicht anzünden zu können. Das Licht hinter mir war immer der Schatten meines Selbst. Dort wurde entschieden, was es heißt, ein Kind zu sein oder es umzubringen. Das Letzte kam zur Wahl, und so blieb mir nur eins übrig, mich zu verstecken. Damit mich keiner hört, keiner sieht, keiner spürt. So konnte ich den Schmerz aus Leid und Lüge umgehen. So war ich in Sicherheit, geborgen.

Religion aus einer anderen Sicht

Erscheinungsjahr: 2013
Taschenbuch: 260 Seiten
Verlag: united p.c.
ISBN-10: 3710301537
ISBN-13: 978-3710301537

„Religion aus einer anderen Sicht" ist eine Sammlung von Texten des Autors Matthias Hartje, die das Wechselspiel zwischen dem Glauben und dem tatsächlichen Leben deutlich machen, zwischen Angst und Hoffnung, Liebe und Verletzung und der Tatsache, dass Jesus in jedem von uns lebt. Wir müssen nur tief in uns schauen und erkennen, welcher Berufung wir folgen müssen. Hartje stellt dem selbst gemalte Bilder gegenüber, die ein außergewöhnliches Talent zum Detail aufzeigen und zum Nachdenken anregt.

Der schwarze Junge

Erscheinungsjahr: 2013/16
Taschenbuch: 172 Seiten
Verlag: Books on Demand
ISBN-10: 3741265209
ISBN-13: 978-3741265204

„Der schwarze Junge" ist der biografische Abriss eines Jungen, der im pubertären Alter auf der Suche nach Liebe und Anerkennung eine „dunkle" Seite in sich entdeckt. Mit zahlreichen Episoden bringt uns der Autor ein Verhalten nahe, das der Jugend entspricht, das aufrührerisch, gesellschaftlich abnorm aber auch mutig erscheint. Von den eigenen Gefühlen hin und her gerissen, nicht zu wissen, wo man hingehört, das eigene Zuhause als Gefängnis und die Schule als eine Art „Neurolage Anstalt zur Vorbereitung auf das Leben" zu empfinden, lässt in ihm den „schwarzen Jungen" zum Vorschein kommen, der sprunghaft und immer bereit ist, sich und seinen Schulkameraden zu beweisen, dass in ihm ein ganzer Kerl steckt. Doch ausgerechnet sein ärgster Feind, ein „König" in seiner Schule, bezeugt ihm am Ende seine Hochachtung und dass mehr in ihm steckt, als er selbst glaubt.

Wie er ich wurde
Erscheinungsjahr: 2013/16
Taschenbuch: 160 Seiten
Verlag: Books on Demand
ISBN-10: 374126525X
ISBN-13: 978-3741265259

„WIE ER ICH WURDE" sind Erinnerungen eines jungen Mannes aus einer Zeit, als Er seine Suche nach dem eigenen Ich begann. Es ist der Versuch, sich dem Inneren anzunähern, wo das Er seine Stärke zeigt und das Ich seine Schwäche offenbart. Die Auseinandersetzung des jungen Mannes mit sich selbst löst eine Angst aus, die sich der Wahrheit des Lebens nicht stellen möchte. Doch das Ich möchte an die wahre Identität seiner Kindheit anknüpfen, möchte wieder Kind sein dürfen, auch wenn das Er es ablehnt. Gelingt es dem „Inneren Kind" eine Verbindung zum Ich aufzunehmen und dem Er zu trotzen. Wird am Ende die Liebe zur Wahrheit stärker werden? Wird das Er mit dem Ich in eine Balance treten?

DER VERKAUFTE
MANN
MATTHIAS HARTJE

Der verkaufte Mann
Erscheinungsjahr: 2014/16
Taschenbuch: 132 Seiten
Verlag: Books on Demand
ISBN-10: 3735795803
ISBN-13: 978-3735795809

„Die Abnutzung von Geist und Körper ist in den gesammelten und undurchsichtigen Genen im Menschen zu finden", schreibt der Autor in diesem Buch und hinterfragt an zahlreichen Beispielen eigener Lebenserfahrung, wie Mann und Frau ticken, was sie im Denken und Handeln voneinander unterscheidet und welche hinterlistige Rolle das Ego dabei spielt. Lesen Sie selbst, zu welchen furiosen Erkenntnissen der Autor kommt und wie er am Ende das Rätsel um den „verkauften Mann" löst.

Das Ekelkind
Erscheinungsjahr: 2016
Taschenbuch: 200 Seiten
Verlag: Books on Demand
ISBN-10: 3735795618
ISBN-13: 978-3735795618

Vergangenheit? – Für einen jungen Mann ist dieses Wort nur von geringer Bedeutung. Nicht so, wenn dieser junge Mann in die Jahre kommt, Lebenserfahrungen sammelt und beruflich in einer Wohngemeinschaft für demenzkranke Menschen tätig ist. Dort lernt er als Betreuer alte Menschen kennen, die kurz vor dem Sterben auf ihr Leben zurückblicken und ihm diese von Glück und Schmerz geprägten Erfahrungen erzählen. Ein Wink des Schicksals? Ja! Denn er beginnt plötzlich, obwohl sich sein inneres Ich jahrelang dagegen gewehrt hat, über seine eigene Vergangenheit, seinen eigenen Schmerz, über das Ekel-Kind in ihm nachzudenken. Es ist eine Auseinandersetzung, die sich leise vollzieht.

Der verwelkte Mann
Erscheinungsjahr: 2016
Taschenbuch: 200 Seiten
Verlag: Books on Demand
ISBN-10: 3735795618
ISBN-13: 978-3735795618

„DER VERWELKTE MANN" ist quasi eine Abrechnung des Erzählers mit sich selbst, ein tiefgründiger Rückblick auf sein Leben, seine Kindheit, die damit verbundenen Ängste, kindlichen Dummheiten und der fehlenden Liebe durch das Elternhaus. Sein ganzes Leben jagt er einer falsch verstandenen Liebe hinterher und findet keinen Weg seine Ängste abzustreifen, die ihm schon als Kind aufgezwungen wurden. Nur langsam tastet er sich an die Frage heran, wie sein Ego und das innere Kind in ihm auf die Probleme des Erwachsenwerdens reagieren, was er unterdrücken und was er befördern muss. „DER VERWELKTE MANN" bringt dem Erzähler Leid und Schmerzen, aber auch Erkenntnisse, die ihn von seinen Ängsten befreien.

Das Gespür der Zeit
Erscheinungsjahr: 2016
Taschenbuch: 208 Seiten
Verlag: Books on Demand
ISBN-10: 3741226847
ISBN-13: 978-3741226847

Berlin, 2016, eine spannende Reise in die Bewusstwerdung von Träumen und Illusionen in die Seele beginnt. Damit steht Ihnen, liebe Leser, ein Fenster für Gefühl, Hoffnung und Liebe offen. Doch nicht nur dafür, sondern auch für die so genannten „Problemzonen" des Lebens: Schuld, Ego, Angst und falsche Denk-, Glaubens- und Verhaltensweisen. Der Blick hinter die Kulissen ist es, mit dem Ihnen der Autor Matthias Hartje in diesem Buch Dinge beschreibt, von denen Sie nicht wussten, dass es sie in Ihrem Inneren gibt. „Ein Versuch, sich dem zu beugen, das nicht mit dem zu tun hat, was du als eine Illusion ansiehst", schreibt der Autor. „Alles, was du siehst, gehört dir nicht. Dein Bewusstsein macht das Betrachten dieser eigentlich nicht vorhandenen Illusion erst möglich, und es will dich mit der Vorspiegelung dieser Unwirklichkeit prägen. Das kann man als *Drama* bezeichnen."

Die Grabkarte meiner Mutter

Erscheinungsjahr: 2017
Taschenbuch: 232 Seiten
Verlag: Books on Demand
ISBN-10: 37431722941
ISBN-13: 978-3743172944

Der Autor blickt auf das Leben seiner verstorbenen Mutter zurück. Er beschreibt die Zeit, in der sie gelebt hat, die Zeit des Zweiten Weltkrieges, die Lebensumstände danach, den Hunger und ihren ständigen Kampf ums Überleben. Die Härte ihres Überlebenskampfes überträgt sich auf ihren Charakter und damit auf die Erziehung ihrer drei Kinder. In einem sich durch das Buch ziehenden gedanklichen Dialog mit seiner Mutter reflektiert der Autor die Situationen aus seiner Kindheit und der Jugendzeit, um deutlich zu machen, wie er unter der fehlenden Liebe, den ständigen Schlägen seines Vaters und der bewusst zur Schau getragenen Heuchelei seiner Eltern gelitten hat, und wie sich das auf die Entwicklung seiner Psyche ausgewirkte. Er schreibt er sich frei von nachtragenden Gedanken und von Schuldvorwürfen, bietet Lösungen für ähnliche Fälle an und verzeiht letztlich seinen verstorbenen Eltern.

Die Frau in Ton
Erscheinungsjahr: 2017
Taschenbuch: 424 Seiten
Verlag: Books on Demand
ISBN-10: 3743162539
ISBN-13: 978-3743162532

Lena, eine Frau, die sich in der heutigen Gesellschaft neu orientieren möchte, sucht Anerkennung in der Kunst. Sie wurde von ihrer Mutter nie beachtet und erlebte eine kalte, herzlose Kindheit. Sie kennt nur ihren Vater, der ein sexbesessener, bösartiger Mensch ist und ihre Vorstellung von einer liebevollen Männerwelt zerstört. Ihrer Ansicht, dass ein Mann anders sein kann als ihr Vater, schenkt sie keinerlei Beachtung mehr. Sie will keinem Mann trauen oder dessen Nähe zulassen, bis eines Tages ein Mensch ihren Weg kreuzt, der sich in sie verliebt. Doch wird diese Begegnung ihre innere Zerrissenheit heilen, ihre Wut, ihren Hass auf Männer?

Luise Fremde Welt
Erscheinungsjahr: 2017
Taschenbuch: 260 Seiten
Verlag: Books on Demand
ISBN-10: 3746037883
ISBN-13: 978-3746037882

Luise gerät durch den Suizid ihres Mannes Ludwig in eine tiefe psychosomatische Krise und wird in eine Klinik eingewiesen. Sie verfällt in Depressionen, erinnert sich an ihre lieblose Kindheit und an den Ehebruch ihres Mannes mit ihrer besten Freundin Silke. Sie zieht sich mehr und mehr in sich selbst zurück, stellt Fragen, die unbeantwortet bleiben, und lebt fortan in einer für sie „Fremden Welt". An die Liebe glaubt sie längst nicht mehr, selbst eine Freundschaft zu einem Mann ist ihr zuwider. Da trifft sie plötzlich auf Manuel, einen Maler und angehenden Schriftsteller, bei dem sie während eines Gesprächs auf einer Dampferfahrt den Eindruck gewinnt, dass auch er in einer für sich abgeschlossenen fremden Welt lebt und Ähnliches erlebt hat wie sie. Eine Freundschaft entwickelt sich. Doch wird aus dieser Freundschaft Liebe und wird das Luise helfen, ihrer „Fremden Welt" zu entfliehen?

Der schwarze Vogel
Erscheinungsjahr: 2018
Taschenbuch: 168 Seiten
Verlag: Books on Demand
ISBN-10: 3752879831
ISBN-13: 978-375287934

„Wo bist du gewesen, Gott, als ich dich gebraucht habe?", fragt sich der Autor, wenn er an seine Kindheit zurückdenkt, die von Lieblosigkeit der Eltern, Gewaltausbrüchen des Vaters, Brutalität, Demütigung und Alleinsein geprägt war. Nirgendwo findet er Halt, weder im Glauben noch in der Liebe oder in seinem eigenen Ich. In seinen Träumen erscheint ihm ein „schwarzer Vogel" immer dann, wenn es ihm schlecht geht. Er gibt ihm Halt und Frieden und verschwindet wieder, wenn es ihm gut geht. In ihm sieht er eine Freiheit, die er glaubt, nie erreichen zu können. Doch Jahr für Jahr wuchert die Depression in ihm, bis er als letzten Ausweg den Tod sucht. Da taucht der schwarze Vogel erneut auf und zieht ihn aus der brutalen Welt ans Licht des Lebens. Zurück bleiben Fragen wie die zu Gott, dem Glauben, der Liebe, zu den furchtbaren Schlägen seines Vaters und zu seinem eigenen Ich.

Das Hellersdorfer Aquarell
Erscheinungsjahr: 2019
Taschenbuch: 260 Seiten
Verlag: Books on Demand
ISBN-10: 3746037883
ISBN-13: 978-3746037882

Meine Bilder sind Teil einer Geschichte, die erst durch meine Gedanken mussten, bevor sie entstanden. Ich gab dem Versuch freien Raum und malte sehr konzentriert, um das Unsichtbare sichtbar zu machen. Aquarellstifte füllten meine differenzierten Farbkompositionen, aus denen jedes Bild seine individuelle Aussagekraft bekam. In mir lebte eine Sehnsucht, aus der heraus ich der leeren Fläche ein farbliches Motiv geben musste – ein Motiv, das die verlorene Poesie fand und aufzeigte, wie lebendig sie war. Es drängte sich in mir eine ständige Unruhe auf; ich folgte meinem Gespür und wählte eine Farbe, die meiner Fantasie entsprang – einer Fantasie, die keinen Namen kannte. Dabei entstanden mehr als 1400 Aquarellbilder. Dieser Katalog stellt Ihnen neben 524 Aquarellen und Bildern im Großformat auch 15 meiner Bücher vor.

Der Meeresspiegel und die Zeit
Paperback
112 Seiten
ISBN-13: 9783734739248
Verlag: Books on Demand
Erscheinungsdatum: 08.08.2019

Dieser Gedichtband folgt mit seinen Versen dem Ruf der unendlichen Zeit. Er unterwirft sich der Fantasie, wo das Sehen und Hören der Wirklichkeit nicht existiert. Bei der Möglichkeit, all die Farben des Alltags einzufangen, um den Sinn dieser Welt zu verstehen, hinterfragen die Verse das Chaos der Gefühle. Aber die Zeit wird zeigen, was einen berührt und was man verdrängt.

Hellersdorf
Teil eins
Erscheinungsjahr: 2019
Taschenbuch: 332 Seiten
Verlag: Books on Demand
ISBN-13: 9783735786111

Hellersdorf. Ist der schlechte Ruf dieses Berliner Stadtbezirks berechtigt oder kann man davon ausgehen, dass dort jeder in Ruhe wohnen und arbeiten kann? Gibt es Unterschiede zwischen Zehlendorf und Hellersdorf? Und ist das Denken über unsere Welt ebenso unterschiedlich, sodass nur hier in Hellersdorf der braune Sumpf Fußfassen konnte? Der Autor sagt "Nein!" und beschreibt diesen Stadtteil als selbstständig, freundlich und naturbelassen. Hellersdorf ist ein Ort, den man kennenlernen muss, wo die Menschen sagen: "Wir leben und arbeiten gerne hier." Es ist ein Ort, wo gestritten wird, wo die Kunst mit der Natur im Einklang steht, wo eine Seilbahn fährt und die Menschen zur Gartenschau gehen und sich zum Dialog zusammenfinden. Das Buch erzählt von alltäglichen Menschen, von ihren Kompromissen und Leidenschaften, von ihrem Leben im Berliner Stadtbezirk Hellersdorf.

Hellersdorf
Teil zwei
Erscheinungsjahr: 2019
Taschenbuch: 316 Seiten
Verlag: Books on Demand
ISBN-13: 9783748137399

In diesem Buch beschreibt der Autor Hellersdorf als „DEN ORT" mit Weite, Grün, sauberer Luft und einer intakten Tier- und Pflanzenwelt, in der es sich zu leben lohnt. Er reist gedanklich zu den ersten Bauabschnitten zurück, beleuchtet die Veränderung wichtiger Gebäude nach der Wende, besucht mit seinem jüdischen Freund Konrad Sehenswürdigkeiten in Berlin und resümiert in Form eines Dialogs szenisch über sein Leben, wie das Verhältnis zu seinem gewalttätigen Vater, seinen Grenzdienst, die Anerkennung bzw. Ablehnung seiner Kunstwerke auf Ausstellungen sowie seine Arbeit in einer Pflegeeinrichtung. Dabei beantwortet er Fragen zu welthistorischen Ereignissen und löst bei Konrad konträre Denkweisen, Ängste und Depressionen in der Art, als er mit ihm seine Zeit als Kind im Zweiten Weltkrieg hinterfragt und diese mit dem aufkommenden Rechtsradikalismus der heutigen Zeit vergleicht.

Matthias Hartje (Buchautor, Maler und Autodidakt) wurde
im August 1960 in Berlin als Einzelkind geboren. Nach Be-
endigung seiner Schulausbildung absolvierte er eine erfolg-
reiche Lehre als Filmkopierer und später als Druckform-
hersteller. Von 2001 bis 2009 arbeitete er als Wohngruppenfachkraft für Demenz in der Altenpflege. Er ist verhei-
ratet und hat zwei erwachsene Kinder.

Sein Interesse galt schon frühzeitig dem Malen. So entstanden bis heute weit mehr als 1400 Bilder in Aquarell. Große
Teile seiner Bilder hat er auf Vernissagen gezeigt und in einem 2019 unter dem Titel „Das Hellersdorfer Aquarell" er-
schienenen Katalog veröffentlicht.

Im Verlauf der Jahre entdeckte der Autodidakt Matthias
Hartje eine zweite Leidenschaft, das Schreiben. Zunächst
waren es Gedichte und Erzählungen, die er 2012 veröffent-
lichte. Später begann er seinen Zwiespalt bei der Bewälti-
gung des Lebens sowie seine Ansichten und Erfahrungen
mit demenzkranken Menschen in Romanen zu beschreiben
und mit seinen Aquarellbildern zu ergänzen. So veröffent-
lichte er Bücher wie zum Beispiel: „Demenz-Kinder",
„Land der Kinder", „Der schwarze Junge" oder „Das Ekel-

kind", „Das Gespür der Zeit" und „Die Frau in Ton", oder „Luise - Fremde Welt" und den Gedichtband „Der Meeresspiegel und die Zeit". Nach dem Erfolg seiner Bücher sowie zahlreichen Lesungen zu den darin aufgeführten Themen: Das innere Kind, Religion, Liebe, Angst, Demenz, das Ego im Menschen, Sterben und Leben schreibt der Autor aktuell an einem Roman ganz anderer Art.